O carrasco do amor

O carrasco do amor

e outras histórias sobre psicoterapia

Irvin D. Yalom

TRADUÇÃO:
Maria Adriana Veríssimo Veronese

2ª reimpressão

Ediouro

Título original
Love's Executioner

Capa
Angelo Venosa

Revisão de tradução
Paulo Schiller

Revisão
Taís Monteiro
Rebeca Bolite

Produção editorial
Cristiane Marinho

CIP-Brasil. Catalogação-na-fonte
Sindicato Nacional dos Editores de Livros, RJ.

Y17c Yalom, Irvin D., 1931-
O carrasco do amor / Irvin D. Yalom ; tradução Maria Adriana Veríssimo Veronese, - Rio de Janeiro : Ediouro, 2007.

Tradução de: Love's Executioner
ISBN 978-85-00-02107-7

1. Psicoterapia existencial - Estudo de casos. I. Título.

07-1839. CDD 616.8914
CDU 615.851

07 08 09 10 8 7 6 5 4 3 2 1

Rua Nova Jerusalém, 345 - Bonsucesso
Rio de Janeiro - RJ - CEP 21042-235
Tel.: (21) 3882-8200 - Fax: (21) 3882-8212/3882-8313
www.ediouro.com.br

Para a minha família:
minha esposa, Marilyn, e meus filhos,
Eve, Reid, Victor e Ben

Sumário

9 Agradecimentos

11 Introdução

23 1. O carrasco do amor
77 2. "Se o estupro fosse legal..."
97 3. A mulher gorda
129 4. "Morreu o filho errado"
157 5. "Eu jamais pensei que isso aconteceria comigo"
165 6. "Não seja gentil"
181 7. Dois sorrisos
201 8. Três cartas fechadas
227 9. Monogamia terapêutica
245 10. Em busca do sonhador

Agradecimentos

Mais da metade deste livro foi escrita durante um ano sabático[1] de muitas viagens. Agradeço às várias pessoas e instituições que me acolheram e facilitaram o meu trabalho: à Stanford University Humanities Center, ao Rockfeller Foundation Study Center, aos drs. Mikiko e Tsunehito Hasegawa, em Tóquio e no Havaí, ao Caffé Malvina, em São Francisco, e ao Bennington College Creative Writing Program.

Sou grato à minha esposa, Marilyn (sempre minha mais severa crítica e meu mais sólido apoio), à minha editora da Basic Books, Phoebe Hoss, que publicou este, bem como meus livros anteriores, e à minha editora de projetos nessa casa editorial, Linda Carbone. Meus agradecimentos também a muitos e muitos colegas e amigos que não fugiam quando viam que eu me aproximava com uma nova história nas mãos e ofereceram críticas, encorajamento ou consolo. O processo foi longo e, sem dúvida, esqueci nomes durante o caminho. Mas expresso a minha gratidão a: Pat Baumgardner, Helen Blau, Michele Carter, Isabel Davis, Stanley Elkin, John Felstiner, Albert Guerard, Maclin Guerard, Ruthellen Josselson, Herant Katchadourian, Stina Katchadourian, Marguerite Ledeberg, John L'Heureux, Morton Lieberman, Dee Lum, K. Y. Lum, Mary Jane Moffatt, Nan Robinson, minha irmã, Jean Rose, Gena Sorensen, David Spiegel, Winfried Weiss, meu filho, Benjamin Yalom, à turma de 1988 dos internos de Psicologia e residentes de Stanford, minha secretária, Bea Mitchell, que por dez anos datilografou as notas clínicas e idéias das quais se originaram estas histórias. Como sempre, sou grato à Stanford University, por proporcionar o apoio, a liberdade acadêmica e a comunidade intelectual tão essenciais ao meu trabalho.

Devo muito aos dez pacientes que ilustram estas páginas. Todos eles leram as suas histórias (exceto um deles, que morreu antes que eu acabasse) e autorizaram a

[1] Licença para viagem de estudos concedida a cada sete anos a professores universitários nos Estados unidos (N. do T.)

publicação. Cada um avaliou e aprovou o projeto, muitos ofereceram ajuda editorial, um deles, Dave, me deu o título para a sua história, alguns comentaram que o disfarce era desnecessariamente grande e me sugeriram que eu fosse mais acurado, outros ficaram perturbados por minhas auto-revelações ou por certas falsas liberdades tomadas por mim, mas, ainda assim, na esperança de que a história pudesse ser útil a terapeutas e/ou outros pacientes, deram-me tanto seu consentimento quanto sua aprovação. A todos, a minha mais profunda gratidão.

Estas são histórias verdadeiras, embora eu tenha precisado fazer muitas modificações para proteger a identidade dos pacientes. Freqüentemente, criei substitutos simbolicamente equivalentes para aspectos da identidade e circunstâncias de vida de um paciente; ocasionalmente, enxertei parte da identidade de um outro paciente no protagonista. Os diálogos com freqüência são imaginários, e minhas reflexões pessoais, *post hoc.* O disfarce é profundo, acessível em cada caso apenas ao próprio paciente. Quaisquer leitores que acreditarem reconhecer algum dos dez estarão, tenho certeza, enganados.

Introdução

Imaginem esta cena: trezentas ou quatrocentas pessoas, desconhecidas umas das outras, são solicitadas a formar par com alguém e formular ao parceiro uma única pergunta, "O que você quer?", repetidas vezes.

Poderia haver algo mais simples? Uma pergunta inocente e sua resposta. E, no entanto, em inúmeras ocasiões, vi esse exercício grupal evocar sentimentos surpreendentemente fortes. Freqüentemente, em minutos, a sala estremece de emoção. Homens e mulheres – que não são, de forma alguma, desesperados ou carentes, e sim pessoas bem-sucedidas, com um bom desempenho e bem-vestidas – são sacudidos em suas profundezas. Eles gritam por aqueles que estão perdidos para sempre – pais, cônjuges, filhos, amigos mortos ou ausentes: "Eu quero vê-lo de novo". "Eu quero seu amor." "Eu quero que você se orgulhe de mim." "Eu quero que você saiba que o amo e como me arrependo de nunca ter dito isso." "Eu quero você de volta – eu estou tão só." "Eu quero a infância que nunca tive." "Eu quero ser saudável – ser jovem novamente." "Eu quero ser amado, ser respeitado." "Eu quero que a minha vida tenha significado." "Eu quero realizar alguma coisa." "Eu quero significar, ser importante, ser lembrado."

Tanto querer. Tanta saudade. E tanta dor, tão perto da superfície, à profundidade de alguns poucos minutos. Dor do destino. Dor da existência. Dor que está sempre lá, sussurrando continuamente sob a película da vida. Dor acessível com excessiva facilidade. Muitas coisas – um simples exercício de grupo, alguns minutos de profunda reflexão, uma obra de arte, um sermão, uma crise pessoal, uma perda – nos lembram de que nossos desejos mais profundos jamais serão realizados: nossos desejos de juventude, de interromper o envelhecimento, do retorno das pessoas que desapareceram, de amor eterno, de proteção, de significado, da própria imortalidade.

É quando esses desejos inalcançáveis chegam a dominar nossas vidas que buscamos ajuda na família, nos amigos, na religião – algumas vezes nos psicoterapeutas.

Neste livro, conto a história de dez pacientes que buscaram terapia, e que no curso de seus trabalhos se debateram com a dor existencial. Esta não foi a razão pela qual eles buscaram a minha ajuda; pelo contrário, todos apresentavam os problemas comuns da vida cotidiana: solidão, autodesprezo, impotência, enxaquecas, compulsão sexual, obesidade, hipertensão, tristeza, uma obsessão amorosa consumidora, oscilações de humor, depressão. No entanto, de alguma forma (um "de alguma forma" que se desdobra diferentemente em cada história), a terapia descobriu as raízes profundas de todos esses problemas cotidianos – raízes que atingiam os fundamentos da existência.

"Eu quero! Eu quero!" se escuta em todos estes contos. Uma paciente chorava: "Eu quero de volta a minha querida filha morta", enquanto negligenciava os dois filhos vivos. Um outro insistia: "Eu quero foder toda mulher que vejo", enquanto um câncer linfático invadia os espaços fervilhantes de seu corpo. E um outro suplicava: "Eu quero os pais, a infância que nunca tive", ao mesmo tempo que se torturava com três cartas que não conseguia abrir. E uma outra declarava: "Eu quero ser jovem para sempre", enquanto ela, uma mulher idosa, não conseguia renunciar ao seu amor obsessivo por um homem 35 anos mais jovem.

Creio que o principal material da psicoterapia é sempre essa dor existencial – e não, como freqüentemente se afirma, as lutas instintivas reprimidas ou os fragmentos imperfeitamente enterrados de um passado pessoal trágico. Em minha terapia com cada um desses dez pacientes, minha suposição clínica primária – na qual baseei minha técnica – é que a angústia básica emerge dos esforços, conscientes ou inconscientes, do indivíduo para lidar com os fatos duros da vida, os "dados" da existência.[2]

Descobri que quatro dados são particularmente relevantes para a psicoterapia: a inevitabilidade da morte para cada um de nós e para aqueles que amamos, a liberdade de viver como desejamos, nossa condição fundamental de solidão e, finalmente, a ausência de qualquer significado ou sentido óbvio para a vida. Embora esses dados possam parecer terríveis, eles contêm as sementes da sabedoria e da redenção. Espero demonstrar, nestes dez contos sobre psicoterapia, que é possível enfrentar as verdades da existência e aproveitar o seu poder para a mudança e o crescimento pessoal.

[2] Para uma discussão detalhada dessa perspectiva existencial e da teoria e prática de uma psicoterapia baseada nela, veja o meu *Existencial Psychotherapy* (Nova York: Basic Books, 1980). (N. do A.)

Destes fatos da vida, a morte é o mais óbvio, intuitivamente o mais evidente. Em uma idade bem precoce, muito mais cedo do que freqüentemente imaginamos, aprendemos que a morte virá, e que dela não se pode escapar. Ainda assim, "todas as coisas", nas palavras de Spinoza, "lutam para persistir em sua própria existência". No âmago de cada pessoa há um eterno conflito entre o desejo de continuar a existir e a consciência da morte inevitável.

Para nos adaptarmos à realidade da morte, somos infinitamente criativos em imaginar formas de negá-la ou escapar dela. Quando pequenos, negamos a morte com a ajuda superprotetora dos pais e dos mitos seculares e religiosos; mais tarde, nós a personificamos, transformando-a em uma entidade, um monstro, um "João Pestana[3]," um demônio. Afinal, se a morte for uma entidade perseguidora, ainda poderemos encontrar uma forma de enganá-la; além disso, por mais assustador que um monstro que carrega a morte possa ser, ele é menos aterrorizante que a verdade: a de que carregamos dentro de nós as sementes de nossa própria morte. Mais tarde, as crianças experimentam outras maneiras de atenuar a angústia da morte: elas desvirtuam a morte escarnecendo dela, desafiando-a com ações temerárias, ou se dessensibilizam ao se exporem, na companhia protetora de seus iguais e de pipoca quente com manteiga, a histórias de fantasmas e filmes de terror.

À medida que envelhecemos, aprendemos a tirar a morte da mente; desviamos a atenção do tema; nós a transformamos em algo positivo (prosseguir, voltar para casa, reencontrar Deus, paz finalmente); a negamos com mitos confortadores; lutamos pela imortalidade por meio de obras imortais, lançando nossa semente no futuro por meio de nossos filhos ou abraçando um sistema religioso que ofereça perpetuação espiritual.

Muitas pessoas discordam dessa descrição da negação da morte. "Bobagem!", dizem. "Nós não negamos a morte. Todo mundo vai morrer. Nós sabemos disso. Os fatos são óbvios. Mas há alguma razão para insistirmos nesse assunto?"

A verdade é que nós sabemos, mas não sabemos. Sabemos *sobre* a morte, conhecemos os fatos racionalmente, mas nós – isto é, a porção inconsciente da mente que nos protege da angústia intolerável – separamos, ou dissociamos, o terror relacionado à morte. Esse processo dissociativo é inconsciente, invisível para nós, mas podemos ser convencidos de sua existência nos raros episódios em que o mecanismo

[3] O sono. (N. do T.)

de negação falha e a angústia da morte irrompe com força total. Isso ocorre raramente, talvez apenas algumas vezes na vida. Ocasionalmente, acontece quando se está acordado, após um contato pessoal com a morte ou quando uma pessoa amada morre; entretanto, é mais comum a angústia da morte aflorar nos pesadelos.

Um pesadelo é um sonho malsucedido, um sonho que, por não "manejar" a angústia, falhou em seu papel de guardião do sono. Embora os pesadelos difiram no conteúdo manifesto, o processo subjacente de todos os pesadelos é o mesmo: a pura angústia da morte escapou de seus guardiões e explodiu na consciência. A história "Em busca do sonhador" oferece uma visão única dos bastidores da fuga da angústia da morte e da tentativa da mente de estabelecer uma última trincheira para contê-la: aqui, em meio à imagem embebida de morte negra do pesadelo de Marvin, há um instrumento que promove a vida, que desafia a morte – a brilhante bengala de ponta branca com a qual o sonhador trava um duelo sexual com a morte.

O ato sexual é visto também pelos protagonistas de outras histórias como um talismã para repelir a degradação, o envelhecimento e a proximidade da morte: daí a promiscuidade compulsiva de um homem jovem em face de seu câncer ("Se o estupro fosse legal...") e o apego de um homem velho a cartas amareladas de 30 anos de idade de seu amor morto ("Não seja gentil").

Em meus muitos anos de trabalho com pacientes cancerosos enfrentando a morte iminente, observei dois métodos particularmente poderosos e comuns de diminuir os medos em relação à morte, duas crenças, ou ilusões, que proporcionam um sentimento de segurança. Uma delas é a crença na qualidade pessoal de ser especial; a outra, a crença em um supremo salvador. Embora sejam ilusões, uma vez que representam "crenças falsas fixas", não emprego o termo *ilusão* em um sentido pejorativo: trata-se de crenças universais que, em algum nível de consciência, existem em todos nós e desempenham um papel em vários destes contos.

A qualidade de ser especial é a crença de ser invulnerável, inviolável – muito além das leis comuns da biologia humana e do destino. Em algum momento da vida, cada um de nós irá enfrentar alguma crise: pode ser uma séria enfermidade, um fracasso na carreira ou um divórcio; ou, como aconteceu com Elva em "Eu jamais pensei que isso aconteceria comigo", pode ser um simples evento, tal como o roubo de uma bolsa, que subitamente expõe uma pessoa comum e desafia a suposição geral de que a vida será sempre uma espiral ascendente.

Embora a crença na qualidade especial da pessoa proporcione um senso de segurança que vem de dentro, o outro mecanismo maior da negação da morte – *a crença em um supremo salvador* – permite que nos sintamos eternamente cuidados e protegidos por uma força externa. Embora possamos vacilar, ficar mal, embora possamos chegar a situações críticas, existe, estamos convencidos, um servo onipotente, indistinto, que sempre nos trará de volta.

Juntos, esses dois sistemas de crença constituem uma dialética – duas respostas diametralmente opostas à condição humana. O ser humano tanto afirma sua autonomia, pela auto-afirmação heróica, quanto busca segurança ao se fundir com uma força superior: isto é, a pessoa emerge ou se funde, se separa ou se insere. A pessoa se torna seu próprio genitor ou permanece como a eterna criança.

A maioria de nós, a maior parte do tempo, vive confortavelmente, evitando a visão da morte, rindo e concordando com Woody Allen quando ele diz: "Eu não tenho medo da morte. Só não quero estar lá quando ela acontecer." Mas há um outro caminho – uma longa tradição, aplicável à psicoterapia – que nos ensina que a total consciência da morte desenvolve a sabedoria e enriquece a vida. As palavras de um de meus pacientes, ao morrer (em "Se o estupro fosse legal..."), demonstram que embora o *fato*, a concretude, da morte nos destrua, a *idéia* da morte pode nos salvar.

A liberdade, outro dado da existência, representa um dilema para vários destes dez pacientes. Quando Betty, uma paciente obesa, anunciou que havia comido vorazmente logo antes de vir me ver e que planejava comer assim novamente tão logo deixasse o consultório, ela tentava desistir de sua liberdade, persuadindo-me a controlá-la. Todo o curso da terapia de uma outra paciente (Thelma, em "O carrasco do amor") girava em torno do tema de se render a um amante (e terapeuta) anterior e da minha busca de estratégias para ajudá-la a recuperar seu poder e sua liberdade.

A liberdade, como um dado, parece a própria antítese da morte. Embora tenhamos receio da morte, em geral consideramos a liberdade como inequivocamente positiva. A história da civilização ocidental não foi pontuada por anseios de liberdade, inclusive dirigida por eles? No entanto, a liberdade, sob uma perspectiva existencial, está vinculada à angústia ao afirmar que, contrariamente à experiência cotidiana, não entramos para um universo bem-estruturado com um grandioso desígnio eterno para finalmente deixarmos. A liberdade significa que a pessoa é responsável por suas próprias escolhas, ações e condição de vida.

Embora a palavra *responsável* possa ser utilizada de várias maneiras, prefiro a definição de Sartre: ser responsável é "ser o autor de", cada um de nós sendo assim o autor de seu próprio plano de vida. Nós somos livres para sermos qualquer coisa, exceto não livres – nós estamos, diria Sartre, condenados à liberdade. Na verdade, alguns filósofos imaginam muito mais: que a arquitetura da mente humana torna cada um de nós responsável pela estrutura da realidade externa, pela própria forma do espaço e tempo. É aqui, na idéia da autoconstrução, que reside a angústia: somos seres que desejam estrutura, e ficamos amedrontados ante um conceito de liberdade que afirma que embaixo de nós não existe nada, apenas pura falta de fundamento.

Todo terapeuta sabe que o primeiro passo crucial na terapia é a aceitação por parte do paciente da responsabilidade pela sua condição de vida. Na medida em que a pessoa acredita que seus problemas são causados por alguma força ou entidade fora dela, não há avanço na terapia. Afinal de contas, se os problemas estão fora, por que a pessoa deveria se modificar? É o mundo externo (amigos, trabalho, cônjuge) que deve ser modificado – ou trocado. Assim, Dave (em "Não seja gentil"), queixando-se amargamente de estar trancafiado numa prisão conjugal por uma carcereira-esposa intrometida, possessiva, não pôde avançar na terapia até reconhecer como ele próprio era responsável pela construção da prisão.

Uma vez que os pacientes tendem a resistir em assumir a responsabilidade, os terapeutas devem desenvolver técnicas para torná-los pacientes conscientes de como eles próprios criam seus problemas. Uma técnica poderosa, que utilizo em muitos destes casos, é o foco no aqui e agora. Uma vez que os pacientes tendem a recriar *no ambiente terapêutico* os mesmos problemas interpessoais que os atormentam em suas vidas do lado de fora, eu me atenho ao que acontece no momento entre mim e um paciente, e não aos eventos de sua vida passada ou presente. Ao examinar os detalhes do relacionamento terapêutico (ou, em uma terapia de grupo, os relacionamentos entre os integrantes do grupo), posso apontar imediatamente como um paciente influencia as respostas das outras pessoas. Assim, embora Dave pudesse relutar em assumir a responsabilidade por seus problemas matrimoniais, não podia rechaçar os dados imediatos que ele próprio gerava na terapia de grupo: isto é, seu comportamento reservado, provocador e evasivo incitava os outros membros do grupo a lhe responder de maneira parecida com a de sua esposa em casa.

De modo semelhante, a terapia de Betty ("A mulher gorda") foi ineficiente enquanto ela pôde atribuir sua solidão à cultura excêntrica, sem raízes, da Califórnia. Foi somente quando demonstrei, durante as nossas horas juntos, como sua maneira impessoal, tímida e distante recriava o mesmo ambiente impessoal na terapia que ela pôde começar a explorar sua responsabilidade na criação do seu próprio isolamento.

Embora a aceitação da responsabilidade conduza o paciente ao limiar da mudança, ela não é sinônimo de mudança. E é a mudança, sempre, que é a verdadeira preciosidade, muito embora um terapeuta possa cortejar o *insight*, a aceitação de responsabilidade e a auto-realização. A liberdade não apenas requer que aceitemos a responsabilidade por nossas escolhas de vida, como também pressupõe que a mudança demanda um ato de vontade. Embora *vontade* seja um conceito que os terapeutas raramente utilizem explicitamente, nós, não obstante, empenhamos um grande esforço para influenciar a vontade de um paciente. Nós, incansavelmente, aclaramos e interpretamos, supondo (num ato de fé secular, sem suporte empírico convincente) que o entendimento invariavelmente levará à mudança. Quando anos de interpretação não conseguem produzir mudança, começamos a fazer apelos diretos à vontade: "Esforço também é necessário. Você deve tentar, você sabe. Há um tempo para pensar e analisar, mas também há um tempo para a ação." E quando a exortação direta falha, o terapeuta fica reduzido, como estas histórias testemunham, a empregar todos os meios conhecidos pelos quais uma pessoa é capaz de influenciar outra. Assim, posso aconselhar, argumentar, insistir, persuadir, estimular, implorar ou simplesmente suportar, esperando que a visão de mundo neurótica do paciente se desfaça por puro cansaço.

É pela vontade, o principal motivo da ação, que nossa liberdade se desenvolve. Eu vejo a vontade tendo dois estágios: uma pessoa começa por meio do desejo e depois realiza, por meio da decisão.

Algumas pessoas têm desejos bloqueados, não sabem o que sentem nem o que querem. Sem opiniões, sem inclinações, elas se tornam parasitas dos desejos dos outros. Essas pessoas costumam ser cansativas. Betty era enfadonha precisamente porque reprimia seus desejos, e os outros acabavam se cansando de lhe fornecer desejos e imaginação.

Outros pacientes não conseguem decidir. Embora saibam exatamente o que querem e o que precisam fazer, eles não conseguem agir, e, ao contrário, ficam no mesmo lugar, atormentados, diante do portal da decisão. Saul, em "Três cartas fechadas", sabia que qualquer homem sensato abriria as cartas; no entanto, o medo evocado por elas paralisava sua vontade. Thelma em "O carrasco do amor" sabia que sua obsessão amorosa estava suprimindo a realidade da sua vida. Ela *sabia* que estava, como ela mesma dizia, vivendo sua vida oito anos antes e que, para recuperá-la, teria de desistir de sua louca paixão. Mas isso ela não podia, ou não queria, fazer, e resistia ferozmente a todas as minhas tentativas de energizar sua vontade.

Decisões são difíceis por muitas razões, e algumas atingem o próprio cerne da existência. John Gardner, em seu romance *Grendel*, fala de um homem sábio que resume suas meditações sobre os mistérios da vida em dois postulados simples, mas terríveis: "As coisas desaparecem gradualmente: as alternativas se excluem." Sobre o primeiro postulado, a morte, eu já falei. O segundo, "as alternativas se excluem", é uma chave importante para compreendermos por que a decisão é difícil. A decisão invariavelmente envolve renúncia: para cada sim deve haver um não, cada decisão elimina, ou mata, outras opções (a raiz da palavra *decidir* significa "matar", como em *homicídio* ou *suicídio*). Assim, Thelma agarrava-se à chance infinitesimal de poder reviver novamente seu relacionamento com o amante, e a renúncia a essa possibilidade significava declínio e morte.

O isolamento existencial, um terceiro dado, refere-se à lacuna intransponível entre o eu e os outros, uma lacuna que existe mesmo na presença de relacionamentos interpessoais profundamente gratificantes. Estamos isolados não apenas dos outros seres, mas, no âmbito em que constituímos nosso mundo, também do mundo. Esse isolamento deve ser distinguido de dois outros tipos: isolamento inter e intrapessoal.

Experienciamos isolamento *interpessoal*, ou solidão, se não possuímos as aptidões sociais ou o estilo de personalidade que permite interações sociais íntimas. O isolamento *intrapessoal* ocorre quando partes do eu são dissociadas, como quando alguém dissocia a emoção da memória de um evento. A forma de dissociação mais extrema e dramática, a personalidade múltipla, é relativamente rara (embora cada vez mais reconhecida); quando ela realmente ocorre, o terapeuta pode se defrontar, como aconteceu comigo no tratamento de Marge ("Monogamia terapêutica"), com o desconcertante dilema de qual personalidade acolher.

Embora não haja solução para o isolamento existencial, os terapeutas devem desencorajar soluções falsas. Os esforços para escapar do isolamento podem sabotar os relacionamentos do indivíduo com outras pessoas. Muitas amizades ou casamentos fracassam porque, em vez de se relacionar e de se importar com o outro, a pessoa o utiliza como um escudo contra o isolamento.

Uma tentativa comum e vigorosa de resolver o isolamento existencial, que ocorre em várias destas histórias, é a fusão – o abrandamento das próprias fronteiras, a dissolução em um outro. O poder da fusão foi demonstrado em experimentos de percepção subliminar, em que a mensagem "Mamãe e eu somos um" surgia na tela tão rapidamente que os sujeitos não conseguiam vê-la conscientemente, embora relatassem sentir-se melhor, mais fortes, mais otimistas – e inclusive respondessem melhor do que outras pessoas ao tratamento (com modificação comportamental) de problemas como tabagismo, obesidade ou comportamento adolescente perturbado.

Um dos grandes paradoxos da vida é que a autoconsciência provoca angústia. A fusão elimina a angústia de modo radical – eliminando a autoconsciência. A pessoa que se apaixonou e ingressou em um bem-aventurado estado de fusão não é autorreflexiva, pois o *eu* solitário questionador (e a concomitante angústia do isolamento) se dissolve no *nós*. Assim, a pessoa se livra da angústia, mas perde a si mesma.

É precisamente por isso que os terapeutas não gostam de tratar um paciente que esteja apaixonado. A terapia e um estado amoroso de fusão são incompatíveis, porque o trabalho terapêutico requer uma autoconsciência questionadora e uma angústia que irão servir, fundamentalmente, como um guia para conflitos internos. Além disso, *é difícil* para mim, assim como para a maioria dos terapeutas, estabelecer um relacionamento com um paciente que esteja apaixonado. Na história "O carrasco do amor", Thelma não queria, por exemplo, relacionar-se comigo: sua energia estava completamente consumida por sua obsessão amorosa. Tomem cuidado com o poderoso apego exclusivo a uma outra pessoa; ele não é, como algumas pessoas pensam, evidência da pureza do amor. Esse amor encapsulado, exclusivo – alimentando-se de si próprio, não dando nem se importando com os outros –, está destinado a desmoronar sobre si mesmo. O amor não é apenas uma centelha de paixão entre duas pessoas; há uma distância infinita entre se apaixonar e permanecer apaixonado. Mais propriamente, o amor é um modo de ser, um "dar a", não um "enamorar-se"; um modo de se relacionar como um todo, não um ato limitado a uma única pessoa.

Embora tentemos arduamente seguir pela vida dois a dois, ou em grupos, há momentos, especialmente quando a morte se aproxima, em que a verdade – de que nós nascemos sozinhos e devemos morrer sozinhos – irrompe com fria clareza. Ouvi muitos pacientes moribundos comentarem que a coisa mais terrível na morte é que ela é um ato solitário. No entanto, mesmo às portas da morte, a disposição de outro alguém de estar completamente presente pode penetrar o isolamento. Como um paciente disse em "Não seja gentil": "Ainda que você esteja sozinho em seu barco, sempre conforta ver as luzes dos outros balançando por perto."

Portanto, se a morte é inevitável, se todas as nossas realizações, na verdade todo o sistema solar, irão um dia jazer em ruínas, se o mundo é contingente (isto é, se tudo pudesse ter acontecido igualmente de uma outra maneira), se os seres humanos precisam construir o mundo e o desígnio humano dentro deste mundo, então que significado duradouro pode existir na vida?

Essa pergunta incomoda os homens e as mulheres de hoje, e muitos buscam terapia por sentirem que suas vidas não têm sentido nem objetivo. Nós somos criaturas que buscam significados. Biologicamente, nosso sistema nervoso central está organizado de tal maneira que o cérebro automaticamente agrupa em configurações os estímulos recebidos. O significado também proporciona um senso de competência: sentindo-nos desamparados e confusos perante eventos ao acaso, não-padronizados, buscamos ordená-los e, ao fazê-lo, obtemos um senso de controle sobre eles. Ainda mais importante, o significado origina valores e, assim, um código de comportamento: por isso as respostas às perguntas iniciadas por *por que* (por que existo?) oferecem respostas às perguntas iniciadas por *como* (como existo?).

Nestes dez contos sobre psicoterapia há poucas discussões explícitas acerca do significado da vida. A busca de significado, muito semelhante à busca de prazer, deve ser conduzida indiretamente. O significado resulta da atividade significativa: quanto mais o procurarmos deliberadamente, menos provável será seu encontro; as perguntas racionais que alguém pode fazer a respeito do significado sempre excederão as respostas. Na terapia, assim como na vida, a presença de significado é um subproduto do vínculo e do comprometimento, e é nesse sentido que os terapeutas devem dirigir seus esforços – não que o vínculo ofereça uma resposta racional às perguntas sobre significados, mas porque faz com que essas perguntas não tenham importância.

Esse dilema existencial – um ser que busca significado e certeza num universo que não possui ambos – tem uma grande relevância para a profissão de psicoterapeuta. Em seu trabalho cotidiano, quando os terapeutas se relacionam com seus pacientes de uma maneira autêntica, experienciam uma considerável incerteza. A confrontação de um paciente com perguntas sem resposta não somente expõe um terapeuta às mesmas perguntas, como ele também deve reconhecer, como eu tive de fazer em "Dois sorrisos", que a experiência do outro é, ao final, inexoravelmente privada e incognoscível.

Na verdade, a capacidade de tolerar a incerteza é um pré-requisito para a profissão. Embora o público possa acreditar que os terapeutas orientam os pacientes sistemática e confiantemente por meio de estágios predizíveis de terapia até um objetivo previamente conhecido, esse raramente é o caso: ao contrário, como estas histórias testemunham, os terapeutas com freqüência hesitam, improvisam e tateiam em busca de uma direção. A poderosa tentação de obter uma certeza abraçando uma escola ideológica e um sistema terapêutico hermético é traiçoeira: essa crença pode bloquear o encontro incerto e espontâneo necessário para uma terapia efetiva.

Esse encontro, o verdadeiro âmago da psicoterapia, é um encontro afetuoso, profundamente humano entre duas pessoas, uma delas (geralmente, mas nem sempre, o paciente) mais perturbada do que a outra. Os terapeutas possuem um duplo papel: devem tanto observar quanto participar da vida de seus pacientes. Como observadores, devem ser suficientemente objetivos para oferecer a orientação rudimentar necessária ao paciente. Como participantes, entram na vida do paciente, são afetados por ela e, algumas vezes, modificados pelo encontro.

Ao escolher entrar completamente na vida de cada paciente, eu, o terapeuta, não somente fico exposto às suas mesmas questões existenciais como também devo estar preparado para examiná-las com as mesmas regras de investigação. Devo aceitar que conhecer é melhor do que não conhecer, aventurar-se é melhor do que não se aventurar; e que a magia e a ilusão, por mais magníficas e fascinantes que sejam, no final enfraquecem o espírito humano. Eu encaro com profunda seriedade as poderosas palavras de Thomas Hardy: "Se existe um caminho para o Melhor, ele exige uma visão completa do Pior."

O duplo papel de observador e participante exige muito de um terapeuta, e para mim, nestes dez casos, ele colocou perguntas angustiantes. Por exemplo, devo esperar que um paciente que me pediu para ser o guardião de suas cartas de amor possa lidar com os exatos problemas que eu, na minha própria vida, evitei? Seria possível ajudá-lo a ir além de onde cheguei? Devo fazer duras perguntas existenciais a um homem moribundo, a uma viúva, a uma mãe enlutada e a um aposentado ansioso com sonhos transcendentes – perguntas para as quais não tenho respostas? Devo revelar minhas fraquezas e minhas limitações a uma paciente cuja personalidade dupla, alternativa, eu considero tão sedutora? Seria possível, para mim, estabelecer um relacionamento interessado e honesto com uma mulher gorda cuja aparência física me repele? Deveria, sob a bandeira do auto-esclarecimento, tirar de uma velha mulher uma ilusão amorosa irracional, mas que a sustenta e conforta? Ou, forçosamente, impor minha vontade a um homem que, incapaz de agir nos seus melhores interesses, permitiu-se ficar aterrorizado por três cartas fechadas?

Embora estes contos sobre psicoterapia estejam cheios das palavras *paciente* e *terapeuta*, não me deixo iludir por esses termos: estas são as histórias de todos os homens, de todas as mulheres. A condição de ser paciente é onipresente; a aceitação do rótulo é amplamente arbitrária e freqüentemente depende mais de fatores culturais, educacionais e econômicos do que da severidade da patologia. Uma vez que os terapeutas, não menos que os pacientes, precisam se confrontar com esses dados da existência, a postura profissional de objetividade desinteressada, tão necessária ao método científico, é inadequada. Nós, psicoterapeutas, não podemos simplesmente tagarelar com simpatia e exortar os pacientes a se debaterem corajosamente com os seus problemas. Nós não podemos dizer a eles *você* e *seus* problemas. Ao contrário, devemos falar de *nós* e de *nossos* problemas, pois a nossa vida, a nossa existência, estará sempre presa à morte, do amor à perda, da liberdade ao temor e do crescimento à separação. Nós, todos nós, estamos juntos nisso.

CAPÍTULO 1

O carrasco do amor

Não gosto de trabalhar com pacientes que estejam apaixonados. Talvez por inveja – eu também almejo o encantamento. Talvez porque o amor e a psicoterapia sejam fundamentalmente incompatíveis. O bom terapeuta luta contra as trevas e busca a iluminação, enquanto o amor romântico é sustentado pelo mistério e se desintegra sob um exame mais detido. Detesto ser o carrasco do amor.

No entanto, Thelma, nos minutos iniciais de nossa primeira entrevista, contou-me que estava desesperadamente, tragicamente apaixonada, e eu jamais hesitei, nem por um momento, em aceitá-la para tratamento. Tudo o que eu vi no primeiro instante – o rosto enrugado de uns 70 anos de idade, com o tremor senil no queixo, o cabelo escasso, amarelo oxigenado, despenteado, as mãos emaciadas com veias azuladas – me dizia que ela deveria estar enganada, que não podia estar apaixonada. Como o amor poderia escolher assaltar aquele corpo velho, frágil e trôpego, ou alojar-se naquele casaco de poliéster informe?

Além disso, onde estava a aura de êxtase amoroso? O sofrimento de Thelma não me surpreendeu, sendo o amor sempre contaminado pela dor; mas seu amor era monstruosamente desequilibrado – não continha *nenhum* prazer; sua vida era um completo tormento.

Então concordei em tratá-la, pois tinha certeza de que ela estava sofrendo, não por amor, mas por alguma rara variante, que ela tomava equivocadamente por amor. Eu não apenas acreditava que poderia ajudar Thelma, como também me instigava a idéia de que esse pretenso amor poderia ser um farol que iluminaria alguns dos profundos mistérios desse sentimento.

Thelma estava distante e tensa no nosso primeiro encontro. Não retribuiu o meu sorriso quando a cumprimentei na sala de espera, e seguiu um passo ou dois atrás de mim quando a conduzi pelo corredor. Ao entrarmos em meu consultório, ela sequer olhou ao redor e sentou-se imediatamente. Então, sem esperar por qualquer comentário meu e sem desabotoar a pesada jaqueta que usava sobre seu casaco, respirou fundo e começou: – Há oito anos eu tive um caso de amor com meu terapeuta. Desde então, ele jamais deixou minha mente. Quase me matei uma vez e acredito que conseguirei me matar na próxima. Você é a minha última esperança.

Sempre ouço com cuidado as primeiras declarações. Elas são, com freqüência, mais do que naturalmente reveladoras e prognosticam o tipo de relacionamento que conseguirei estabelecer com um paciente. As palavras nos permitem entrar na vida do outro, mas o tom de voz de Thelma não continha nenhum convite para que eu me aproximasse.

Ela continuou:

– Caso você esteja achando difícil acreditar em mim, talvez isso ajude.

Ela procurou dentro de uma bolsa vermelha desbotada e me estendeu duas fotografias antigas. A primeira era de uma linda e jovem dançarina usando uma malha negra macia. Eu me espantei quando, ao olhar o rosto daquela dançarina, encontrei os grandes olhos de Thelma observando-me de uma distância de décadas.

– Esta – informou-me Thelma quando me viu olhando a segunda foto, de uma mulher de uns 60 anos de idade, bonita, porém impassível – foi tirada há uns oito anos. Como você vê – ela correu os dedos pelo cabelo despenteado –, eu não cuido mais da minha aparência.

Embora eu tivesse dificuldade em imaginar aquela mulher velha e mal-cuidada tendo um caso com seu terapeuta, não disse nada quanto a não acreditar nela. De fato, eu não falei absolutamente nada. Tentei manter uma objetividade completa, mas ela deve ter percebido alguma evidência de descrença, uma pequena sugestão, talvez um mínimo arregalar de meus olhos. Decidi não protestar contra sua acusação de que eu não acreditava nela. Não era hora de cortesias e *havia* algo de incongruente na idéia de uma mulher desgrenhada de 70 anos de idade loucamente apaixonada, doente de amor. Ela sabia disso, eu sabia disso e ela sabia que eu sabia.

Logo fiquei sabendo que nos últimos vinte anos ela estivera cronicamente deprimida e em tratamento psiquiátrico quase contínuo. Grande parte de sua terapia fora feita na clínica municipal de saúde mental, onde ela fora tratada por uma série de estagiários.

Havia cerca de 11 anos ela começara a tratar-se com Matthew, um jovem e bonito interno de Psicologia, e o encontrara semanalmente durante oito meses, continuando a vê-lo em seu consultório particular por mais um ano. No ano seguinte, quando Matthew assumira um cargo de tempo integral num hospital estadual, ele tivera de encerrar a terapia de todos os seus pacientes particulares.

Thelma se despedira dele com grande tristeza. Ele era, de longe, o melhor terapeuta que ela já tivera, e ela se havia afeiçoado a ele, desejava-o muito, e durante aqueles vinte meses esperava ansiosamente todas as semanas por sua hora de terapia. Ela jamais fora tão totalmente aberta com alguém. Nenhum terapeuta jamais fora tão escrupulosamente honesto, direto e gentil com ela.

Thelma falou com entusiasmo a respeito de Matthew por vários minutos.

– Ele era tão interessado, tão amoroso. Eu tive outros terapeutas que tentavam ser cordiais, deixar-me à vontade, mas Matthew era diferente. Ele *realmente* se importava, *realmente* me aceitava. Não importava o que eu fizesse, as coisas horríveis que eu pensava, eu sabia que ele aceitaria e ainda – qual é a palavra? – me confirmaria, não, me aprovaria. Ele me ajudava como os terapeutas geralmente fazem, mas fazia muito mais do que isso.

– Por exemplo? – perguntei.

– Ele me introduziu na dimensão espiritual, religiosa, da vida. Ele me ensinou a me importar com todas as coisas vivas. Ensinou-me a pensar sobre as razões pelas quais eu fora posta aqui na Terra. Mas ele não tinha a cabeça nas nuvens. Ele estava lá, comigo.

Thelma estava muito animada – falava rapidamente e apontava para o chão e para as nuvens enquanto falava. Percebi que ela gostava de falar a respeito de Matthew.

– Eu adorava o modo como ele discutia comigo. Ele não se deixava enrolar por mim. Sempre reclamava dos meus hábitos de merda.

Essa frase me chocou. Não combinava com o restante de sua exposição. No entanto, ela escolhia seus termos tão deliberadamente que imaginei que haviam sido palavras de Matthew, talvez um exemplo de sua ótima técnica. Meus sentimentos negativos em relação a ele cresciam rapidamente, mas os guardei para mim. As palavras de Thelma me diziam claramente que ela não aceitaria bem nenhuma crítica a Matthew.

Depois dele, Thelma se tratou com outros terapeutas, e nenhum deles jamais a tocou ou a ajudou a valorizar sua vida como ele fizera.

Imaginem, então, como ela ficou satisfeita, um ano depois do último encontro deles, ao vê-lo no entardecer de um sábado na Union Square, em São Francisco.

Eles conversaram e, para escapar do turbilhão de pessoas fazendo compras, tomaram um café no Hotel St. Francis. Havia tanto para conversar, tantas coisas que Matthew queria saber sobre o último ano de Thelma, que a hora de café se prolongou para um jantar, e eles foram caminhando até o Scoma's, no Fisherman's Wharf, para um *cioppino* de caranguejo.

De alguma maneira tudo aquilo pareceu tão natural, como se eles tivessem compartilhado refeições assim inúmeras vezes antes. Na verdade, eles haviam tido um relacionamento estritamente profissional, em que de modo algum transpuseram a fronteira formal paciente-terapeuta. Eles haviam aprendido a se conhecer em segmentos semanais de exatamente 50 minutos, nada mais, nada menos.

Mas naquela noite, por razões que a própria Thelma agora não conseguia compreender, ela e Matthew escaparam da realidade cotidiana. Nenhum deles olhou as horas; eles silenciosamente conspiraram, fingindo que não havia nada de diferente no fato de falarem em termos pessoais ou de tomarem café ou jantarem juntos. Pareceu natural para ela arrumar o colarinho amassado de sua camisa, tirar um fiapo de sua jaqueta, tomar seu braço enquanto subiam a Nob Hill. Pareceu natural para Matthew descrever seu novo "canto" no Haight, e muito natural para Thelma dizer que estava morrendo de vontade de conhecê-lo. Eles haviam rido quando Thelma dissera que seu marido estava fora da cidade: Harry, um membro do conselho consultivo dos Escoteiros da América, falava nos encontros dos escoteiros em algum lugar da América quase todas as noites da semana. Matthew divertiu-se ao ver que nada havia mudado; não havia necessidade de explicar nada a ele – afinal de contas, ele sabia tudo a respeito dela.

– Eu não lembro muito – continuou Thelma – do restante da noite, como as coisas aconteceram, quem tocou em quem primeiro, como decidimos ir para a cama. Nós não tomamos nenhuma decisão, tudo aconteceu fácil e espontaneamente. O que lembro com muita clareza é que estar nos braços de Matthew foi arrebatador, um dos maiores momentos de minha vida.

– Conte-me sobre o que aconteceu a seguir – pedi.

– Os 27 dias seguintes, de 19 de junho a 16 de julho, foram mágicos. Nós nos falávamos ao telefone várias vezes por dia e nos encontramos 14 vezes. Eu flutuava, eu planava, eu dançava.

A voz de Thelma agora possuía um ritmo, e ela sacudia a cabeça ao ritmo de uma melodia de oito anos atrás. Seus olhos estavam quase fechados, desafiando em alto grau a minha paciência. Não gosto de me sentir invisível.

– Esse foi o ponto alto da minha vida. Eu nunca havia sido tão feliz antes, nem fui tão feliz desde então. O que quer que tenha acontecido depois não poderia jamais apagar o que ele me deu na época.

– O que *aconteceu* depois?

– A última vez que eu o vi foi ao meio-dia e meia de 16 de julho. Eu não havia conseguido falar com ele por dois dias, por telefone, então fui até seu consultório sem me anunciar. Ele estava comendo um sanduíche e tinha ainda uns 20 minutos antes de começar um grupo de terapia. Eu perguntei por que ele não havia respondido aos meus telefonemas, e ele simplesmente disse:

– Não é correto, nós dois sabemos disso. – Ela se interrompeu e chorou silenciosamente.

Uma ótima hora para ele descobrir que não é correto, eu pensei.

– Você pode continuar? – pedi.

– Eu lhe perguntei: Imagine que eu ligue para você no próximo ano ou daqui a cinco anos. Você me veria? Poderíamos passear novamente na Golden Gate? Você deixaria que eu o abraçasse? Matthew respondeu pegando a minha mão, me puxando e me abraçando apertado por vários minutos. Liguei para ele incontáveis vezes desde então, e deixei mensagens em sua secretária eletrônica. A princípio ele respondeu a algumas das minhas chamadas, mas depois eu não tive mais notícias dele. Ele me cortou. Silêncio completo.

Thelma virou-se e olhou pela janela. O ritmo desaparecera de sua voz. Ela falava, com mais determinação, num tom amargo, infeliz, mas não havia mais lágrimas. Eu pensei que agora ela estava mais inclinada a dilacerar ou arrancar os olhos de alguém do que a chorar.

– Eu jamais consegui descobrir por que terminou exatamente daquela maneira. Numa das últimas vezes que conversamos, ele me disse que tínhamos de voltar às nossas vidas reais, e então acrescentou que estava envolvido com outra pessoa.

Eu suspeitei, silenciosamente, de que a nova pessoa na vida de Matthew era outra paciente.

Thelma não sabia se essa nova pessoa era um homem ou uma mulher. Ela desconfiava que Matthew fosse gay: ele morava em uma das áreas gays de São Francisco e era bonito como muitos homens gays são, com o bigode bem penteado, o rosto de garoto e o corpo de deus grego. Essa possibilidade ocorreu-lhe alguns anos mais tarde, quando, convidada a fazer uma visita turística fora da cidade, entrou num bar gay na Castro Street e ficou pasma ao ver 15 Matthews sentados no bar – 15 jovens esbeltos, atraentes, com bigodes bem-cuidados.

Ser subitamente separada de Matthew foi devastador; e não saber por que, insuportável. Thelma pensava nele continuamente, não passava uma hora sem alguma fantasia prolongada a respeito dele. O *porquê* passou a ser uma obsessão. *Por que* ele a havia rejeitado e jogado fora? *Por que* naquele momento? *Por que* ele não queria vê-la ou sequer falar com ela ao telefone?

Thelma ficou profundamente desanimada depois que todas as suas tentativas de contatar Matthew fracassaram. Ela ficava em casa o dia todo, olhando pela janela; não conseguia dormir; seus movimentos e a fala se tornaram mais lentos; ela perdeu o entusiasmo por todas as atividades. Ela parou de comer, e sua depressão logo foi além do alcance da psicoterapia e da medicação antidepressiva. Consultando três médicos por causa da insônia, e conseguindo com cada um deles uma prescrição de medicamentos para dormir, logo reuniu uma quantidade letal. Precisamente seis meses depois de seu encontro casual com Matthew na Union Square, ela deixou um bilhete de despedida para o marido, Harry, que estava fora da cidade durante a semana, esperou seu telefonema de boa-noite da Costa Leste, tirou o telefone do gancho, engoliu os comprimidos e foi para a cama.

Harry, não conseguindo dormir naquela noite, telefonou novamente para Thelma e ficou alarmado com o sinal contínuo de ocupado. Telefonou para os vizinhos, que bateram, em vão, na porta e nas janelas de Thelma. Eles logo chamaram a polícia, que entrou na casa para encontrá-la quase à morte.

Sua vida foi salva graças a grandes esforços médicos. O primeiro telefonema que ela deu após recobrar a consciência foi para a secretária eletrônica de Matthew. Ela lhe assegurou que conservaria o segredo deles e suplicou que ele a visitasse no hospital. Matthew foi visitá-la, mas ficou apenas 15 minutos, e sua presença, disse Thelma, foi pior que seu silêncio: ele fugiu de qualquer alusão feita por ela aos seus 27 dias de amor e insistiu em permanecer formal e profissional. Somente uma vez ele saiu desse papel: quando ela lhe perguntou como ia seu relacionamento com a nova pessoa em sua vida, Matthew explodiu: "Você não precisa saber disso!"

– E foi isso! – Thelma voltou seu rosto diretamente para mim, pela primeira vez, e acrescentou, num tom conformado, cansado. – Eu não o vi novamente. Eu telefono e deixo mensagens gravadas para ele nas datas importantes: no seu aniversário, em 19 de junho (nosso primeiro encontro), em 17 de julho (nosso último encontro), no Natal e no Ano-Novo. Cada vez que troco de terapeuta, eu telefono para dizer a ele. Ele nunca liga de volta.

"Nesses oito anos, jamais deixei de pensar nele. Às sete da manhã eu fico pensando se ele já estará acordado e às oito eu o imagino comendo o seu mingau de aveia (ele adora mingau de aveia, ele cresceu numa fazenda em Nebraska). Fico procurando por ele quando caminho pelas ruas. Muitas vezes me engano e penso que o vejo, e corro para saudar um estranho. Sonho com ele. Repasso mentalmente cada um de nossos encontros durante aqueles 27 dias. De fato, a maior parte da minha vida acontece nesses sonhos diurnos e eu mal percebo o que acontece no presente. Minha vida está sendo vivida oito anos atrás."

Minha vida está sendo vivida oito anos atrás – uma frase impressionante. Eu a guardei para um uso futuro.

– Fale-me sobre a terapia que você fez nos últimos oito anos, desde a sua tentativa de suicídio.

– Durante esse período eu jamais fiquei sem um terapeuta. Eles me deram montes de antidepressivos, que não fazem muito além de me permitir dormir. Nenhuma dessas terapias teve seqüência. Tratamentos à base de conversa nunca ajudaram. Eu imagino que você diria que eu não dei muita chance à terapia, já que tomei a decisão de proteger Matthew, nunca o mencionando, nem meu caso com ele, a qualquer outro terapeuta.

– Você quer dizer que em *oito anos* de terapia jamais falou a respeito de Matthew?

Que técnica ruim! Um erro de principiante, mas não consegui esconder meu assombro. Uma cena sobre a qual eu não havia pensado durante décadas voltou à minha mente: eu era aluno de um curso de anamnese na escola de Medicina. Um colega bem-intencionado, mas um tanto explosivo e insensível (mais tarde, misericordiosamente, ele se tornou cirurgião ortopédico), conduzia uma entrevista perante seus colegas e tentava utilizar a técnica rogeriana de estimular o paciente repetindo suas últimas palavras, geralmente a última palavra da declaração. O paciente, que enumerava feitos horríveis cometidos pelo pai tirânico, terminou dizendo: "E ele come hambúrguer cru!" O entrevistador, que vinha lutando para manter sua neutralidade, não conseguiu conter a indignação e gritou: "Hambúrguer cru?"

Durante o resto daquele ano, a expressão "hambúrguer cru" era freqüentemente sussurrada nas aulas e invariavelmente fazia a turma rir loucamente.

Eu, claro, conservei meu devaneio para mim.

– Mas hoje você tomou a decisão de vir me ver e ser honesta comigo. Conte-me sobre essa decisão.

– Eu investiguei você. Telefonei para cinco terapeutas anteriores e lhes disse que faria uma última tentativa de terapia e perguntei a eles quem eu deveria procurar. Seu nome apareceu em quatro listas. Eles disseram que você era um bom terapeuta, a "última chance". De modo que essa foi uma das coisas a seu favor. Mas eu também sabia que eles haviam sido seus alunos, e então o investiguei um pouco mais. Fui à biblioteca e folheei um de seus livros. Fiquei impressionada com duas coisas: você era claro – eu consegui entender o que estava escrito – e estava disposto a falar abertamente sobre a morte. Vou me abrir com você: tenho quase certeza de que acabarei cometendo suicídio. Estou aqui para fazer uma última tentativa de encontrar uma maneira de viver com um pouquinho de felicidade. Caso contrário, espero que você me ajude a morrer e me ajude a encontrar um modo de causar o mínimo possível de dor à minha família.

Eu disse a Thelma que achava que poderíamos trabalhar juntos, mas sugeri que marcássemos outra hora para considerar melhor as coisas e também para que ela pudesse avaliar se poderia trabalhar comigo. Eu ia falar mais quando ela olhou para o relógio e disse:

– Vejo que meus 50 minutos se esgotaram e, se aprendi alguma coisa, foi não prolongar minhas boas-vindas na terapia.

Eu estava refletindo sobre o tom desse comentário final – não exatamente sardônico, não exatamente coquete – quando Thelma se levantou, dizendo, ao sair, que iria marcar sua próxima hora com minha secretária.

Depois da sessão, eu tinha muito sobre o que pensar. Primeiro, havia Matthew. Ele me deixara enfurecido. Vi pacientes demais serem seriamente prejudicados por terapeutas que os usavam sexualmente. Isso é *sempre* prejudicial para um paciente.

As desculpas dos terapeutas são invariavelmente racionalizações claras e que servem aos propósitos deles – por exemplo, que o terapeuta aceita e afirma a sexualidade do paciente. Embora muitos pacientes possam precisar de afirmação sexual – os que são marcadamente sem atrativos, extremamente obesos, desfigurados cirurgicamente –, eu jamais ouvi de um terapeuta que ele tenha afirmado alguns *desses* sexualmente.

É claro, são os terapeutas transgressores que precisam de afirmação sexual e não possuem os recursos ou a desenvoltura para obtê-la na vida pessoal.

Mas Matthew era de certa forma um enigma. Quando seduziu Thelma (ou permitiu-se ser seduzido – a mesma coisa), ele recém-acabara a faculdade e deveria, portanto, estar no final dos 20 ou no início dos 30 anos. Então, *por quê*? Por que um jovem atraente, presumivelmente realizado, escolheria uma mulher de 62 anos que fora sem vida e deprimida por muitos anos? Eu pensei a respeito da especulação de Thelma sobre ele ser gay. Talvez a hipótese mais razoável fosse a de que Matthew estivesse trabalhando (ou atuando) algumas questões pessoais psicossexuais e utilizasse seu(s) paciente(s) para isso.

É precisamente por essa razão que insistimos em que os estagiários façam uma prolongada terapia pessoal. Porém, hoje em dia, com os breves cursos de formação, menos supervisão, um relaxamento dos padrões de formação e dos requisitos de graduação, os terapeutas muitas vezes se recusam a fazê-la, e muitos pacientes têm sofrido pela falta de autoconhecimento do terapeuta. Não sinto a menor pena dos profissionais irresponsáveis, e insisti com muitos pacientes para que informassem ao conselho de ética profissional sobre os terapeutas sexualmente transgressores. Considerei, momentaneamente, que recursos teria contra Matthew, mas supus que ele estivesse fora de alcance, pela caducidade. No entanto, ainda queria que ele soubesse o dano que havia causado.

Voltei minha atenção para Thelma e deixei de lado, por ora, a questão da motivação de Matthew. Mas eu iria me debater com esta pergunta muitas vezes antes do desfecho dessa terapia, e não podia imaginar então qual, de todos os enigmas no caso de Thelma, era o enigma de Matthew que eu estava destinado a solucionar completamente.

Eu me impressionava com a tenacidade da sua obsessão amorosa, que a possuíra por oito anos sem qualquer reforço externo. A obsessão preenchia todos os espaços de sua vida. Ela estava certa: *estava* vivendo sua vida oito anos atrás. A obsessão deveria retirar parte de sua força do empobrecimento do restante da existência de Thelma. Eu duvidava que seria possível separá-la de sua obsessão sem antes ajudá-la a enriquecer outras áreas de sua vida.

Eu me perguntei sobre a quantidade de intimidade que haveria em sua vida cotidiana. Pelo que ela me contara até o momento sobre o seu casamento, aparentemente havia pouca proximidade entre ela e o marido. Talvez a função da obsessão fosse simplesmente proporcionar intimidade: ela a vinculava a um outro – mas não a uma pessoa real, e sim a uma fantasia.

Minha maior esperança era a de estabelecer um relacionamento estreito, significativo, entre nós dois, e depois usar este relacionamento como o solvente para a obsessão dela. Mas isso não seria fácil. Seu relato a respeito de terapia era desanimador. Imaginem fazer terapia por oito anos e não falar sobre o problema real! Isso exige um tipo especial de pessoa, alguém que pode tolerar uma considerável duplicidade, alguém que abrace a intimidade na fantasia, mas que seja capaz de evitá-la na vida real.

Thelma começou a sessão seguinte dizendo-me que aquela havia sido uma semana horrível. A terapia sempre apresentava a ela um paradoxo.

– Eu sei que preciso ser atendida, não consigo manejar as coisas sem isso. E, no entanto, cada vez que falo sobre o que aconteceu, tenho uma semana miserável. As sessões de terapia sempre acabam pondo lenha na fogueira. Elas nunca resolvem nada, sempre pioram as coisas.

Não gostei do que ela falou. Seria isso uma pré-estréia de futuras atrações? Estaria Thelma me dizendo por que ela acabaria abandonando a terapia?

– Esta semana foi uma longa crise de choro. Matthew não saiu da minha cabeça. Eu não consigo conversar com Harry porque tenho apenas duas coisas na cabeça, Matthew e o suicídio, e ambos os assuntos são proibidos.

"Eu jamais, jamais, falarei sobre Matthew com o meu marido. Há alguns anos eu lhe disse que havia encontrado Matthew uma vez, por acaso. Eu devo ter falado demais, porque mais tarde Harry afirmou que acreditava que Matthew, de alguma maneira, era o responsável pela minha tentativa de suicídio. Se chegasse a saber a verdade, acredito honestamente que ele mataria Matthew. Harry é cheio de slogans de honra dos escoteiros – os escoteiros, ele só pensa nisso –, mas, sob a superfície, é um homem violento. Ele foi oficial do comando britânico na Segunda Guerra Mundial, e se especializou em ensinar métodos de luta corpo a corpo."

– Conte-me mais sobre Harry. – Eu ficara impressionado pela veemência na voz de Thelma quando ela dissera que Harry mataria Matthew se soubesse o que havia acontecido.

– Eu conheci Harry quando tinha uns 30 anos e dançava profissionalmente na Continente. Sempre vivi apenas para duas coisas: fazer amor e dançar. Eu me recusei a parar de dançar para ter filhos, mas fui forçada a parar há 31 anos, porque tive gota no dedão do pé, uma péssima doença para uma bailarina. Quanto ao amor, quando mais jovem eu tive muitos, muitos amantes. Você viu aquela minha foto, seja sincero, diga a verdade, eu não era bonita? – Ela continuou, sem esperar minha resposta. – Mas depois que casei com Harry, o amor terminou. Pouquíssimos homens (embora houvesse alguns) eram suficientemente valentes para me amar, todo mundo tinha medo de Harry. E Harry desistiu do sexo há vinte anos (ele é bom em desistir das coisas). Nós mal nos tocamos agora, provavelmente por culpa minha, tanto quanto dele.

Eu ia perguntar sobre Harry ser bom em desistir das coisas, mas Thelma disparou. Ela queria falar, embora ainda parecesse que não estava falando comigo. Ela não transmitia nenhuma evidência de que quisesse uma resposta minha. Seu olhar se desviava. Ela geralmente olhava para cima, como perdida em recordações.

– A outra coisa sobre a qual penso, mas não posso falar, é o suicídio. Jamais deixei escapar uma palavra a respeito disso para o Harry. Ele quase morreu quando tentei o suicídio. Teve um pequeno derrame e envelheceu dez anos bem diante dos meus olhos. Quando, para minha surpresa, eu acordei no hospital, pensei muito sobre o que havia feito à minha família. Imediatamente, tomei algumas resoluções.

– Que espécie de resoluções? – Não havia necessidade real para a minha pergunta, uma vez que Thelma estivera a ponto de descrever as resoluções, mas eu tinha de ter alguma interação com ela. Eu estava obtendo muitas informações, mas não fazíamos contato. Bem poderíamos estar em salas separadas.

– Eu resolvi jamais dizer ou fazer qualquer coisa que pudesse causar dor a Harry. Resolvi dar tudo a ele, ceder em todas as questões. Ele quer construir uma nova sala para o seu equipamento de ginástica: tudo bem. Ele quer ir ao México nas férias: tudo bem. Ele quer encontrar as pessoas nos eventos promovidos pela igreja: tudo bem.

Notando meu olhar intrigado em relação aos eventos promovidos pela igreja, Thelma explicou:

– Durante os últimos três anos, desde que eu soube que eventualmente cometeria suicídio, não quis conhecer mais ninguém. Novos amigos só significam mais despedidas e mais pessoas a serem feridas.

Trabalhei com muitas pessoas que tentaram verdadeiramente se matar, mas em geral a experiência é de alguma maneira transformadora, e elas passam a ter uma nova maturidade e sabedoria. Uma confrontação real com a morte via de regra faz com que a pessoa questione seriamente os objetivos e a condução da vida até aquele momento. O mesmo acontece com os que se defrontam com a morte por meio de uma enfermidade fatal. Quantas pessoas lamentam: "Que pena que eu tive de esperar até agora, quando meu corpo está tomado pelo câncer, para saber como viver!" No entanto, Thelma era diferente. Eu raramente encontrei alguém que chegou tão perto da morte e todavia aprendeu tão pouco com isso. As resoluções que tomou quando recobrou a consciência depois da overdose: será que ela realmente acreditava que faria Harry feliz ao endossar sem pensar todos os desejos dele, escondendo seus próprios desejos e pensamentos? E o que poderia ser pior para Harry do que sua mulher chorando toda aquela última semana sem compartilhar nada com ele? Esta era uma mulher mergulhada no auto-engano.

Seu auto-engano ficava mais evidente quando o tema da discussão era Matthew.

– Ele tinha uma delicadeza que tocava a vida de todas as pessoas que entravam em contato com ele. As secretárias o adoravam. Ele sempre tinha uma palavra gentil para cada uma, sabia o nome de todos os filhos delas, trazia-lhes rosquinhas três ou quatro manhãs por semana. Em todos os lugares em que fomos naqueles 27 dias ele jamais deixava de dizer ao garçom ou balconista alguma coisa que fazia com que eles se sentissem bem. Você sabe alguma coisa sobre o hábito de meditação budista?

– Bem, sim, para dizer a verdade, eu... –, mas Thelma não esperou para ouvir o resto da minha frase.

– Então você sabe sobre meditação bondade-amorosa. Ele fazia isso duas vezes por dia e me ensinou a praticar também. É exatamente por isso que eu jamais sonharia, nem em cem anos, que ele iria me tratar assim. O silêncio dele está me matando. Às vezes, quando mergulho profundamente em meus pensamentos, sinto que não seria possível que ele, a pessoa que me ensinou a ser aberta, desenvolvesse um castigo mais terrível do que o silêncio total. Cada vez mais – aqui Thelma baixou a voz até quase um sussurro – eu penso que ele está tentando intencionalmente me levar ao suicídio. Isso parece uma idéia maluca?

– Não sei se é maluca, mas parece uma idéia desesperada e terrivelmente dolorosa.

– Ele está tentando me levar ao suicídio. Ele ficaria livre de mim para sempre. É a única explicação possível!

– Apesar de pensar assim, você ainda o protegeu todos esses anos. Por quê?

– Porque, mais do que qualquer outra coisa no mundo, quero que Matthew pense bem de mim. Eu não quero arriscar minha única chance de algum tipo de felicidade!

– Mas, Thelma, são *oito anos*. Você não sabe dele há *oito anos*!

– Mas existe uma chance, uma chance pequena. Mas 2% ou inclusive 1% de chance é melhor do que nada. Eu não espero que Matthew me ame novamente, só quero que ele se importe com a minha existência neste planeta. Não é pedir muito. Quando nós passeamos no Golden Gate Park, ele quase torceu o tornozelo tentando evitar destruir um formigueiro. Certamente ele pode mandar um pouco dessa bondade-amorosa para mim!

Tanta inconsistência, tanta raiva, quase escárnio, de braço dado com tanta reverência. Embora eu gradualmente estivesse entrando em seu mundo de vivências, e me acostumando às avaliações hiperbólicas a respeito de Matthew, fiquei verdadeiramente aturdido pelo seu comentário seguinte.

– Se ele me telefonasse uma vez por ano, se falasse comigo por uns cinco minutos, se perguntasse como eu estava, se mostrasse sua preocupação, eu poderia viver feliz. Isso é pedir muito?

Eu jamais havia encontrado uma pessoa que desse a outra mais poder. Imaginem, ela dizia que um telefonema de cinco minutos por ano iria curá-la. Eu me perguntei se a curaria. Lembro que pensei que se tudo o mais falhasse, eu não deveria deixar de experimentá-lo! Reconheci que as chances de sucesso na terapia não eram boas: o auto-engano de Thelma, a falta de disposição psicológica, a resistência à introspecção, o caráter suicida, tudo avisava "Tome cuidado!"

No entanto, seu problema me fascinava. Sua obsessão amorosa – de que outra forma poderíamos chamá-la? – era poderosa e tenaz, tendo dominado oito anos de sua vida. Todavia, as raízes da obsessão me pareciam extraordinariamente frágeis. Um pequeno esforço, uma certa habilidade deveriam ser suficientes para arrancar toda a erva daninha. E então? Sob a obsessão, o que eu encontraria? Descobriria os fatos brutais da existência humana que o encantamento ocultava? Então eu realmente poderia aprender alguma coisa sobre a função do amor. Pesquisadores descobriram, no início do século XIX, que a melhor maneira de compreender o propósito de um órgão endócrino é removê-lo e observar o funcionamento fisiológico subseqüente da cobaia. Embora tivesse calafrios com a desumanidade de minha metáfora, eu me perguntei: *"Será que o mesmo princípio não se aplicaria aqui?"* Até o momento, parecia que o amor de Thelma por Matthew era, na verdade, alguma outra coisa – talvez uma fuga, um escudo contra o envelhecimento e o isolamento. Havia muito pouco de Matthew nisso tudo, e nem mesmo – se o amor for um relacionamento interessado, generoso, livre de necessidades – muito amor.

Outros sinais prognósticos exigiam minha atenção, mas decidi ignorá-los. Eu poderia, por exemplo, ter considerado mais seriamente os *vinte anos* de atendimento psiquiátrico de Thelma! Quando eu era aluno na Clínica Psiquiátrica Johns Hopkins, a equipe tinha muitos índices "não oficiais" de cronicidade. Um dos mais irreverentes era a "taxa por peso": quanto mais pesado o dossiê clínico do paciente, maior a doença e pior o prognóstico. Thelma teria sido uma "cinco quilos" de 70 anos, no mínimo, e ninguém, absolutamente ninguém, teria recomendado psicoterapia.

Se olho para trás, para o meu estado mental naquela época, percebo que simplesmente racionalizei esses conceitos.

Vinte anos de terapia? Bem, os últimos oito anos não podem ser contados como terapia em virtude do segredo de Thelma. Nenhuma terapia é possível se o paciente esconde as questões principais.

Os dez anos de terapia antes de Matthew? Bem, isso aconteceu há muito tempo! Além disso, quase todos os seus terapeutas foram jovens estagiários. Certamente eu poderia oferecer-lhe mais. Thelma e Harry, com uma situação financeira limitada, jamais conseguiriam pagar alguém, a não ser terapeutas em formação. Mas eu, no momento, era pago por um instituto de pesquisa para estudar a psicoterapia de idosos e podia atender Thelma por um preço mínimo. Com certeza, essa era uma rara oportunidade para ela de fazer terapia com um especialista experiente.

Minhas razões reais para tomar Thelma em tratamento eram outras: primeiro, eu estava fascinado por encontrar uma obsessão amorosa ao mesmo tempo profundamente enraizada e em estado vulnerável, exposta, e não poderia deixar de desenterrá-la e investigá-la; segundo, eu estava sofrendo do que agora reconheço como *hubris*,[4] eu acreditava que podia ajudar qualquer paciente, que ninguém estava além da minha capacidade. Os pré-socráticos definiam *hubris*[4] como "insubordinação à lei divina"; eu era insubordinado, certamente, não à lei divina, mas à lei natural, às leis que governam o fluxo de eventos em meu campo profissional. Acho

[4] Grande e insensato orgulho, que geralmente traz desgraça à pessoa que o demonstra. (N. do T.)

que tive uma premonição, na época, de que antes que meu trabalho com Thelma terminasse seria chamado a prestar contas por *hubris*.

No final da nossa segunda hora, discuti com Thelma o contrato de tratamento. Ela deixara claro que não iria se comprometer com um tratamento longo; e, além disso, eu achava que saberia, em seis meses, se poderia ajudá-la. Assim, concordamos em nos encontrar uma vez por semana durante seis meses (com a possibilidade de prolongar o tratamento por mais seis meses se julgássemos necessário). Ela se comprometia a vir regularmente e a participar de um projeto de pesquisa em psicoterapia, que incluía uma entrevista e uma bateria de testes psicológicos para avaliar resultados, realizada em duas etapas, no início da terapia e seis meses depois de seu término.

Tive o cuidado de informá-la de que a terapia seria, sem dúvida, perturbadora, e tentei obter sua promessa de que não desistiria.

– Thelma, essa contínua ruminação a respeito de Matthew, pela falta de um outro termo, vamos chamá-la de obsessão...

– Aqueles 27 dias foram uma grande dádiva – ela falou, irritada. – Essa é uma das razões pelas quais eu não falei a respeito deles para os outros terapeutas. Não quero vê-los tratados como uma doença.

– Não, Thelma, não estou falando sobre oito anos atrás. Estou falando sobre agora e sobre como você não consegue viver a vida, por estar revendo continuamente a história passada incontáveis vezes. Pensei que você tivesse me procurado porque queria parar de se atormentar.

Ela suspirou, fechou os olhos e acenou com a cabeça. Ela me dera o aviso que pretendia, e depois recostou-se na cadeira.

– O que eu ia dizer era que essa obsessão... Vamos achar uma palavra melhor, se *obsessão* a ofende...

– Não, está bem. Eu agora entendo o que você quer dizer.

– Bem, essa obsessão tem ocupado um lugar central em sua mente há oito anos. Será difícil desalojá-la. Precisarei desafiar algumas das suas crenças, e a terapia poderá ser estressante. Preciso que você se comprometa a prosseguir comigo.

– Eu me comprometo. Quando tomo uma decisão, nunca volto atrás.

– Thelma, também não posso trabalhar com uma ameaça de suicídio pairando sobre a minha cabeça. Preciso de uma solene promessa sua de que, nos próximos seis meses, você não fará nada fisicamente autodestrutivo. Se você sentir vontade, me telefone. Telefone-me a qualquer hora e eu estarei à sua disposição. Mas se você fizer qualquer tentativa, por mais tênue que seja, o nosso contrato estará rompido, e eu não continuarei a trabalhar com você. Geralmente ponho isso no papel e peço uma assinatura, mas respeito sua afirmação de que sempre honra suas resoluções.

Para minha surpresa, Thelma sacudiu a cabeça.

– Não há como eu lhe prometer isso. Eu me sinto mal quando sei que é a única saída. Não vou descartar essa opção.

– Estou falando sobre os próximos seis meses, apenas. Não estou pedindo um compromisso maior, mas não vou começar sem isso. Você quer pensar um pouco mais, Thelma, e marcamos um outro encontro para a próxima semana?

Ela imediatamente se tornou conciliatória. Acho que não esperava que eu assumisse uma posição tão firme. Ainda que não tenha dado mostras, acredito que ela tenha ficado aliviada.

– Não posso esperar mais uma semana. Quero que tomemos uma decisão agora e comecemos imediatamente a terapia. Tentarei fazer o melhor possível.

Fazer o melhor possível... Não sentia que fosse suficiente, mas hesitei em entrar numa luta de poder tão cedo. Assim, não disse nada, simplesmente ergui minhas sobrancelhas.

Depois de um minuto ou um minuto e meio (um longo silêncio em terapia), Thelma se levantou, estendeu-me a mão e disse:

– Você tem a minha palavra.

Na semana seguinte começamos nosso trabalho. Decidi manter um foco claro em questões relevantes e imediatas. Thelma tivera tempo suficiente (vinte anos de terapia) para explorar seus anos de desenvolvimento, e a última coisa que eu desejava focar eram eventos de sessenta anos atrás.

Ela estava muito ambivalente em relação à terapia: embora a considerasse sua única esperança, nunca tinha uma sessão satisfatória. Nas primeiras dez semanas, eu aprendi que, se analisássemos seus sentimentos em relação a Matthew, sua obsessão a atormentaria durante a semana seguinte. Se, por outro lado, explorássemos outros temas, mesmo questões importantes como o relacionamento com Harry, ela consideraria a sessão como uma perda de tempo, porque havíamos ignorado o problema maior.

Como resultado de seu descontentamento, nossos períodos juntos não eram gratificantes para mim também. Aprendi a não esperar qualquer gratificação pessoal a partir de meu trabalho com Thelma. Jamais tive prazer de estar na presença dela, e já na terceira ou quarta sessão percebi que qualquer gratificação para mim, nessa terapia, teria de vir da área intelectual.

A maior parte do nosso tempo juntos era dedicada a Matthew. Perguntei sobre o conteúdo exato de seus sonhos diurnos, e Thelma pareceu gostar de falar sobre eles. As ruminações eram muito repetitivas: a maioria era uma reprodução bastante fiel de algum de seus encontros durante os 27 dias. A mais comum era a do seu primeiro encontro: o encontro casual na Union Square, o café no St. Francis, a caminhada até o Fisherman's Wharf, a visão da baía do restaurante Scoma's, a excitação no trajeto até o "canto" de Matthew; mas, freqüentemente, ela apenas pensava sobre alguma de suas conversas amorosas ao telefone.

O sexo desempenhava um papel menor nesses pensamentos: ela raras vezes experienciara realmente qualquer excitação sexual. De fato, embora tivesse havido carícias sexuais consideráveis durante seus 27 dias com Matthew, eles tiveram relação sexual apenas uma vez, na primeira noite. Eles haviam tentado uma relação duas outras vezes, mas Matthew ficara impotente. Eu me convencia cada vez mais de que minha intuição sobre o comportamento dele era correta: ele possuía problemas psicossexuais importantes, que havia expressado com Thelma (e, provavelmente, com outros infelizes pacientes).

Havia tantas vertentes produtivas que era difícil selecionar e me concentrar em uma. Todavia, primeiro era necessário estabelecer, de um modo que convencesse Thelma, de que a obsessão tinha de ser erradicada, pois uma obsessão amorosa drena a realidade da vida e anula novas experiências, tanto as boas quanto as más, como sei por experiência própria. Na verdade, a maioria das crenças que defendo profundamente e minhas áreas de maior interesse em psicologia decorreram da experiência pessoal. Nietzsche afirmou que o sistema de pensamento de um filósofo sempre resulta de sua autobiografia, e acredito que isso vale para todos os terapeutas, na verdade, para qualquer pessoa que reflete sobre o pensamento.

Em uma conferência, aproximadamente dois anos antes de encontrar Thelma, conheci uma mulher que mais tarde invadiu minha mente, meus pensamentos, meus sonhos. Sua imagem se hospedou em minha mente e desafiou todos os meus esforços para desalojá-la. Entretanto, durante um tempo, aquilo foi bom: eu gostava da obsessão e a saboreava repetidas vezes. Poucas semanas depois, fui passar uma semana de férias com a minha família em uma linda ilha do Caribe. Somente depois de vários dias percebi que estava perdendo tudo na viagem: a beleza da praia, a vegetação exótica, até mesmo a emoção de mergulhar e penetrar o mundo submarino. Toda essa rica realidade era apagada pela minha obsessão. Eu estava ausente. Estava encerrado em minha mente, assistindo às suas repetições intermináveis e, àquela altura, a uma insípida fantasia. Angustiado e muito aborrecido comigo mesmo, entrei em terapia (mais uma vez), e depois de vários meses difíceis, a minha mente passou a ser minha novamente e eu fui capaz de retomar a excitante atividade de experenciar a minha vida *conforme ela estava acontecendo.* (Um fato curioso: meu terapeuta acabou se tornando um amigo íntimo e anos mais tarde me disse que na época em que me tratava ele próprio estava obcecado por uma adorável italiana cuja atenção se fixava em outra pessoa. E assim, de paciente para terapeuta para paciente, segue *La ronde* do amor obsessivo.)

Assim, em meu trabalho com Thelma, enfatizei para ela como a obsessão estava prejudicando sua vida, e freqüentemente repetia seu comentário inicial de que vivia sua vida de oito anos atrás. Não admira que ela tivesse ódio de estar viva! Sua vida estava sendo sufocada num compartimento sem ar, sem janelas, ventilado apenas por aqueles distantes 27 dias.

Mas Thelma jamais achou essa tese persuasiva. Com, eu penso agora, boas razões. Generalizando a partir da minha experiência, eu supus erradamente que sua vida possuísse uma riqueza que ela estava perdendo, em virtude de sua obsessão. Thelma sentia, embora não tivesse dito explicitamente na época, que a obsessão continha infinitamente mais vitalidade do que sua experiência vivida. (Mais tarde iríamos explorar, também com um impacto mínimo, o reverso desta fórmula: que era primariamente *por causa* do empobrecimento de sua vida que ela abraçara a obsessão.)

Aproximadamente na sexta sessão, eu havia vencido sua resistência e – para me satisfazer, creio – ela concordou que a obsessão era o inimigo e tinha de ser extirpada. Nós gastamos sessões e mais sessões simplesmente explorando a obsessão. Parecia-me que a fonte de sua perpetuação era o poder que dera a Matthew. Nada poderia ser feito até que diminuíssemos esse poder.

– Thelma, sobre esse sentimento de que a única coisa que importa é que Matthew tenha uma boa opinião a seu respeito, diga-me tudo que você pensa.

– É difícil colocar em palavras. A idéia de ele me odiar é insuportável. Ele é a única pessoa que um dia soube *tudo* sobre mim. Assim, o fato de ele ainda poder me amar, apesar de tudo que sabe, significa muito para mim.

Esta, pensei, é precisamente a razão pela qual os terapeutas não deveriam se envolver emocionalmente com pacientes. Em virtude de seu papel privilegiado – seu acesso a sentimentos profundos e informações secretas –, suas reações sempre assumem significados maiores do que a vida. É quase impossível para os pacientes verem os terapeutas como eles realmente são. Minha raiva em relação a Matthew aumentou.

– Mas, Thelma, ele é apenas uma pessoa. Você não o vê há oito anos. Que *diferença* faz o que ele pensa de você?

– Não sei dizer. Sei que não faz sentido, mas no fundo da minha alma acredito que eu estaria bem, estaria feliz, se ele pensasse bem de mim.

Esse pensamento, essa falsa crença nuclear, era o inimigo. Eu precisava desalojá-la. Argumentei fervorosamente.

– Você é você, você tem a sua própria existência, você continua a ser a pessoa que é, momento após momento, dia após dia. Basicamente, sua existência é impenetrável aos pensamentos transitórios, às ondulações eletromagnéticas que ocorrem em alguma mente desconhecida. Tente enxergar isso. Todo esse poder que Matthew tem você o deu a ele, cada partícula dele!

– Eu fico mal, doente, se penso nele me desprezando.

– O que se passa na mente de uma outra pessoa, alguém que você nem sequer vê, que provavelmente nem sequer está consciente da sua existência, que está envolvida com as questões de sua própria vida, não muda a pessoa que você é.

– Oh, ele está consciente da minha existência, pode acreditar. Eu deixo muitas mensagens na sua secretária eletrônica. Na verdade, deixei uma mensagem na semana passada, para que ele soubesse que estou me tratando com você. Acho que ele deve saber que estou falando a respeito dele com você. Ao longo dos anos, sempre telefonei para ele quando mudava de terapeuta.

– Mas pensei que você não falava sobre ele com todos esses terapeutas.

– Não falava mesmo. Eu lhe prometi isso, embora ele nunca tivesse pedido, e mantive a promessa, até agora. Mesmo que não tenha falado sobre ele todos esses anos, ainda penso que ele deveria saber com que terapeuta estava me tratando. Muitos eram da escola dele. Podiam inclusive ser seus amigos.

Por conta de meus sentimentos vingativos em relação a Matthew, não fiquei insatisfeito com as palavras de Thelma. Ao contrário, eu me diverti ao imaginar o desconforto dele ao longo dos anos, quando ouvia as mensagens ostensivamente solícitas de Thelma em sua secretária eletrônica. Comecei a abandonar as minhas idéias de devolver o golpe a Matthew. Essa senhora sabia como puni-lo e não precisava de nenhuma ajuda minha nessa tarefa.

– Mas, Thelma, volte ao que eu estava dizendo antes. Você não vê que está fazendo isso para você mesma? O que ele pensa realmente não pode mudar o tipo de pessoa que você é. Você *deixa* que ele a influencie. Ele é apenas uma pessoa, como você e eu. Se *você* pensa mal de uma pessoa com quem nunca tem contato, seus pensamentos, as imagens mentais circulando em seu cérebro e conhecidas apenas por você irão afetar *aquela* pessoa? A única maneira de isso acontecer é por meio de uma influência do tipo vodu. Por que você cede seu poder a Matthew? Ele é uma pessoa como qualquer outra, ele luta para viver, ele vai envelhecer, ele vai soltar gases, ele vai morrer.

Nenhuma resposta de Thelma. Eu aumentei a aposta.

– Você disse antes que dificilmente alguém poderia planejar deliberadamente um comportamento capaz de machucá-la mais. Você pensou que talvez ele estivesse tentando levá-la ao suicídio. Ele não está interessado no seu bem-estar. Assim, que sentido faz elevá-lo tanto? Acreditar que nada na vida é mais importante do que ele pensar bem de você?

– Eu não acredito realmente que ele esteja tentando me levar ao suicídio. É só um pensamento que eu tenho às vezes. Eu vou de um extremo ao outro, rapidamente, no que se refere aos meus sentimentos em relação a Matthew. A maior parte do tempo o que importa é que ele me queira bem.

– Mas por que o desejo dele é tão importante? Você o elevou a uma posição sobre-humana. No entanto, ele parece ser uma pessoa particularmente complicada. Você mesma mencionou seus problemas sexuais. Observe toda a questão da integridade, o código de ética dele. Ele violou o código básico de qualquer profissão de assistência. Veja o sofrimento que ele lhe causou. Nós dois sabemos que é simplesmente errado um terapeuta profissional, que jurou agir nos melhores interesses do paciente, ferir alguém da maneira como ele a feriu.

Mas eu poderia muito bem estar falando com o vento.

– Foi somente *quando* ele começou a agir profissionalmente, *quando* ele voltou a um papel formal, que ele me feriu. Quando éramos simplesmente dois seres humanos apaixonados, ele me deu o presente mais precioso do mundo.

Era profundamente frustrante. *Obviamente*, Thelma era responsável por sua própria condição de vida. *Obviamente*, era uma ficção Matthew possuir qualquer poder real sobre ela. *Obviamente*, ela lhe dera esse poder, numa tentativa de negar sua própria liberdade e sua responsabilidade pela constituição de sua própria vida. Longe de querer tomar de volta sua liberdade de Matthew, ela desejava a submissão.

Desde o começo, é claro, eu sabia que a pura força do meu argumento não penetraria suficientemente fundo para produzir qualquer mudança. Isso quase nunca acontece. Nunca funcionou comigo quando estive em terapia. Somente quando sentimos um *insight na carne* é que o reconhecemos. Somente então podemos agir e mudar. Psicólogos populares falam continuamente sobre "aceitação da responsabilidade", mas essas são só palavras: é extremamente difícil, inclusive aterrorizante, chegar ao *insight* de que você, e apenas você, constrói seu próprio plano de vida. Assim, o problema na terapia é sempre como ir de uma apreciação intelectual ineficaz de uma verdade a respeito de si próprio até uma *experiência* emocional dessa verdade. É somente quando a terapia provoca profundas emoções que ela se torna uma poderosa força para a mudança.

E fraqueza era o problema na minha terapia com Thelma. Minhas tentativas de gerar força eram vergonhosamente deselegantes e consistiam principalmente em me atrapalhar, resmungar e rodear, repetitivamente, sua obsessão e tentar mandá-la embora.

Nesses momentos, eu anseio muito pela certeza que a ortodoxia oferece. A psicanálise, para citar a mais universal das escolas ideológicas de psicoterapia, sempre postula convicções fortes sobre os procedimentos técnicos necessários – na verdade, os analistas parecem mais certos sobre *tudo* do que eu sobre *qualquer coisa*. Como seria confortador sentir, uma única vez, que eu sei exatamente o que estou fazendo no meu trabalho psicoterapêutico – por exemplo, que estou transpondo, na seqüência adequada, os estágios precisos do processo terapêutico.

Entretanto, obviamente, tudo isso é ilusão. Se chegam a ajudar os pacientes, as escolas ideológicas, com seus complexos edifícios metafísicos, têm sucesso porque diminuem a angústia do *terapeuta*, não a do paciente (e assim permitem ao terapeuta enfrentar a angústia do processo terapêutico). Quanto mais o terapeuta for capaz de tolerar a angústia de não saber, menor será sua necessidade de abraçar a ortodoxia. Os membros criativos de uma ortodoxia, de *qualquer* ortodoxia, acabam superando suas disciplinas.

Embora haja algo de tranqüilizador em um terapeuta onisciente que sempre tem o controle de qualquer situação, pode haver algo de poderosamente atraente em um terapeuta atrapalhado, desejoso por se debater com o paciente até que, com ele, depare com uma descoberta que abre possibilidades. Infelizmente, contudo, como Thelma me ensinaria antes de seu caso se encerrar, quanta terapia maravilhosa pode ser desperdiçada com um paciente!

Em minha ânsia de poder, forcei os limites. Tentei confundi-la e chocá-la.

– Suponha, por um momento, que Matthew morresse. Isso a libertaria?

– Eu tentei imaginar isso. Quando o imagino morto, sinto uma grande tristeza. Eu estaria vivendo num mundo vazio. Nunca consigo pensar mais que isso.

– Como você poderia se libertar disso? Como você poderia ser libertada? Matthew poderia libertá-la? Você já imaginou uma conversa em que ele a libertaria?

Thelma sorriu ao ouvir essa pergunta. Ela olhou para mim com o que imaginei ser um respeito maior, como se ela estivesse impressionada com a minha capacidade de ler a mente. Eu tinha, obviamente, tocado em uma fantasia importante.

– Com freqüência. Com muita freqüência.

– Divida isso comigo. Como seria?

Eu não confio em dramatizações ou na troca de papéis, mas este parecia ser o ponto perfeito para fazê-lo.

– Vamos tentar dramatizar isso. Você pode se sentar na outra cadeira, desempenhar o papel de Matthew e falar com Thelma aqui, nesta cadeira?

Uma vez que Thelma se opusera a tudo que eu havia sugerido até então, eu estava preparando o meu argumento para convencê-la, quando, para minha surpresa, ela concordou entusiasticamente. Talvez, em seus vinte anos de terapia, ela tivesse trabalhado com terapeutas da *gestalt* que empregavam essas técnicas; talvez fosse sua experiência de brilhar no palco. Ela quase pulou da cadeira, simulou que punha uma gravata e abotoava um paletó, assumiu um sorriso inocente e uma expressão deliciosamente exagerada de magnanimidade benevolente, limpou a voz, sentou-se na outra cadeira e se transformou em Matthew.

– Thelma, eu vim ao seu encontro com uma lembrança agradável do trabalho que fizemos juntos na terapia e desejando tê-la como amiga. Eu apreciava o dar e receber. Eu apreciava a brincadeira sobre os seus hábitos de merda. Eu fui sincero. Eu realmente penso as coisas que lhe disse, cada uma delas. E então aconteceu uma coisa que prefiro não lhe contar que me fez mudar de idéia. Não foi nada que você tenha feito, nada em você era detestável embora não tivéssemos o suficiente para construir um relacionamento duradouro. O que aconteceu foi que uma mulher, Sônia...

Aqui, Thelma saiu do papel por um minuto e disse, num sussurro teatral alto:

– Dr. Yalom, Sônia era meu nome artístico quando eu era dançarina.

Ela se tornou Matthew de novo e continuou:

– Essa mulher, Sônia, entrou em cena, e eu percebi que a vida com ela era o caminho certo para mim. Eu tentei ficar afastado, tentei dizer a você para parar de ligar e, serei honesto, fiquei chateado por você não parar. Depois da sua tentativa de suicídio, eu sabia que teria de ter muito cuidado com o que eu dissesse, e foi *por isso* que fiquei tão distante. Procurei um psicanalista, e foi *ele* quem me recomendou silêncio absoluto. Você é uma pessoa que eu adoraria ter como amiga, mas não há como fazer isso em bases abertas. Existe o seu Harry e existe a minha Sônia.

Ela parou e afundou na cadeira. Seus ombros caíram, seu sorriso benevolente sumiu e, inteiramente esgotada, ela se tornou Thelma novamente.

Ficamos em silêncio. Enquanto eu pensava sobre as palavras que ela colocara na boca de Matthew, podia facilmente entender seu apelo, e por que ela, sem dúvida, as repetiria tantas vezes: elas confirmavam sua visão da realidade, absolviam Matthew de qualquer responsabilidade (afinal de contas, fora seu terapeuta que recomendara silêncio) e confirmavam que não havia nada de errado com ela, ou de incongruente no relacionamento deles; só que Matthew tinha uma obrigação maior para com uma outra pessoa. Que a outra mulher fosse Sônia, ela própria quando jovem, sugeria que eu observasse melhor os sentimentos de Thelma quanto à sua idade.

Eu estava fascinado com a idéia da libertação. *Será que aquelas palavras de Matthew iriam realmente libertá-la?* Passou pela minha cabeça uma experiência com um paciente no meu primeiro ano de residência (as primeiras vivências clínicas ficam para sempre conosco, como se fossem gravadas na infância profissional da pessoa). O paciente, que estava muito paranóide, insistia em que eu não era o dr. Yalom, mas um agente do FBI, e exigia provas da minha identificação. Quando, na sessão seguinte, inexperiente, eu lhe mostrei a minha certidão de nascimento, a carteira de motorista e o passaporte, ele declarou que eu comprovara que ele estava certo: somente conexões no FBI poderiam ter produzido falsificações com tanta rapidez. Se um sistema é infinitamente expansível, a pessoa não consegue *não* ser envolvida por ele.

Não que Thelma fosse paranóide, claro, mas eu me perguntei se ela também derrotaria quaisquer declarações libertadoras, mesmo as de Matthew, exigindo infinitamente mais provas e garantias. Não obstante, ao olhar retrospectivamente para esse atendimento, acredito que foi nesse momento que comecei a considerar seriamente se deveria envolver Matthew no processo de terapia – não o Matthew idealizado, mas o Matthew real, de carne e osso.

– Como você se sente com a dramatização, Thelma? O que ela provocou em você?

– Eu me sinto como uma idiota. É ridículo, para alguém da minha idade, agir como uma adolescente tola.

– Há nisso uma pergunta para mim? Você acha que eu sinto isso em relação a você?

– Para ser honesta, há uma outra razão, além da minha promessa para Matthew, pela qual não falei sobre ele com os terapeutas ou com qualquer outra pessoa. Eu sei que eles diriam que se trata de uma paixão tola, de uma paixonite ou de transferência. "Todo mundo se apaixona por seu terapeuta". Eu consigo ouvir isso agora. Ou então eles falariam sobre isso como se fosse... como se chama a situação em que o terapeuta transfere alguma coisa para o paciente?

– Contratransferência?

– Sim, contratransferência. De fato, você estava sugerindo isso na semana passada, quando falou sobre a hipótese de que Matthew "trabalhava" seus problemas pessoais em sua terapia comigo. Serei franca como você me disse para ser na terapia: isso me ofende. Como se eu não importasse, como se eu fosse uma inocente espectadora de alguma coisa que ele estivesse resolvendo com sua mãe.

Segurei minha língua. Ela estava certa: era exatamente isso o que eu pensava. Você e Matthew *são* ambos "inocentes espectadores". Nenhum de vocês estava realmente se relacionando com o outro, e sim com alguma fantasia do outro. Você se apaixonou por Matthew pelo que ele representava para você: alguém que a amaria total e incondicionalmente; que seria inteiramente dedicado ao seu bem-estar, conforto e crescimento; que iria anular seu envelhecimento e amá-la como a jovem, linda, Sônia; que lhe proporcionaria a oportunidade de escapar da dor de ser separada e ofereceria a felicidade da fusão abnegada. Você pode ter "se apaixonado", mas uma coisa é certa: você não amou Matthew; você jamais conheceu Matthew.

E Matthew? Quem ou o que ele estava amando? Eu ainda não sabia, mas não pensava que ele estivesse "apaixonado" *nem* amando. Ele não amava você, Thelma, ele a usava. Ele não tinha nenhum interesse genuíno pela Thelma, pela Thelma de carne e osso! Seu comentário sobre ele estar resolvendo alguma coisa com a mãe provavelmente não é uma má hipótese.

Como se estivesse lendo minha mente, Thelma continuou, erguendo o queixo e projetando as palavras para uma grande audiência.

– Quando as pessoas pensam que nós realmente não amamos um ao outro, elas depreciam o amor que tivemos. Negam a sua profundidade, transformam-no em nada. O amor era, e *é*, real. *Nada jamais foi tão real para mim.* Aqueles 27 dias foram o ponto alto da minha vida. Foram 27 dias de paraíso, e eu daria qualquer coisa para tê-los de volta!

Uma senhora poderosa, pensei eu. Ela traçara os limites efetivamente: "Não me tire o ponto alto da minha vida. Não me tire a única coisa real que já aconteceu comigo." Quem seria capaz de fazer isso a *qualquer pessoa*, e especialmente a uma mulher de 70 anos, deprimida, suicida?

Mas eu não tinha a intenção de ser chantageado dessa maneira. Render-me a ela nessa hora me tornaria absolutamente ineficaz. De modo que continuei em um tom prático:

– Conte-me sobre a euforia, conte tudo que você lembra.

– Era uma experiência extracorpórea. Eu não tinha peso. Era como se eu não estivesse lá, ou pelo menos a parte de mim que me fere e me empurra para baixo. Eu simplesmente parava de pensar e de me preocupar comigo. Eu me tornava um *nós*.

O solitário *eu* dissolvendo-se em êxtase no *nós*. Com que freqüência ouvi isso! É o denominador comum de toda forma de felicidade – romântica, sexual, política, religiosa, mística. Todo mundo quer e acolhe bem essa fusão bem-aventurada. Mas era diferente com Thelma – não que ela a *desejasse*, e sim *tivesse de tê-la para escapar de algum perigo.*

– Isso se ajusta ao que você me contou sobre o sexo com Matthew, que não era importante que ele estivesse *dentro* de você. O que era importante era ele estar conectado ou mesmo fundido com você.

– Está certo. Foi o que eu quis dizer quando falei que você estava dando muita importância ao relacionamento sexual. Sexo, em si, não desempenhava um papel muito importante.

– Isso nos ajuda a entender o sonho que você teve duas semanas atrás.

Duas semanas antes, Thelma havia relatado um sonho de angústia – o único sonho que ela relatou durante toda a terapia:

– Eu estava dançando com um grande homem negro. Então, ele se transformou em Matthew. Nós estávamos deitados no chão do salão, fazendo sexo. Quando estava começando a ter um orgasmo, eu sussurrei em seu ouvido: "Mate-me." Ele desapareceu, e eu fiquei sozinha no chão do salão.

– É como se você quisesse ficar livre da sua condição de ser separada, como se quisesse perder a si própria (o que o sonho simboliza pelo "Mate-me"), e Matthew devia ser o instrumento que faria com que isso acontecesse. Alguma idéia sobre o porquê de ser um salão de dança?

– Eu disse antes que foi somente naqueles 27 dias que cheguei a me sentir eufórica. Isso não é inteiramente verdade. Freqüentemente me sentia eufórica quando dançava. Naqueles momentos, geralmente tudo desaparecia, eu e tudo o mais, havia apenas a dança e o momento. Quando danço em meus sonhos significa que estou tentando fazer desaparecer tudo o que é ruim. Acho que também significa ser jovem novamente.

– Nós falamos muito pouco a respeito de seus sentimentos sobre ter 70 anos. Você pensa muito sobre isso?

– Eu acho que teria um ponto de vista diferente na terapia se tivesse 40 anos, em vez de 70. Eu teria alguma coisa pela qual esperar. A psiquiatria não funciona melhor nas pessoas mais jovens?

Eu sabia que havia um rico material ali. Eu tinha a forte impressão de que o medo de Thelma do envelhecimento e da morte alimentava a sua obsessão. Uma das razões pelas quais ela queria se fundir no amor e ser anulada por ele era escapar do terror de enfrentar a obliteração pela morte. Nietszche disse: "A recompensa final da morte – não morrer mais." Mas aqui estava também uma oportunidade maravilhosa de trabalhar o nosso relacionamento. Embora os dois temas que estivéramos explorando (a fuga da liberdade e o isolamento por ser separada) constituíssem, e continuariam a constituir, o *conteúdo* de nosso discurso, senti que minha melhor chance de ajudar Thelma estava no desenvolvimento de um relacionamento significativo com ela. Eu esperava que o estabelecimento de um vínculo íntimo comigo pudesse atenuar suficientemente seu vínculo com Matthew, de modo que ela pudesse se livrar dele. Somente então poderíamos nos voltar para a identificação e remoção dos obstáculos que impediam que ela estabelecesse relacionamentos íntimos em sua vida social.

– Thelma, quando você perguntou se a psiquiatria não prefere trabalhar com pacientes mais jovens, parece-me que há uma pergunta pessoal nisso.

Thelma, como sempre, evitou o pessoal.

– É evidente que se ganha mais trabalhando com, digamos, uma jovem mãe com três filhos. Ela tem a vida inteira pela frente, e sua saúde mental melhorada beneficiaria seus filhos e os filhos dos filhos.

Eu persisti.

– O que eu quis dizer é que pensei que havia uma pergunta, uma pergunta pessoal, que você poderia estar me fazendo, alguma coisa envolvendo você e eu.

– Os psiquiatras não preferem tratar uma paciente de 30 anos em vez de uma de 70?

– Podemos focar *você* e *eu* em vez de *psiquiatria*, *psiquiatras* e *pacientes*? Você não estará fazendo a seguinte pergunta: "Como *você*, Irv" – aqui, Thelma sorriu: ela raramente me chamava pelo nome, fosse o primeiro nome ou o sobrenome –, "se sente quanto a me tratar, Thelma, uma mulher de 70 anos de idade?"

Nenhuma resposta. Ela olhava pela janela. Sua cabeça inclinou-se muito levemente. Maldição, ela era teimosa!

– Estou certo? É essa a pergunta?

– Essa é *uma* pergunta, não necessariamente *a* pergunta. Mas se você tivesse respondido exatamente à minha pergunta, da maneira como eu primeiramente a fiz, eu teria obtido a resposta para a pergunta que você acabou de fazer.

– Você quer dizer que saberia da minha opinião sobre como a psiquiatria, em geral, se sente a respeito do tratamento dos pacientes idosos, e então deduziria que essa é a maneira como eu me sinto ao tratá-la?

Thelma concordou com a cabeça.

– Mas isso é tão vago... E pode ser inexato. Meu comentário geral poderia ter sido um palpite sobre todo o campo, e não uma expressão dos *meus* sentimentos pessoais em relação a *você*. O que a impede de me fazer diretamente a pergunta real?

– Esse é o tipo de coisa que eu trabalhava com Matthew. É exatamente isso que ele chamava de meus hábitos de merda.

A fala me fez hesitar. Desejaria me associar de alguma maneira a Matthew? Mas eu estava convencido de que esse era o caminho correto a seguir.

– Deixe-me tentar responder às suas perguntas: a pergunta geral que você fez e a pessoal que você não fez. Começarei pela mais geral. Eu, pessoalmente, gosto de trabalhar com pacientes mais velhos. Como você sabe, a partir de todos aqueles questionários que preencheu antes de começarmos, estou no meio de um projeto de pesquisa e trabalho com muitos pacientes de 60 e 70 anos. Estou aprendendo que eles se saem tão bem na terapia quanto os pacientes mais jovens, talvez até melhor, e esse trabalho é igualmente gratificante para mim.

"Compreendo a sua pergunta sobre a jovem mãe e sua influência potencial, mas vejo isso de modo diferente. Você, também, tem muita influência. Todas as pessoas mais jovens com as quais você entra em contato irão vê-la como um guia ou modelo para seus próximos estágios de vida. E, do seu próprio ponto de vista, acredito que seja possível, aos 70 anos, descobrir uma nova perspectiva que lhe permitirá iluminar retroativamente, por assim dizer, toda a sua vida anterior com um novo sentido e significado. Eu sei que é difícil ver isso agora, mas, acredite em mim, isso acontece com freqüência.

"Agora deixe-me responder à parte pessoal da pergunta: como *eu* me sinto trabalhando com *você?* Eu *quero* tratá-la. Eu acho que entendo a sua dor e sinto muita empatia por ela. Eu mesmo experienciei esse tipo de dor no passado. Estou interessado no problema com o qual você está se debatendo, e acho que posso ajudá-la. Na verdade, estou empenhado em ajudá-la. A parte mais difícil para mim em nosso trabalho conjunto é a frustração que sinto pela distância que você coloca entre nós. Antes, você disse que poderia descobrir a resposta ou pelo menos ter um bom palpite a respeito dela, para uma pergunta pessoal fazendo uma pergunta impessoal. Mas considere o efeito disso na outra pessoa. Quando você fica fazendo perguntas impessoais, como fez há poucos minutos, eu me sinto empurrado para longe."

– É exatamente esse tipo de coisa que Matthew costumava dizer.

Eu sorri e, silenciosamente, rangi os dentes. Não consegui pensar em nada de construtivo para dizer. Esta interação frustrante, trabalhosa, era típica. Nós ainda teríamos muitos diálogos semelhantes.

Era um trabalho árduo e nada compensador. Semana após semana eu desbastava um pouco. Tentei lhe ensinar o ABC da linguagem da intimidade: por exemplo, como usar os pronomes *eu* e *você*, como identificar sentimentos (começando pela diferença entre sentimentos e pensamentos), como "admitir" e expressar sentimentos. Eu a instruí nos sentimentos básicos (*mal-estar*, *tristeza*, *raiva* e *alegria*). Eu lhe dava frases para completar; por exemplo: "Irv, quando você diz isso, eu me sinto________em relação a você."

Ela possuía um amplo repertório de operações distanciadoras. Por exemplo, começava a introduzir o que iria dizer com um longo e enfadonho preâmbulo. Quando eu lhe apontava isso, ela reconhecia que eu estava certo, mas então se punha a contar como, quando alguém lhe perguntava as horas, ela dava uma palestra sobre a fabricação de relógios. Vários minutos mais tarde, quando ela terminava a anedota (completa, com um relato histórico integral de como ela e sua irmã desenvolveram o hábito de contar longas histórias tangenciais), estávamos irremediavelmente afastados de nosso ponto de partida e eu fora efetivamente distanciado.

Em uma ocasião, ela reconheceu ter um problema importante para se expressar. Ela havia sido ela mesma, de modo completamente espontâneo, somente em duas situações na sua vida adulta: quando dançava e quando ela e Matthew haviam estado apaixonados por 27 dias. Essa é uma parte importante da razão pela qual a aceitação de Matthew foi tão significativa: "Ele me conhecia como poucas pessoas jamais me conheceram – como eu realmente sou, completamente aberta, sem nada escondido."

Quando eu lhe perguntava como estávamos indo naquele dia, ou lhe pedia para descrever todos os sentimentos que havia experimentado em relação a mim até aquele momento na sessão, ela raramente respondia. Ela geralmente negava ter qualquer sentimento, mas às vezes me desarmava completamente ao dizer que sentira muita intimidade naquela hora – uma hora em que para mim ela fora particularmente evasiva e distante. Explorar a discrepância entre as nossas visões era perigoso, pois era provável que ela se sentisse mal recebida.

Assim que ficou evidente que nenhum relacionamento significativo estava se desenvolvendo entre nós, eu me senti frustrado e rejeitado. Até onde sabia, estivera disponível para ela. Mas ela permanecera indiferente a mim. Tentei esclarecer isso com ela, mas, independentemente da forma como eu me colocava, sentia que estava me queixando: "Por que você não gosta de mim tanto quanto de Matthew?"

– Você sabe, Thelma, há outra coisa acontecendo junto com o fato de você permitir que a opinião de Matthew a seu respeito signifique tudo: é o fato de você se recusar a deixar que a minha opinião tenha alguma importância para você. Afinal de contas, como Matthew, eu sei muito a seu respeito. Também sou terapeuta. Na verdade, sou vinte anos mais experiente e provavelmente mais sábio do que Matthew. Eu gostaria de saber por que o que sinto e penso em relação a você não conta.

Ela respondeu ao conteúdo, mas não à emoção. Ela me acalmou:

– Não se trata de você. Tenho certeza de que você conhece o seu ofício. Eu seria assim com qualquer terapeuta do mundo. Só que fui tão ferida pelo Matthew que não vou me tornar vulnerável novamente para um outro terapeuta.

– Você tem boas respostas para tudo, mas isso apenas nos leva a: "Não se aproxime." Você não pode se aproximar de Harry porque não quer magoá-lo contando seus pensamentos íntimos sobre Matthew e o suicídio. Você não pode ficar íntima dos amigos porque iria magoá-los quando finalmente cometesse suicídio. Você não pode ficar íntima de mim porque um outro terapeuta, há oito anos, magoou você. As palavras são diferentes em cada caso, mas a música é a mesma.

Finalmente, por volta do quarto mês, houve sinais de progresso. Thelma deixou de se opor a tudo o que eu dizia e, para a minha surpresa, começou uma sessão me contando que havia passado muitas horas durante a última semana fazendo uma lista de seus relacionamentos íntimos e do que acontecera com cada um deles. Ela percebeu que sempre que chegava realmente perto de alguém, conseguia, de um modo ou outro, romper o relacionamento.

– Talvez você esteja certo, talvez eu tenha um sério problema para me aproximar das pessoas. Acho que não tive uma grande amiga nos últimos trinta anos. Não sei ao certo se já tive alguma.

Esse *insight* poderia ter sido um ponto decisivo na nossa terapia: pela primeira vez, Thelma identificava um problema específico e se responsabilizava por ele. Eu tinha esperança, agora, de mergulhar em um trabalho real. Ao contrário, ocorreu o oposto: ela recuou ainda mais, afirmando que seu problema com a intimidade condenava nosso trabalho na terapia.

Tentei, vigorosamente, persuadi-la de que o que emergira na terapia era uma coisa positiva, não negativa. Vezes e mais vezes expliquei que as dificuldades de intimidade não são uma estática intrusa que apenas acontece lá pelas tantas no tratamento, e sim a questão nuclear. O que aflorara era uma evolução *positiva*, não negativa, e, portanto, nós poderíamos examiná-la.

Mas seu desespero se aprofundou. Agora, toda semana era uma má semana. Ela estava mais obcecada, chorava mais, afastava-se mais de Harry, passava muito tempo planejando como cometeria o suicídio. Com muito mais freqüência eu ouvia críticas à terapia. Ela afirmava que nossas sessões somente faziam com que "as coisas piorassem", aumentando seu desconforto, e ela lamentava ter se comprometido com seis meses completos de terapia.

O tempo corria. Nós estávamos começando o quinto mês, e, embora Thelma me assegurasse de que cumpriria a promessa, deixava claro que não estava disposta a continuar além dos seis meses. Eu me senti desencorajado; todos os meus esforços haviam sido ineficazes. Eu sequer estabelecera uma aliança terapêutica sólida com ela: sua energia emocional, cada partícula dela, estava presa a Matthew, e eu não descobrira uma maneira de libertá-la. Havia chegado o momento de dar a minha última cartada.

– Thelma, desde aquela sessão há dois meses, quando você representou o papel de Matthew e disse as palavras que a libertariam, tenho pensado em convidá-lo a vir ao consultório para termos uma sessão a três: você, eu e ele. Nós temos apenas mais sete sessões, a menos que você reconsidere sua decisão de parar. – Thelma sacudiu a cabeça com firmeza. – Acho que precisamos de ajuda para irmos mais adiante. Queria sua permissão para ligar para Matthew e convidá-lo a se reunir a nós. Penso que uma única sessão a três seria suficiente, mas devemos fazê-la logo, porque precisaremos de várias sessões depois para elaborar o que tivermos aprendido.

Thelma, que estivera afundada, apática, na cadeira, subitamente se aprumou com rapidez. A bolsa a tiracolo caiu no chão, mas ela a ignorou, e me escutou com os olhos arregalados. Finalmente, finalmente, eu havia conseguido a sua atenção, e ela ficou sentada em silêncio por vários minutos pesando as minhas palavras.

Embora eu não tivesse pensado profundamente sobre a minha proposta, eu acreditava que Matthew concordaria em se encontrar conosco. Esperava que minha reputação no campo o intimidasse e que ele cooperasse. Além disso, oito anos de mensagens telefônicas de Thelma *tinham* sido o suficiente para ele, e eu estava certo de que ele também desejaria se libertar.

Eu não estava muito certo do que aconteceria nesse extraordinário encontro a três, mas me sentia estranhamente confiante de que seria para melhor. *Qualquer* informação ajudaria. *Qualquer* introdução de realidade deveria ajudar-me a libertar Thelma de sua fixação em Matthew. Independentemente da profundidade de sua falha de caráter – e eu não tinha dúvidas de que era uma fenda de considerável magnitude –, eu tinha certeza de que ele não faria nada na minha presença para encorajar as fantasias de Thelma de um encontro final.

Após um silêncio incomumente longo, Thelma declarou que precisava de mais tempo para pensar a respeito.

– Até o momento – disse ela – eu vejo mais contras do que prós...

Suspirei e me recostei na cadeira. Sabia que ela passaria o resto da hora tecendo teias obsessivas.

– Do lado positivo, imagino que daria ao dr. Yalom algumas observações de primeira mão.

Suspirei ainda mais profundamente. Seria pior do que o habitual: ela se referia a mim na terceira pessoa. Eu ia começar a mostrar que falava como se eu não estivesse na mesma sala com ela, mas não consegui reunir forças – ela havia me exaurido.

– Do lado negativo, posso pensar em várias possibilidades. Primeiro, seu telefonema iria aliená-lo de mim. Eu tenho uma chance de 1 ou 2%, agora, de que ele volte. Seu telefonema faria minha chance cair a zero, ou menos.

Eu, definitivamente, estava ficando irritado e pensei: "*Oito anos* se passaram, Thelma, você não consegue entender a mensagem? E, além disso, como suas chances podem ser menores do que zero, sua tola?" Essa realmente *era* a minha cartada final, e eu estava começando a sentir que ela iria vencê-la. Mas fiquei em silêncio.

– A única motivação dele para participar seria profissional. Ajudar uma doente que é incompetente demais para dirigir sua própria vida. Número três...

Meu Deus! Ela estava falando em listas novamente. Eu não agüentava aquilo.

– Número três, Matthew provavelmente diria a verdade, mas seu discurso seria condescendente e fortemente influenciado pela presença do dr. Yalom. Acho que não conseguiria suportar essa condescendência. Número quatro, isso iria deixá-lo numa posição muito comprometedora e embaraçosa profissionalmente. Ele nunca me perdoaria por isso.

– Mas Thelma, ele é um terapeuta. Ele sabe que, para ficar bem, você precisa falar a respeito dele. Se ele é a pessoa espiritualmente inclinada que você acha que é, então ele certamente sentiu muita culpa pelo seu sofrimento e teria prazer em ajudar.

Mas Thelma estava tão envolvida fazendo a sua lista que não conseguia ouvir as minhas palavras.

– Número cinco, que possível ajuda eu poderia ter de um encontro a três? Não há quase nenhuma chance de ele dizer o que espero que diga. Eu nem me incomodo se não for verdade, eu só quero que ele diga que se importa comigo. Se não for para eu conseguir aquilo que quero e preciso, por que deveria me expor à dor? Eu já me magoei o suficiente. Por que eu deveria fazer isso? – Thelma levantou de sua cadeira e caminhou até a janela.

Agora eu estava profundamente preocupado. Thelma estava mergulhando num frenesi irracional e iria bloquear a minha última chance de ajudá-la. Não me apressei e medi minhas palavras cuidadosamente.

– Você sabe, Thelma, que muitas vezes me fez perguntas sobre a minha orientação teórica. Com freqüência não respondi, porque pensava que falar a respeito de escolas de terapia nos afastaria do discurso pessoal que precisamos ter. Mas me deixe dar a você uma resposta àquelas perguntas, agora. Talvez o credo terapêutico mais importante para mim seja que a vida não examinada não vale a pena ser vivida. Trazer Matthew a este consultório pode ser a chave para um verdadeiro exame e entendimento do que tem acontecido a você nos últimos oito anos.

Minha resposta acalmou Thelma. Ela voltou para a sua cadeira e se sentou.

– Isso está mexendo muito comigo. Minha cabeça está girando. Deixe-me pensar sobre isso por uma semana. Mas você precisa me prometer uma coisa: que não vai chamar Matthew sem a minha permissão.

Eu prometi que antes de falar com ela, até a semana seguinte, não chamaria Matthew, e assim nós nos despedimos. Eu não queria dar uma garantia de que *jamais* o chamaria – mas, felizmente, ela não pediu isso.

Thelma chegou à sessão seguinte parecendo dez anos mais jovem, num passo saltitante. Ela havia arrumado o cabelo e estava atraentemente vestida com uma saia de lã xadrez e meias, em vez das habituais calças de poliéster ou um casaco. Ela imediatamente tomou seu lugar e foi direto ao assunto.

– Eu passei toda a semana pensando em um encontro com Matthew. Pesei todos os prós e contras, e agora acredito que você tenha razão. Estou num estado tão precário que é improvável que alguma coisa possa me fazer piorar!

– Thelma, essas não foram as minhas palavras. Eu disse que...

Mas Thelma não estava interessada nas minhas palavras, e continuou falando:

– Mas o seu plano de telefonar para ele não foi uma boa idéia. Seria um choque para ele receber inesperadamente uma chamada sua. Então eu decidi telefonar e prepará-lo para o seu telefonema. Claro, não consegui falar com ele, mas deixei uma mensagem na secretária eletrônica, contando sobre a sua proposta, e dizendo-lhe para que telefonasse para você ou para mim e... e....

Aqui, com um grande sorriso no rosto, ela fez uma pausa para aumentar o suspense.

Eu estava pasmo. Nunca a vira brincar antes.

– E?

– Bem, você tem mais influência do que eu imaginava. Pela primeira vez em oito anos, ele respondeu a um telefonema meu, e nós conversamos amigavelmente por 20 minutos.

– Como foi falar com ele?

– Maravilhoso! Você não pode imaginar como foi maravilhoso. Foi como se tivéssemos nos falado na véspera. Ele era o antigo Matthew gentil, interessado. Ele perguntou tudo sobre mim. Estava preocupado com a minha depressão. Estava satisfeito por eu estar me tratando com você. Nós tivemos uma boa conversa.

– Você pode me dizer o que vocês discutiram?

– Deus, não sei! Nós só batemos papo.

– Sobre o passado? O presente?

– Você sabe, parece loucura, mas não me lembro!

– Você consegue lembrar alguma coisa?

Muitos terapeutas, a essa altura, teriam feito uma interpretação sobre a maneira como ela estava me deixando de fora. Talvez eu devesse tê-lo feito, mas não podia esperar. Estava terrivelmente curioso! Era muito típico de Thelma não pensar que eu também pudesse ter alguns desejos.

– Sabe, não estou tentando esconder nada. Só não consigo lembrar. Estava excitada demais. Oh, sim, ele me contou que havia casado e se divorciado, e que ficara com a vida muito tumultuada com o divórcio.

"Mas a coisa principal é que ele quer vir para o encontro a três. Sabe, é engraçado, ele parecia, inclusive, ansioso, como se fosse eu que o estivesse evitando. Eu disse a ele para vir ao seu consultório na próxima semana, mas ele me pediu para lhe perguntar se poderia ser antes. Agora que decidimos, ele quer vir tão logo seja possível. Acho que sinto a mesma coisa."

Sugeri uma hora dentro de dois dias, e Thelma disse que informaria Matthew. A seguir, nós revisamos sua conversa telefônica mais uma vez e planejamos a sessão seguinte. Thelma não chegou a lembrar de todos os detalhes da ligação, mas lembrou do que eles *não* haviam conversado.

– Desde que desliguei o telefone, tenho me amaldiçoado por ter ficado com medo e por não ter feito a Matthew as duas perguntas realmente importantes. Primeiro, o que *realmente* aconteceu há oito anos? Por que você rompeu? Por que permaneceu em silêncio? Segundo, o que você realmente sente por mim agora?

– Vamos garantir que você também não acabará nosso encontro a três amaldiçoando-se por alguma coisa que não tenha perguntado. Prometo ajudá-la a fazer todas as perguntas que você quiser fazer, todas as perguntas que podem libertá-la do poder que deu a Matthew. Esta será minha principal tarefa na sessão.

Durante o restante da hora, Thelma repetiu muito material antigo: falou sobre seus sentimentos em relação a Matthew, como eles *não* eram transferência, como Matthew lhe dera os melhores dias da vida dela. Parecia-me que ela falava monótona e interminavelmente, ia de um ponto ao outro, e, além de tudo, dizia-me as coisas como se fosse pela primeira vez. Eu me conscientizei de quão pouco ela havia mudado e do quanto dependia de alguma coisa dramática que acontecesse na sessão seguinte.

Thelma chegou 20 minutos antes da sessão. Eu estava colocando em dia a correspondência daquela manhã, passei por ela na sala de espera algumas vezes, quando conversava com a minha secretária. Ela estava vestida com um atraente vestido de malha azul-imperial – um traje ousado para uma mulher de 70 anos, mas achei que lhe caía bem. Mais tarde, quando a convidei a entrar no consultório, elogiei-a pelo vestido e ela me disse, com um sussurro cúmplice e um dedo na frente dos lábios, que passara grande parte da semana procurando por ele nas lojas. Era o primeiro vestido novo que ela comprava em oito anos. Enquanto retocava o batom, disse-me que Matthew chegaria em um ou dois minutos, exatamente na hora. Ele lhe dissera que não queria aguardar muito na sala de espera, pois queria reduzir a possibilidade de encontrar colegas que pudessem estar de passagem. Eu não podia culpá-lo por isso.

Subitamente, ela parou de falar. Eu deixara a porta entreaberta, e nós pudemos ouvir que Matthew havia chegado e estava falando com minha secretária.

– Eu assisti a algumas palestras aqui, quando o departamento era no prédio antigo... Quando vocês se mudaram?... Eu realmente gosto do clima leve, arejado, deste prédio, e você?

Thelma colocou a mão no peito, como para acalmar os batimentos cardíacos, e sussurrou:

– Você vê? Você vê como o interesse dele brota naturalmente?

Matthew entrou. Era a primeira vez que ele via Thelma em oito anos, e se ele por acaso ficou surpreso com o envelhecimento físico dela, seu sorriso infantil, bem-humorado, não mostrou nenhuma evidência disso. Ele era mais velho do que eu esperava, talvez no início dos 40, e estava vestido de um modo conservador, com um terno de três peças não californiano. A não ser por isso, ele era como Thelma descrevera – esbelto, de bigode, bem bronzeado.

Eu estava preparado para seu estilo direto e sincero e, portanto, não me abalei com ele. (Sociopatas freqüentemente se apresentam bem, pensei.) Comecei agradecendo-lhe brevemente por ter vindo.

Ele imediatamente retrucou:

– Estive esperando por uma sessão como esta durante anos. É *meu* dever agradecer a *você* por tê-la propiciado. Além disso, tenho lido seus livros há muitos anos. É uma honra conhecê-lo.

Ele não deixa de ter charme, pensei, mas não queria ser envolvido em uma discussão pessoal ou profissional dispersiva com Matthew: seria melhor que eu mantivesse uma posição secundária na sessão e que Thelma e Matthew interagissem o máximo possível. Eu voltei a sessão para eles:

– Nós temos muito sobre o que falar hoje. Por onde devemos começar?

Thelma começou:

– É engraçado, eu não aumentei minha medicação. – Ela virou-se para Matthew. – Ainda estou tomando antidepressivos. Já faz oito anos, meu Deus, oito anos, é difícil acreditar mas já faz oito anos, eu tentei provavelmente oito antidepressivos novos e eles *ainda* não funcionaram. Mas a coisa interessante é que os efeitos colaterais estão mais intensos hoje. Minha boca está tão seca que eu mal consigo falar. Por que isso estaria acontecendo? O estresse aumenta os efeitos colaterais?

Thelma continuou a divagar e a consumir enormes porções do nosso precioso tempo com preâmbulos e mais preâmbulos. Eu estava num dilema: em circunstâncias comuns, eu poderia ter tentado esclarecer as conseqüências de seu discurso indireto. Por exemplo, eu poderia mostrar que ela estava demarcando um papel de fragilidade que iria imediatamente desencorajar a discussão aberta que ela havia dito que desejava. Ou que ela convidara Matthew para falar livremente e, no entanto, mobilizara imediatamente sua culpa lembrando-o de que ela tomava antidepressivos desde que ele a deixara. Mas essas interpretações teriam apenas o efeito de consumir a maior parte da hora como uma sessão convencional de terapia individual – exatamente aquilo que nenhum de nós três desejava. Além disso, se eu, de alguma maneira, rotulasse seu comportamento como problemático, ela se sentiria humilhada e jamais me perdoaria por isso.

Mas muita coisa dependia dessa hora. Eu não suportaria que Thelma desperdiçasse a oportunidade em meandros indiretos. Essa era a sua chance de fazer as perguntas que a importunavam havia oito anos. Essa era a sua chance de se libertar.

– Vou interrompê-la por um minuto, Thelma, se me permite. Eu gostaria, se vocês dois concordassem, de desempenhar hoje o papel de controlador do tempo e de nos manter centrados no foco. Podemos gastar um ou dois minutos para estabelecer nosso roteiro?

Houve silêncio por um breve momento, até Matthew rompê-lo.

– Estou aqui hoje para ser útil a Thelma. Eu sei que ela tem passado por momentos difíceis, e sei que sou responsável por isso. Serei tão aberto quanto possível a qualquer pergunta.

Essa era a deixa perfeita para Thelma. Olhei para ela, para que começasse. Ela entendeu e começou.

– Não há nada pior do que se sentir abandonada, sentir que está absolutamente sozinha no mundo. Quando eu era criança, um de meus livros favoritos, que eu costumava levar ao Parque Lincoln, em Washington, para ler nos bancos era...

Aqui, olhei para Thelma do modo mais desagradável e maldoso possível. Ela entendeu.

– Eu irei ao ponto. Acho que o ponto fundamental é... – e ela virou-se lenta e cuidadosamente para Matthew: – O que você sente em relação a mim?

Que garota! Eu definitivamente me curvei diante dela.

A resposta de Matthew fez com que eu me engasgasse. Ele olhou diretamente para ela e disse:

– Pensei em você todos os dias nos últimos oito anos! Eu me importo com você. E me importo muito. Quero saber o que acontece com você. Eu gostaria que houvesse uma maneira de nos encontrarmos de tantos em tantos meses, de modo que nos mantivéssemos em contato. Não quero perder o contato.

Então Thelma perguntou:

– Por que você ficou em silêncio todos esses anos?

– Às vezes, a melhor maneira de expressar carinho é o silêncio.

Thelma sacudiu a cabeça.

– Esse é um de seus enigmas zen que eu jamais consegui entender.

Matthew prosseguiu:

– Sempre que eu tentava falar com você, as coisas ficavam piores. Você me pedia cada vez mais, até chegar ao ponto em que eu não conseguia encontrar uma maneira de dar mais. Você me telefonava uma dúzia de vezes por dia. Você apareceu muitas vezes na minha sala de espera. Então, quando você quase se matou, eu me dei conta, e meu terapeuta concordou, de que a melhor solução seria cortar aquilo completamente.

A declaração de Matthew, pensei, tinha uma estranha semelhança com o cenário de libertação que Thelma criara em nossa sessão de dramatização.

– Mas – comentou Thelma –, é natural que uma pessoa se sinta abandonada se alguma coisa tão importante é retirada tão subitamente.

Matthew meneou a cabeça, compreensivo, para Thelma, e colocou brevemente sua mão sobre a dela. Depois ele se dirigiu a mim.

– Eu acho que é importante que você saiba exatamente o que aconteceu há oito anos. Agora vou falar mais para você do que para Thelma, pois já contei a ela essa história, mais de uma vez. – Ele virou-se para ela. – Lamento que você tenha de ouvir toda esta história novamente, Thelma.

Então Matthew, calmamente, voltou-se para mim e começou:

– Isso não é fácil para mim. A melhor maneira é simplesmente ir em frente. Então, aqui vai. Há oito anos, cerca de um ano depois de eu ter me formado, tive um grave surto psicótico. Nessa época, eu entrara fundo no budismo, e fazia Vipassana, uma forma de meditação budista... – Quando Matthew me viu concordar com a cabeça, ele interrompeu sua história. – Você parece familiarizado com isso, e eu teria muito interesse em saber a sua opinião a respeito. Entretanto, hoje, acho melhor eu continuar... Eu fazia Vipassana durante três ou quatro horas por dia. Pensei em me tornar um monge budista e fui para a Índia, para um retiro de meditação de trinta dias em Igapuri, uma pequena vila ao norte de Bombaim. O regime foi severo demais para mim, silêncio total, isolamento total, ficar sentado meditando durante 14 horas por dia, e comecei a perder os limites do meu ego. Por volta da terceira semana, eu estava alucinado, pensava que podia ver através das paredes e que tinha total acesso às minhas vidas passadas e futuras. Os monges me levaram para Bombaim, onde um médico indiano me deu uma medicação antipsicótica e chamou meu irmão, que voou até a Índia para me trazer para casa. Fiquei hospitalizado por umas quatro semanas em Los Angeles. Depois que tive alta, peguei imediatamente um avião para São Francisco, e foi no dia seguinte que encontrei Thelma, por puro acaso, na Union Square. Eu ainda estava num estado mental muito fragmentado. Eu transformara a doutrina budista numa verdadeira loucura e acreditava estar num estado de unidade total com todas as pessoas. Fiquei feliz de encontrar Thelma, *você*, Thelma – virando-se para ela. – Fiquei feliz por encontrá-la. Você me ajudou a me sentir ancorado novamente.

Matthew voltou-se para mim e, até acabar sua história, não olhou novamente para Thelma.

– Eu não tinha nada além de bons sentimentos em relação a ela. Sentia-me uno com Thelma. Queria que ela possuísse tudo aquilo que eu esperava da vida. Mais do que isso, pensava que a sua busca por felicidade era também a minha busca. Era a mesma busca, ela e eu éramos a mesma coisa. Eu interpretei muito literalmente o credo budista universal da unidade e da ausência de ego. Não sabia onde eu terminava e onde o outro começava. Dei a ela tudo o que ela quis. Ela me queria próximo, queria ir para casa comigo, queria sexo, e eu estava disposto a dar-lhe tudo, em um perfeito estado de unidade e amor.

"Mas ela quis mais, e eu não podia dar mais. Fui ficando mais perturbado. Depois de três ou quatro semanas, minhas alucinações voltaram, e eu tive de retornar ao hospital – desta vez, por seis semanas. Tinha saído do hospital havia pouco tempo quando soube da tentativa de suicídio de Thelma. Não sabia o que fazer. Foi catastrófico. Foi a pior coisa que já me aconteceu. Ela me assombrou durante oito anos. A princípio, respondi às suas chamadas, mas elas continuaram. Meu psiquiatra finalmente me aconselhou a romper todo o contato, a ficar em completo silêncio. Ele disse que isso era necessário para a minha própria sanidade, e ele tinha certeza de que também seria melhor para Thelma."

Enquanto ouvia Matthew, minha cabeça começou a girar. Eu havia desenvolvido uma variedade de hipóteses a respeito de seu comportamento, mas não estava nem remotamente preparado para a história que acabara de ouvir.

Primeiro, seria verdade? Matthew era encantador. Ele era agradável. Estaria ele representando tudo aquilo para mim? Não, eu não tinha dúvidas de que as coisas tivessem acontecido exatamente conforme ele as descrevera: suas palavras tinham o inconfundível toque da verdade. Ele, espontaneamente, ofereceu os nomes dos hospitais e dos médicos que o haviam tratado, caso eu quisesse ligar para eles. Além disso, Thelma, a quem ele contara tudo isso no passado, ouvira com enlevada atenção e não fizera uma única objeção.

Voltei-me para Thelma, mas ela evitou o meu olhar. Depois que Matthew acabou de falar, ela começou a olhar pela janela. Seria possível que ela soubesse disso tudo desde o início e que o tivesse escondido de mim? Ou ficara tão absorvida em sua própria angústia e em suas próprias necessidades que o tempo inteiro estivera completamente inconsciente do estado mental de Matthew? Ou ela soubera dele por um breve período e depois reprimira o conhecimento, uma vez que ele se chocava com sua mentira vital?

Somente Thelma poderia me dizer. Mas qual Thelma? A Thelma que me enganara? A Thelma que enganara a si própria? Ou a Thelma que fora enganada por ela própria? Eu duvidava que pudesse encontrar as respostas para essas perguntas.

Primeiramente, todavia, minha atenção se fixou em Matthew. Durante os últimos meses, eu construíra uma visão – ou, melhor, várias visões alternativas – dele: um Matthew irresponsável, sociopata, que explorava seus pacientes; um Matthew insensível e sexualmente confuso, que explorava seus conflitos pessoais com as mulheres em geral ou com sua mãe em particular; um jovem terapeuta errante, grandioso, que confundira o amor desejado com o amor exigido.

No entanto, ele não era nada disso. Ele era alguma outra coisa, alguma coisa que eu jamais havia previsto. Mas o quê? Eu não tinha certeza. Uma vítima bem-intencionada? Um curador ferido, uma figura de Cristo que sacrificara a sua própria integridade por Thelma? Certamente, eu já não o via como um terapeuta transgressor: ele era um paciente tanto quanto Thelma, e, além disso (não pude deixar de pensar, olhando para Thelma, que ainda olhava pela janela), um paciente *trabalhador*, um paciente de meu agrado.

Eu lembro que me senti deslocado – tantas construções destruídas em tão poucos minutos. A montagem de Matthew como um sociopata ou como o terapeuta explorador desaparecia para sempre. Em vez disso, surgia uma pergunta insistente: *Nesse relacionamento, quem explorara quem?*

Essa era toda a informação que eu era capaz de manejar, e que achava que precisava. Tenho apenas uma vaga lembrança do restante da hora. Lembro que Matthew encorajou Thelma a fazer mais perguntas. Era como se ele também sentisse que ela poderia ser libertada apenas por meio de informações, que suas ilusões não suportariam a luz da verdade. E acho, além disso, que ele percebia que somente a partir da libertação de Thelma ele obteria a sua própria. Lembro que Thelma e eu fizemos muitas perguntas, às quais ele respondeu de modo completo. Sua mulher o deixara havia quatro anos. Tiveram divergências crescentes de pontos de vista a respeito de religião, e ela não conseguiu prosseguir depois que ele se converteu a uma seita cristã fundamentalista.

Não, ele não era gay. Nem jamais fora, embora Thelma o tivesse questionado muitas vezes sobre isso. Foi somente nesse momento que seu sorriso cedeu e um traço de irritação surgiu em sua voz ("Eu sempre lhe disse, Thelma, que os heterossexuais também moram no Haight").

Não, ele nunca tinha tido um relacionamento pessoal com qualquer outro paciente. De fato, como resultado da psicose e do que acontecera com Thelma, dera-se conta, havia muitos anos, que seus problemas psicológicos constituíam uma barreira intransponível, e ele deixara de ser terapeuta. Porém, comprometido com uma vida de ajuda aos outros, ele aplicou testes psicológicos durante alguns anos; depois, trabalhou em um laboratório de *biofeedback*; e, mais recentemente, ele se tornara o administrador de uma organização cristã de cuidados com a saúde.

Eu refletia sobre a decisão profissional de Matthew, chegando a me perguntar se ele evoluíra a ponto de poder voltar a ser um terapeuta – talvez agora ele pudesse ser um terapeuta excepcional – quando percebi que o nosso tempo estava quase esgotado.

Perguntei se havíamos abrangido tudo. Pedi a Thelma que se projetasse no futuro e imaginasse como iria se sentir dentro de algumas horas. Ela ainda teria perguntas a fazer?

Para a minha surpresa, ela começou a soluçar com tanta intensidade que não conseguia respirar. As lágrimas escorriam pelo seu vestido azul novo, até que

Matthew, mais rápido que eu, lhe ofereceu a caixa de lenços. À medida que o choro diminuía, suas palavras se tornavam audíveis.

– Eu *não* acredito, eu simplesmente *não posso* acreditar que Matthew realmente se importa com o que me acontece. – Suas palavras não eram dirigidas nem a Matthew, nem a mim, mas a algum ponto entre nós na sala. Notei, com certa satisfação, que eu não era o único a quem ela se dirigia na terceira pessoa.

Tentei ajudar Thelma a falar.

– Por quê? Por que você não acredita nele?

– Ele está dizendo isso porque tem de dizer. É a coisa certa a se dizer. É a única coisa que ele pode dizer.

Matthew fez o melhor que pôde, mas a comunicação era difícil por causa do choro dela.

– Quero dizer exatamente o que disse. Pensei em você todos os dias nesses oito anos. Eu me importo com o que acontece a você. Eu me importo muito com você.

– Mas o seu interesse, o que ele significa? Você se importa com os pobres, com formigas, plantas e sistemas ecológicos. Eu não quero ser uma de suas formigas!

Nós havíamos passado 20 minutos além da hora, e precisávamos parar, mesmo que Thelma ainda não tivesse se recomposto. Marquei para ela uma hora no dia seguinte, não apenas para apoiá-la, mas também porque seria melhor vê-la novamente logo, enquanto os detalhes dessa sessão ainda estivessem frescos em sua mente.

Nós três encerramos a hora com apertos de mão e nos separamos. Alguns minutos mais tarde, quando eu estava tomando um café, vi Thelma e Matthew conversando no corredor. Ele tentava argumentar com ela, mas ela não olhava para ele. Logo depois, vi que saíram em direções diferentes.

No dia seguinte, Thelma não estava recuperada; mostrou-se excepcionalmente instável durante toda a sessão. Chorava muito e, às vezes, ficava enraivecida. Primeiro, ela lamentou que Matthew tivesse uma opinião tão ruim sobre ela. E interpretou a preocupação de Mathew a respeito dela como um insulto. Ela tinha observado que ele não havia mencionado nenhuma qualidade dela e se convencera de que a postura básica dele em relação a ela não fora "amistosa".

Além disso, ela estava convencida de que, provavelmente por conta da minha presença, ele adotara uma voz e uma atitude pseudoterapêutica, na opinião dela, condescendente. Thelma divagou muito e oscilou, repetidas vezes, entre a reconstituição da hora e sua reação a ela.

– Eu me sinto como se tivesse feito uma amputação. Alguma coisa de mim se perdeu. Apesar da altissonante ética de Matthew – acho que sou mais honesta do que ele. Especialmente no que diz respeito a quem seduziu quem.

Thelma se manteve crítica em relação a essa questão, e eu não a pressionei para que a explicasse melhor. Embora eu quisesse muito saber o que "realmente" acontecera, sua referência à "amputação" intrigou-me mais.

– Eu não tive mais fantasias a respeito de Matthew, ela continuou. – Não estou mais sonhando acordada. Mas eu desejo. Eu desejo mergulhar no abraço de um cálido sonho diurno. Está terrivelmente frio e eu me sinto vazia. Não restou, simplesmente, mais nada.

Como um barco à deriva que se desprendeu do cais, pensei – mas um barco sensível, buscando desesperadamente um ancoradouro, qualquer ancoradouro. Agora, no intervalo entre as obsessões, Thelma estava numa condição rara, em que flutuava livremente. Esse era o momento que eu esperava. Tais estados não duram muito: a obsessão solta, como o oxigênio nascente, funde-se rapidamente com alguma imagem mental ou uma idéia. Esse momento, esse breve intervalo entre obsessões, era o momento crucial para trabalharmos – antes que ela restabelecesse seu equilíbrio aferrando-se a alguma coisa ou a alguém. Muito provavelmente, ela reconstruiria a hora com Matthew, para que sua versão da realidade pudesse, mais uma vez, sustentar sua fantasia de fusão.

Eu tinha a impressão de que ocorrera um progresso real: a cirurgia estava completa, e agora a minha tarefa era impedi-la de preservar o membro amputado e de costurá-lo novamente. A minha oportunidade veio logo, quando Thelma prosseguiu, lamentando a sua perda.

– Minhas predições a respeito do que poderia acontecer se mostraram verdadeiras. Não tenho mais esperança, jamais terei alguma satisfação. Eu conseguia viver com a chance de 1%. Vivi muito tempo com ela.

– Qual seria a satisfação, Thelma? Uma chance de 1% para quê?

– Para quê? Para aqueles 27 dias. Até ontem, sempre houve uma chance de Matthew e eu voltarmos àquele tempo. Nós estávamos lá, o sentimento era real, reconheço o amor quando o sinto. Enquanto Matthew e eu estivéssemos vivos, sempre teríamos a chance de voltar àquilo. Até ontem. No seu consultório.

Ainda havia alguns fios de ilusão a serem rompidos. Eu destruíra, quase inteiramente, a obsessão. Era hora de terminar o serviço.

– Thelma, o que tenho a dizer agora não é agradável, mas acho que é importante. Deixe-me tentar colocar claramente os meus pensamentos. Se duas pessoas compartilham um momento ou um sentimento, se ambas sentem a mesma coisa, eu consigo admitir que seria possível que elas, enquanto estivessem vivas, restabelecessem o sentimento precioso existente. Esse seria um ato delicado, afinal, as pessoas mudam, e o amor jamais se perpetua, porém ainda, quem sabe, no terreno da possibilidade. Elas poderiam se comunicar de um modo pleno, poderiam tentar alcançar um relacionamento autêntico e profundo que, dado que o amor verdadeiro é um estado absoluto, deveria aproximá-las do que tiveram um dia.

"*Mas suponha que não tenha sido jamais uma experiência compartilhada! Suponha que as duas pessoas tiveram experiências muito diferentes. E suponha que uma delas tenha pensado, erroneamente, que a sua experiência havia sido igual à da outra.*"

Os olhos de Thelma estavam fixos em mim. Eu tinha certeza de que ela me entendia perfeitamente.

– Continuei.

– O que eu ouvi na sessão com Matthew foi precisamente isso. A experiência dele e a sua foram muito diferentes. Você consegue ver como seria impossível vocês recriarem a condição mental particular em que estavam? Vocês dois não podem fazer nada um pelo outro nesse aspecto, pois aquela não foi uma vivência compartilhada.

"Ele estava em um lugar e você em outro. Ele estava perdido em uma psicose. Ele não sabia onde ficavam as fronteiras, onde ele acabava e você começava. Ele queria que você fosse feliz porque ele pensava ser igual a você. Ele não estava vivenciando amor, pois não sabia quem ele era. A sua experiência foi muito diferente. Você não pode recriar um estado de amor romântico compartilhado, com os dois profundamente apaixonados um pelo outro, *porque, para começar, isso nunca existiu.*"

Acredito que nunca tenha dito nada mais cruel, mas, para ser ouvido, tive de falar com palavras fortes e duras que não pudessem ser distorcidas nem esquecidas.

Não havia dúvida de que meu comentário calara fundo. Thelma tinha parado de chorar e estava sentada quieta, pesando nas minhas palavras. Rompi o pesado silêncio depois de alguns minutos:

– Como você se sente em relação ao que eu falei, Thelma?

– Não consigo sentir mais nada. Não há mais nada para sentir. Tenho de encontrar uma maneira de sobreviver. Eu me sinto entorpecida.

– Você sentiu e viveu de uma determinada maneira durante oito anos, e agora isso tudo *é* subitamente retirado de você em 24 horas. Os próximos dias serão muito desorientadores. Você vai se sentir perdida. Mas temos de contar com isso. Como poderia ser de outra forma?

Fiz a observação porque geralmente a melhor maneira de evitar uma reação calamitosa é predizê-la. A outra possibilidade consiste em ajudar o paciente a sair da cena e passar ao papel de observador. Em seguida, acrescentei:

– Será importante, nessa semana, você observar e registrar o seu próprio estado interno. Eu quero que você examine o seu estado interno a cada quatro horas, quando estiver acordada, e que anote suas observações. Nós as examinaremos na próxima semana.

Porém Thelma, na semana seguinte, pela primeira vez, faltou à sessão. O marido ligou, desculpando-se pela mulher, que havia dormido demais, e marcamos um encontro para dois dias depois.

Quando entrei na sala de espera para saudar Thelma, fiquei impressionado com sua deterioração física. Ela usava novamente seu casaco verde e obviamente não penteara o cabelo, nem fizera qualquer outra tentativa de se arrumar. Além disso, pela primeira vez, ela vinha acompanhada do marido, Harry, um homem alto, de cabelos brancos, com um grande nariz abatatado, que estava sentado apertando com força uma mão contra a outra. Eu me lembrei que Thelma havia contado que ele ensinava combate corpo-a-corpo no tempo da guerra. Eu podia imaginá-lo estrangulando alguém.

Achei estranho ele acompanhá-la nesse dia. Apesar da idade, Thelma estava fisicamente em forma e sempre dirigia sozinha até o meu consultório. Minha curiosidade aumentou com seu comentário, na sala de espera, de que Harry queria me ver. Eu o encontrara uma vez antes: na terceira ou quarta sessão, eu o atendi junto com Thelma, para uma conversa de 15 minutos – principalmente para ver que tipo de pessoa ele era e para conhecer o ponto de vista dele sobre o casamento. Ele nunca tinha pedido para falar comigo. Obviamente, alguma coisa importante estava acontecendo. Eu concordei em falar com ele nos últimos dez minutos da sessão de Thelma e também deixei claro que me sentiria livre para relatar a ela toda a nossa conversa.

Thelma parecia exausta. Ela afundou na cadeira e falou lenta e suavemente, em um tom resignado.

– A minha semana foi um horror, um verdadeiro inferno! A minha obsessão desapareceu ou desapareceu quase completamente, imagino. Em vez de 90% do tempo, eu passo menos de 20% do meu tempo acordada, pensando em Matthew, e mesmo esses 20% são diferentes.

"Mas o que eu tenho feito, em vez disso? Nada. Absolutamente nada. Tenho dormido umas 12 horas por dia. Tudo o que faço é dormir, ficar sentada e suspirar. Estou seca, não consigo mais chorar. Harry, que jamais me criticou, disse-me, ontem à noite, enquanto eu beliscava meu jantar – não comi quase nada esta semana –: 'Você está de novo com pena de si mesma?'"

– Como você explica o que está lhe acontecendo?

– É como se eu tivesse assistido a um show de mágica, e agora saísse e do lado de fora tudo está muito cinza.

Eu senti um impacto. Jamais ouvira Thelma falar metaforicamente; era como se fosse outra pessoa falando.

– Fale-me mais sobre como você se sente.

– Eu me sinto velha, realmente velha. Pela primeira vez, vejo que tenho 70 anos, sete zero, ou seja, sou mais velha do que 99% das pessoas que andam por aí. Eu me sinto como um zumbi, sem gás, minha vida é um vácuo, um beco sem saída. Nada a fazer além de sobreviver.

Estas palavras foram ditas apressadamente, mas a cadência diminuiu na última frase. Em seguida, ela se voltou para mim e fixou os olhos nos meus. Isso era incomum, pois ela raramente me olhava diretamente. Talvez eu estivesse enganado, mas acho que seus olhos diziam: "Você está satisfeito agora?" Não fiz nenhum comentário sobre esse olhar.

– Tudo isso se seguiu à nossa sessão com Matthew. O que aconteceu naquela sessão que a deixou assim?

– Que idiota eu fui por tê-lo protegido durante oito anos!

A raiva de Thelma a estimulou. Ela tirou do colo sua bolsa, colocou-a no chão e pôs muita energia em suas palavras.

– Que recompensa eu tive? Vou lhe dizer. Um belo pontapé! Se eu não tivesse guardado esse segredo de meus terapeutas durante todos esses anos, talvez os dominós tivessem caído de um outro modo.

– Eu não compreendo. Qual foi o belo pontapé?

– Você estava aqui. Você viu. Você viu a insensibilidade dele. Ele não disse nem oi nem tchau para mim. Ele não respondeu às minhas perguntas. Que grande esforço lhe teria custado? Ele *ainda* não me disse por que rompeu comigo!

Eu tentei descrever para ela como tinha visto as coisas de um modo diferente, e como, na minha opinião, Matthew fora caloroso com ela e contara em detalhes, longa e dolorosamente, por que havia rompido com ela.

Mas Thelma continuou, sem prestar atenção aos meus comentários.

– Ele foi claro sobre uma coisa: Matthew Jennings está farto de Thelma Hilton. Diga-me: qual é o cenário perfeito para levar uma ex-amante ao suicídio? *O súbito abandono sem dar nenhuma razão* e foi exatamente o que ele fez comigo!

"Em um de meus devaneios, ontem, eu via Matthew, há oito anos, vangloriando-se para um de seus amigos e fazendo uma aposta, de que ele conseguiria utilizar seu conhecimento psiquiátrico, inicialmente, para me seduzir e depois para me destruir completamente em 27 dias!"

Thelma inclinou-se, abriu a bolsa e tirou dela um recorte de jornal sobre assassinatos. Ela esperou alguns minutos até que eu acabasse de ler. Ela havia sublinhado a lápis vermelho um parágrafo que dizia que os suicídios são, na verdade, homicídios duplos.

– Eu vi isso no jornal do último domingo. Isso poderia ser verdade para mim? Talvez, quando tentei cometer suicídio, eu quisesse na verdade matar Matthew. Sabe, soa verdadeiro. Bem aqui. – Ela apontou para o seu coração. – Eu nunca pensei sobre isso dessa maneira, antes!

Lutei para manter meu equilíbrio. Naturalmente, estava preocupado com a depressão dela. E, *claro*, ela estava desesperada. Como poderia ser de outra forma? Somente o mais profundo desespero poderia ter gerado uma ilusão com força e tenacidade suficientes para persistir por oito anos. E se eu erradicasse a ilusão, teria de estar preparado para encontrar o desespero recoberto por ela. Assim, por pior que fosse, a angústia de Thelma era um bom sinal, um sinal certeiro de que estávamos atingindo o alvo. Tudo estava indo bem. A preparação finalmente estava completa, e a verdadeira terapia poderia começar.

Na verdade, ela já havia começado! As explosões surpreendentes de Thelma, a súbita irrupção de raiva em relação a Matthew eram um sinal de que as velhas defesas não estavam mais funcionando. Ela estava num estado vulnerável. Todo paciente severamente obsessivo tem um núcleo de raiva, e eu não estava despreparado para a sua emergência em Thelma. Tudo incluído, considerei a raiva dela, apesar de seus componentes irracionais, uma ótima novidade.

Eu estava tão preocupado com esses pensamentos e com planos para o nosso futuro trabalho que não ouvi a primeira parte do comentário seguinte de Thelma – mas ouvi o final da frase com muita clareza.

– ... e é por isso que eu tenho de parar a terapia!

Eu consegui responder.

– Thelma, como você pode pensar assim? Esse é o pior momento possível para parar a terapia. Agora é o momento em que você pode fazer um verdadeiro progresso.

– Não quero mais fazer terapia. Fui uma paciente durante vinte anos e estou cansada de ser tratada como paciente. Matthew me tratou como uma paciente, não como uma amiga. Você me trata como uma paciente. Eu quero ser como as outras pessoas.

Não lembro mais a seqüência de minhas palavras. Sei apenas que coloquei todos os impedimentos e a máxima pressão no sentido de que ela reconsiderasse. Lembrei-a de seu comprometimento por seis meses, dos quais faltavam ainda cinco semanas.

Mas ela se opôs:

– Até mesmo você concordaria que chega um momento em que você precisa se proteger. Um pouco mais desse "tratamento" seria insuportável. – Ela acrescentou, com um sorriso desagradável. – Um pouco mais do tratamento mataria o paciente.

Todos os meus argumentos tiveram resultado semelhante. Insisti em que havíamos feito um progresso concreto. Lembrei-a de que ela me procurara, na realidade, para libertar a mente de sua preocupação, e que déramos grandes passos nessa direção. Agora era o momento para tratar do senso subjacente de vazio e futilidade que alimentara a obsessão.

Sua resposta, com efeito, foi a de que suas perdas haviam sido grandes demais – mais do que podia suportar. Ela perdera a esperança em relação ao futuro (com isso ela queria dizer que perdera sua "chance de 1%" de reconciliação); ela também perdera os melhores 27 dias de sua vida (se, como eu lhe mostrara, eles não houvessem sido "reais", ela perdera a lembrança do ponto mais alto de sua vida, que lhe dava sustentação); e ela também perdera oito anos de sacrifício (se protegera uma ilusão, seu sacrifício havia sido sem sentido).

Tão poderosas foram as palavras de Thelma que não encontrei nenhuma maneira efetiva de me opor a elas, além de reconhecer suas perdas e lhe dizer que estava fazendo o luto que tinha de fazer, e que eu queria estar com ela para ajudá-la a elaborar o luto. Tentei, também, mostrar que o arrependimento era extraordinariamente doloroso de suportar, uma vez que ele já estivesse presente, mas que poderíamos fazer muito para impedir que novos arrependimentos se enraizassem. Por exemplo, ela deveria considerar a decisão tomada naquele momento: será que ela não iria – daí a um mês, daí a um ano – arrepender-se profundamente da decisão de parar o tratamento?

Thelma retrucou que, embora eu provavelmente estivesse certo, ela prometera a si mesma parar a terapia. Ela comparou a nossa sessão a três com uma visita ao médico, quando você suspeita que tem um câncer.

– Você tem vivido numa grande inquietação – tão assustado que adiou muitas vezes essa visita. O médico confirma que você realmente tem câncer, e toda aquela angústia devido ao desconhecimento agora está terminada – mas o que lhe resta?

Enquanto tentava pôr em ordem meus pensamentos, percebi que uma das primeiras perguntas clamando por atenção era: "Como você pôde fazer isso comigo?" Embora, sem dúvida, minha indignação se devesse em parte à minha própria frustração, eu também tinha certeza de que respondia ao sentimento de Thelma por mim. *Eu* era a pessoa responsável por todas as três perdas. O encontro a três fora idéia *minha*, e *eu* fora aquele que lhe arrancara suas ilusões. Eu era o desilusionista. Ocorreu-me que estava cumprindo uma tarefa ingrata. Inclusive a palavra *desilusão*, com sua conotação negativa, niilista, deveria ter me alertado. Pensei no *Iceman Cometh*, de O'Neill, e sobre o destino de Hickey, o desilusionista. Aqueles que ele tentava restituir à realidade acabavam se voltando contra ele e retornavam à vida de ilusão.

Lembrei-me de minha descoberta, havia poucas semanas, de que Thelma sabia como punir e não precisava de minha ajuda. Penso que a tentativa de suicídio *havia sido* uma tentativa de homicídio, e agora acreditava que a decisão de parar a terapia era também uma forma de duplo homicídio. Ela considerava o término como um ataque a mim – e estava certa! Ela percebera quão criticamente importante era, para mim, ter sucesso, satisfazer minha curiosidade intelectual, seguir tudo precisamente até o final.

Sua vingança contra mim era a frustração de cada um desses objetivos. Não importava que o cataclisma que ela desejava para mim a engolfasse também: na verdade, suas tendências sadomasoquistas eram tão pronunciadas que ela se sentia atraída pela idéia da dupla imolação. Percebi que minha utilização do jargão diagnóstico profissional significava que eu devia estar efetivamente zangado com ela.

Tentei explorar essas idéias com Thelma.

– Percebo que você está com raiva de Matthew, mas fico me perguntando se não estará com raiva de mim também. Faria muito sentido você estar zangada, muito zangada, na verdade, comigo. Afinal de contas, de certa maneira você pode sentir que fui eu que a coloquei na posição difícil em que está agora. Foi idéia minha convidar Matthew, foi idéia minha fazer a ele as perguntas que você fazia. – Creio que a vi assentir com a cabeça. – Se é assim, Thelma, que lugar é melhor para trabalhar isso tudo que o aqui e agora na terapia?

Thelma meneou a cabeça com mais vigor.

– Minha cabeça me diz que você está certo. Porém, às vezes, você tem de fazer o que tem de ser feito. Eu prometi a mim mesma não ser mais uma paciente, e vou manter a promessa.

Desisti. Estava diante de uma muralha. Nossa hora já tinha terminado havia muito tempo, e eu ainda precisava ver Harry, a quem prometera 10 minutos. Antes de nos separarmos, fiz com que Thelma se comprometesse com três coisas: ela concordou em pensar mais sobre a decisão e em me encontrar dentro de três semanas, e ela prometeu cumprir o trato com relação ao projeto de pesquisa, encontrando-se com o psicólogo pesquisador em seis meses para completar a bateria de questionários. Terminei a sessão pensando que, embora ela talvez cumprisse seu compromisso em relação à pesquisa, havia pouca chance de retomar a terapia.

Com sua vitória assegurada, ela podia se dar ao luxo de certa generosidade, e, enquanto saía do consultório, me agradeceu pelos meus esforços e disse que se algum dia voltasse à terapia, eu seria a sua primeira escolha como terapeuta.

Acompanhei-a à sala de espera e Harry ao meu consultório. Ele foi rápido e direto:

– Eu sei o que é tentar manter as coisas em ordem, doutor, eu fiz isso no exército durante trinta anos, e vejo que hoje as coisas atrasaram. Isso significa que você passará todo o dia correndo atrás do relógio, não é?

Eu concordei, mas assegurei-lhe de que tinha tempo para falar com ele.

– Bem, serei breve. Não sou como Thelma. Nunca faço rodeios. Irei direto ao ponto. Devolva-me a minha esposa, doutor, a antiga Thelma, exatamente como ela costumava ser.

A voz de Harry era suplicante, e não ameaçadora. No entanto, ele tinha a minha atenção completa – e, enquanto ele falava, eu não conseguia deixar de olhar para as suas grandes mãos, mãos de estrangulador. Ele prosseguiu, e agora a reprovação se apoderou de sua voz, quando descreveu como Thelma piorara progressivamente desde que ela e eu tínhamos começado a trabalhar juntos. Depois de ouvi-lo, tentei oferecer algum apoio, afirmando que uma longa depressão era quase tão difícil para a família quanto para o paciente. Ignorando a minha observação, ele respondeu que Thelma sempre havia sido uma boa esposa e que talvez ele tivesse agravado seu problema por viajar demais. Finalmente, quando o informei da decisão de Thelma de encerrar a terapia, ele pareceu aliviado e gratificado: ele a vinha estimulando nesse sentido havia várias semanas.

Depois que Harry deixou meu consultório, fiquei lá sentado, cansado, aturdido e zangado. Meu Deus, que casal! Livrai-me de ambos! A ironia de tudo aquilo. O velho idiota quer sua "antiga Thelma de volta". Será que ele havia sido tão "ausente" que não percebera que jamais *tivera* a antiga Thelma? A antiga Thelma nunca estivera lá: durante os últimos oito anos, ela passara 90% de sua vida perdida na fantasia do amor que jamais tivera. Harry, não menos do que Thelma, escolheu abraçar a ilusão. Cervantes perguntou: "O que você prefere: a loucura sábia ou a sanidade idiota?" Estava clara a escolha que Harry e Thelma estavam fazendo!

Mas pouco consolo me deu apontar o dedo para Thelma e Harry ou lamentar a fraqueza do espírito humano – esse frágil espectro incapaz de sobreviver sem a ilusão, sem o encantamento, sem esperanças impossíveis ou mentiras vitais. Era hora de enfrentar a verdade: eu fizera um péssimo trabalho nesse caso, e não podia transferir a culpa para a paciente para seu marido ou para a condição humana.

Meus dias seguintes foram cheios de auto-recriminações e preocupações em relação a Thelma. De início, eu me preocupei com o suicídio, mas, por fim, me tranqüilizei com o pensamento de que sua raiva era tão evidente e manifesta, e tinha um alvo tão claro, que era improvável que ela fosse voltá-la contra si mesma.

Para combater minhas auto-recriminações, tentei me convencer de que empregara uma estratégia terapêutica adequada: Thelma *estava* nas últimas quando viera me consultar e alguma coisa *tinha* de ser feita. Embora estivesse em mau estado agora, ela não estava pior do que quando tinha começado. Quem sabe, talvez agora ela estivesse melhor, talvez eu tivesse conseguido desiludi-la e ela precisasse lamber as feridas sozinha, durante um tempo, antes de continuar com qualquer forma de terapia. Eu *tentara* uma abordagem mais conservadora durante quatro meses e apelara para uma intervenção radical apenas quando havia ficado aparente que não tinha outra escolha.

Mas tudo isso era auto-engano. Eu sabia que tinha boas razões para me sentir culpado. Eu, mais uma vez, sucumbira à grandiosa crença de que era capaz de tratar qualquer pessoa. Movido por *hubris* e por minha curiosidade, eu desconsiderara vinte anos de evidências, no começo, de que Thelma era uma má candidata à psicoterapia, e a submetera a uma dolorosa confrontação que, em retrospecto, tinha pouca probabilidade de sucesso. Eu removera defesas sem construir nada para substituí-las.

Talvez Thelma estivesse certa em se proteger de mim nesse momento. Talvez ela estivesse certa em dizer que "um pouco mais desse tratamento irá matar o paciente"! Considerando tudo, eu merecia a crítica de Thelma e de Harry. Eu também criara para mim uma situação profissionalmente embaraçosa. Ao descrever sua psicoterapia em uma conferência algumas semanas antes, eu despertara um considerável interesse. Eu me encolhi, agora, antecipando os colegas e alunos me perguntando: "Diga-nos. Como acabou aquele caso?"

Como eu esperava, Thelma não veio à sessão marcada para dali a três semanas. Eu liguei para ela e tivemos uma breve, mas notável, conversa. Embora ela fosse inflexível ao reafirmar a intenção de renunciar à condição de paciente, percebi menos rancor em sua voz. Ela não apenas se afastara da terapia, disse ela, como também não tinha mais necessidade dela: sentia-se bem melhor, certamente muito melhor do que três semanas antes! Ter visto Matthew no dia anterior, disse-me de repente, havia ajudado muitíssimo!

– O quê? Matthew? Como isso aconteceu? – perguntei.

– Ah, nós tomamos um café e tivemos uma agradável conversa. Combinamos que vamos nos encontrar para conversar mais ou menos uma vez por mês.

Senti uma curiosidade louca e a interroguei minuciosamente. Primeiro, ela respondeu como se estivesse caçoando ("Eu lhe disse todo o tempo que era disso que eu precisava"). Depois, ela simplesmente deixou claro que eu não tinha mais o direito de fazer perguntas pessoais. Por fim, percebi que não ficaria sabendo de mais nada, e disse meu adeus final. Cumpri o ritual de dizer a ela que estava disponível como terapeuta caso ela mudasse de idéia. Mas, aparentemente, ela jamais desenvolveu qualquer interesse pelo meu tipo de tratamento, e eu não soube mais dela.

Seis meses mais tarde, a equipe de pesquisa entrevistou Thelma e aplicou de novo a bateria de testes psicológicos. Quando saiu o relatório final da pesquisa, eu procurei logo a resenha do caso Thelma Hilton.

> Em resumo, T.H. é uma caucasiana de 70 anos de idade, casada, que, por conta de uma terapia de cinco meses, com uma sessão por semana, melhorou significativamente. De fato, dos 28 sujeitos geriátricos envolvidos neste estudo, ela apresentou o resultado mais positivo.
>
> Ela está significativamente menos deprimida. Sua tendência ao suicídio, extremamente elevada no início, foi reduzida ao ponto em que ela não pode mais ser considerada em risco. A auto-estima melhorou e houve um progresso correspondente, significativo, em várias outras escalas: de angústia, hipocondria, psicose e obsessão.
>
> A equipe de pesquisa não conhece claramente a natureza da terapia que produziu esses resultados impressionantes, pois a paciente continua extremamente reservada sobre os detalhes da terapia. Parece que o terapeuta empregou com sucesso um plano de tratamento prático orientado para o sintoma, objetivando oferecer alívio, mais do que *insight* profundo ou mudança de personalidade. Além disso, ele empregou efetivamente uma abordagem sistêmica e introduziu, no processo de terapia, tanto o marido quanto um antigo amigo (de quem ela estava afastada havia muito tempo).

Muito inebriante! Por alguma razão, me proporcionou pouco conforto.

CAPÍTULO 2

"Se o estupro fosse legal..."

– O seu paciente é um merda estúpido e eu disse isso a ele no grupo, ontem à noite, nessas exatas palavras. – Nisso, Sarah, uma jovem residente de psiquiatria, fez uma pausa e me olhou fixamente, me desafiando a criticá-la.

Obviamente, alguma coisa extraordinária acontecera. Não é todo dia que um estudante irrompe em meu consultório e, sem nenhum traço de culpa – na verdade, ela parecia orgulhosa e desafiadora –, me diz que agrediu verbalmente um dos meus pacientes. Especialmente um paciente com um câncer avançado.

– Sarah, você não quer se sentar e me contar o que aconteceu? Eu tenho alguns minutos antes do meu próximo paciente.

Lutando para manter a compostura, Sarah começou:

– Carlos é o ser humano mais grosseiro, mais desprezível que já conheci!

– Bem, você sabe, ele também não é uma das minhas pessoas preferidas. Eu lhe disse isso antes de encaminhá-lo a você. – Eu começara a atender Carlos, em tratamento individual, seis meses antes, e havia poucas semanas o encaminhara a Sarah para que ele fosse incluído em seu grupo de terapia. – Mas continue, Sarah. Desculpe-me por interrompê-la.

– Bem, como você sabe, ele geralmente é desprezível: cheira as mulheres como se fosse um cachorro, e elas, cadelas no cio, e ignora tudo o mais que acontece no grupo. Ontem à noite, Martha, uma jovem *borderline* realmente frágil, que tem ficado quase muda no grupo, começou a falar sobre o estupro de que foi vítima no ano passado. Eu acho que ela nunca tinha compartilhado isso antes, certamente não com um grupo. Ela estava tão apavorada, com tanta dificuldade para falar daquilo, que a dor era inacreditável. Todos estavam tentando ajudá-la a falar, e, certo ou errado, decidi que ajudaria Martha se eu compartilhasse com o grupo que também fui estuprada há três anos...

– Eu não sabia disso, Sarah.

– Ninguém mais sabia!

Sarah se deteve e passou a mão nos olhos. Eu via que era difícil para ela contar-me aquilo, mas, a essa altura, eu não tinha certeza do que doía mais: contar-me sobre o seu estupro ou a maneira como ela se expusera, excessivamente, para o grupo. (O fato de ser eu o supervisor da terapia de grupo neste programa devia complicar as coisas para ela.) Ou estaria ela mais perturbada pelo que ainda iria me dizer? Resolvi ser prático.

– E depois?

– Bem, foi daí que o seu Carlos entrou em ação.

Meu Carlos? Ridículo!, pensei. Como se ele fosse meu filho e eu tivesse de responder por ele. (No entanto, era verdade que eu insistira com Sarah para que ela o aceitasse: ela relutara em incluir um paciente com câncer em seu grupo. Mas também era verdade que o grupo estava reduzido a cinco pessoas, e ela precisava de novos integrantes.) Eu jamais a vira tão irracional – e desafiadora. Eu receava que ela mais tarde fosse ficar muito constrangida com aquilo tudo, e não queria piorar as coisas com algo que parecesse uma crítica.

– O que ele fez?

– Ele fez muitas perguntas factuais a Martha: quando, onde, o quê, quem. A princípio, elas a ajudaram a falar, mas assim que eu contei sobre a agressão que sofri, ele ignorou Martha e começou a fazer a mesma coisa comigo. Depois, ele passou a perguntar a nós duas detalhes mais íntimos. O estuprador tinha rasgado nossas roupas? Ele ejaculara dentro de nós? Houve algum momento em que nós gostamos daquilo? Isso tudo aconteceu tão insidiosamente que o grupo custou a perceber onde ele queria chegar. Ele não se importou nem um pouco com Martha e comigo, estava apenas se excitando sexualmente. Sei que deveria sentir mais compaixão por ele, mas ele é de arrepiar!

– Como acabou isso tudo?

– Bem, o grupo finalmente se deu conta e começou a confrontá-lo pela sua insensibilidade, mas ele não demonstrou nenhum remorso. Na verdade, ele se tornou ainda mais ofensivo e acusou Martha e a mim, e a todas as vítimas de estupro, de exagerar tudo aquilo. "Grande coisa!", disse, e depois afirmou que ele, pessoalmente, não se importaria de ser estuprado por uma mulher atraente. Seu lance final para o grupo foi dizer que ele receberia bem qualquer tentativa de estupro por qualquer uma das mulheres do grupo. Foi então que eu disse: "Se você pensa assim, você é um puta de um ignorante!"

– Pensei que sua intervenção terapêutica tivesse sido chamá-lo de merda estúpido. Isso reduziu a tensão de Sarah e nós dois sorrimos.

– Também. Eu realmente perdi a calma.

Eu busquei palavras de apoio e estímulo, mas elas saíram mais pedantes do que eu pretendia.

– Lembre-se, Sarah, muitas vezes situações extremas como esta podem acabar sendo pontos decisivos *se* forem trabalhadas cuidadosamente. Tudo que acontece pode ser utilizado para tirarmos proveito na terapia. Vamos tentar transformar isso numa experiência de aprendizagem para ele. Eu vou atendê-lo amanhã e vou trabalhar muito em cima disso. E quero que você se cuide. Estou às ordens se quiser alguém para conversar mais tarde, hoje, ou em qualquer outro momento da semana.

Sarah me agradeceu e disse que precisava de tempo para pensar. Enquanto ela saía de meu consultório, pensei que mesmo que ela resolvesse falar sobre suas questões com outra pessoa, eu tentaria encontrá-la mais tarde, quando estivesse mais calma, para ver se conseguiríamos transformar tudo numa experiência de aprendizagem também para *ela*. Fora terrível para Sarah passar por tudo aquilo, e eu sentia por ela, mas eu tinha a impressão de que ela errara ao buscar, sub-repticiamente, terapia para si mesma no grupo. Pensei que teria sido melhor se tivesse trabalhado o tema primeiro em sua terapia pessoal e depois, caso ainda quisesse falar sobre ele no grupo – o que seria problemático –, teria conseguido conduzir melhor as coisas com todas as partes envolvidas.

A minha paciente seguinte entrou e voltei minha atenção para ela. Mas eu não podia deixar de pensar em Carlos e de me perguntar como deveria lidar com ele na nossa próxima sessão. Não era incomum ele passar pela minha mente. Ele era um paciente extraordinário, e desde que eu começara a atendê-lo, havia alguns meses, pensava nele muito além da hora ou das duas horas por semana que passava em sua presença.

"Carlos é um gato com nove vidas, mas agora parece que ele está chegando ao final da nona." Essa foi a primeira coisa dita pelo oncologista que o encaminhou para mim para tratamento psiquiátrico. Ele continuou a falar, explicando que Carlos sofria de um linfoma raro, de crescimento lento, que causava problemas mais por seu simples tamanho do que por sua malignidade. Durante dez anos o tumor respondera bem ao tratamento, mas agora invadira os pulmões e estava invadindo também o coração. Seus médicos estavam ficando sem opção: haviam-no exposto à radiação máxima e tinham esgotado a farmacopéia de agentes quimioterápicos. Quão honestos eles deveriam ser?, me perguntaram. Carlos não parecia ouvir. Eles não sabiam o quanto ele estava inclinado a ser honesto consigo próprio. Percebiam que ele estava ficando cada vez mais deprimido e que não parecia ter ninguém a quem recorrer em busca de apoio.

Carlos estava realmente isolado. Além de um filho e de uma filha de 17 anos de idade – gêmeos dizigóticos, que moravam com sua ex-esposa na América do Sul –, ele, aos 39 anos de idade, encontrava-se praticamente sozinho no mundo. Ele crescera, filho único, na Argentina. Sua mãe morrera no parto, e, vinte anos mais tarde, seu pai sucumbira ao mesmo tipo de linfoma que agora o estava matando. Ele jamais tivera um amigo do sexo masculino. "Quem precisa deles?", disse-me uma vez. "Eu jamais conheci alguém que não o esfaqueasse por um dólar, um emprego, ou uma boceta." Ele fora casado por pouco tempo e não tivera nenhum outro relacionamento significativo com mulheres. "Você precisa ser maluco para foder uma mulher mais do que uma vez!" O seu objetivo na vida, ele me dissera, sem qualquer traço de vergonha ou recriminação, era trepar com o maior número possível de mulheres.

Em nosso primeiro encontro, pouco encontrei de agradável no caráter de Carlos – ou em sua aparência física. Ele era emaciado, nodoso (com nódulos inchados, muito visíveis nos cotovelos, no pescoço, atrás das orelhas), e, como resultado da quimioterapia, completamente careca. Seus patéticos esforços cosméticos – um grande chapéu-panamá, sobrancelhas pintadas e um cachecol para esconder as intumescências do pescoço – apenas chamavam ainda mais a atenção para a sua aparência.

Ele estava obviamente deprimido – com boas razões – e falava com amargura e cansaço sobre sua provação de dez anos em função do câncer. O linfoma, disse, estava matando-o em estágios. Já havia matado a maior parte dele – sua energia, sua força e sua liberdade (ele precisava morar perto do Hospital Stanford, num permanente exílio de sua própria cultura).

Mais importante ainda, o linfoma matara sua vida social, ou seja, sua vida sexual: quando estava em quimioterapia, ficava impotente; quando acabava o período de quimioterapia e suas secreções sexuais começavam a fluir, não tinha sucesso com as mulheres por sua calvície. Mesmo depois que o cabelo começava a crescer, disse, continuava sem pegar nada: nenhuma prostituta o aceitava, pois elas pensavam que seus nódulos linfáticos aumentados significavam Aids. Sua vida sexual se resumia agora unicamente à masturbação, enquanto assistia a vídeos sadomasoquistas.

Era verdade – ele disse, somente depois de ser instigado por mim – que estava isolado e, sim, isso realmente constituía um problema, mas apenas porque havia momentos em que ele ficava fraco demais para cuidar de suas próprias necessidades físicas. A idéia do prazer derivado do contato humano estreito (não sexual) lhe parecia estranha. Havia uma única exceção – seus filhos –, e quando Carlos falava sobre eles surgia uma emoção real, uma emoção com a qual eu podia me solidarizar. Fiquei comovido pela visão de seu corpo frágil sacudido por soluços enquanto ele descrevia seu medo de que eles também o abandonassem: de que a mãe deles finalmente conseguisse jogá-los contra ele, ou de que fossem repelidos por seu câncer e se afastassem.

– O que eu posso fazer para ajudar, Carlos?

– Se você quer me ajudar... ensine-me a matar tatus!

Por um momento, Carlos se divertiu com a minha perplexidade, e depois passou a explicar que ele desenvolvera uma imagem visual – uma forma de autocura tentada por muitos pacientes cancerosos. Suas metáforas visuais para a nova quimioterapia (referida pelos oncologistas como BP) eram *B*s e *P*s gigantescos – *Bears* e *Pigs;*[5] a metáfora para seus nódulos linfáticos cancerosos endurecidos era um tatu com uma carapaça óssea. Assim, nas sessões de meditação, ele visualizava ursos e porcos atacando os tatus. O problema era que ele não conseguia fazer com que os ursos e os porcos fossem suficientemente ferozes para destroçar e destruir os tatus.

Apesar do horror de seu câncer e das limitações de seu espírito, eu me senti atraído por ele. Talvez fosse uma generosidade decorrente do meu alívio por ser ele, e não eu, quem estava morrendo. Talvez fosse o seu amor pelos filhos ou a maneira melancólica com que ele segurou minha mão entre as dele quando saía de meu consultório. Talvez fosse a excentricidade de seu pedido: "Ensine-me a matar tatus."

Conseqüentemente, enquanto me perguntava se poderia tratá-lo, minimizei obstáculos potenciais ao tratamento e me persuadi de que ele era mais *in*socializado do que malignamente anti-social, e de que muitos de seus traços e crenças pernicio-

[5] Ursos e porcos. (N. do A.)

sos eram suaves e passíveis de modificação. Eu não pensei com clareza na minha decisão e, mesmo depois de tê-lo aceitado em terapia, continuei inseguro em relação aos objetivos apropriados e realísticos de tratamento. Eu iria simplesmente acompanhá-lo nessa etapa de quimioterapia? (Como muitos outros pacientes, Carlos ficava mortalmente mal e desesperado durante a quimioterapia.) Ou, se ele estivesse entrando numa fase terminal, eu iria me comprometer a ficar com ele até a morte? Eu me sentiria satisfeito em oferecer apenas presença e apoio? (Talvez fosse o suficiente. Deus sabia que ele não tinha ninguém mais para conversar!) Claro, seu isolamento cabia unicamente a ele, mas eu o ajudaria a reconhecê-lo ou modificá-lo? Agora? Diante da morte, essas considerações pareciam imateriais. Ou não? Seria possível que Carlos pudesse realizar algo mais "ambicioso" em terapia? Não, não, não! *Que sentido faz falar sobre tratamento "ambicioso" com alguém cujo período de vida previsto talvez seja, na melhor das hipóteses, uma questão de meses?* Alguém iria querer, eu quereria, investir tempo e energia num projeto tão evanescente?

Carlos concordou prontamente em se encontrar comigo. De seu modo cínico, típico, disse que seu plano de saúde pagaria 90% de meus honorários e que ele não desperdiçaria uma oportunidade dessas. Além do mais, ele era uma pessoa que gostava de experimentar tudo, ao menos uma vez, e ele jamais falara com um psiquiatra. Não deixei claro o nosso contrato de tratamento, dizendo apenas que ter alguém para compartilhar sentimentos e pensamentos dolorosos sempre ajudava. Sugeri que nos encontrássemos seis vezes e então avaliássemos se o tratamento valia a pena.

Para a minha grande surpresa, Carlos fez um excelente uso da terapia, e depois de seis sessões concordamos em seguir com o processo de tratamento. Ele chegava a cada sessão com uma lista das questões que queria discutir – sonhos, problemas de trabalho (analista financeiro bem-sucedido, ele continuara a trabalhar durante sua enfermidade). Às vezes, ele falava sobre seu desconforto físico e seu ódio pela quimioterapia, mas, acima de tudo, sobre mulheres e sexo. A cada sessão ele descrevia todos os seus encontros com mulheres naquela semana (freqüentemente, eles consistiam apenas em trocas de olhares com alguma mulher no supermercado) e ficava obcecado com o que poderia ter feito, em cada um dos casos, para consumar uma relação. Ele estava tão preocupado com mulheres que parecia se esquecer de que tinha um câncer que se infiltrava ativamente nos espaços fervilhantes de seu corpo. Provavelmente, era esse o objetivo de sua preocupação – que ele pudesse esquecer dessa infestação.

Mas a fixação em mulheres era muito anterior ao seu câncer. Ele sempre rondara as mulheres e as considerara em termos altamente sexualizados e aviltantes. Assim, o relato de Sarah a respeito do comportamento de Carlos no grupo, embora chocante, não me surpreendeu. Eu sabia que ele era perfeitamente capaz de um comportamento tão grosseiro – e até pior.

Mas como eu deveria conduzir a situação com ele na sessão seguinte? Acima de tudo, gostaria de proteger e preservar o nosso relacionamento. Estávamos fazendo progressos, e naquele momento eu era o seu principal vínculo humano. Mas também era importante que ele continuasse a participar do grupo de terapia. Eu o inserira em um grupo seis semanas antes para lhe proporcionar uma comunidade que, ao mesmo tempo, o ajudaria a penetrar seu isolamento e, ao identificar alguns de seus comportamentos mais socialmente desagradáveis, o estimularia a alterá-los, ajudando-o a criar vínculos em sua vida social. Nas primeiras cinco semanas, ele fizera um excelente uso do grupo, porém, a menos que modificasse dramaticamente o seu comportamento, ele iria, eu tinha certeza, alienar irreversivelmente todos os membros do grupo – se é que já não o fizera!

Nossa sessão seguinte começou sem maiores novidades. Carlos sequer mencionou o grupo, e sim quis falar sobre Ruth, uma mulher atraente que conhecera havia pouco tempo num encontro da igreja. (Ele era membro de meia dúzia de igrejas, pois acreditava que elas proporcionavam oportunidades ideais para encontros.) Ele falara brevemente com Ruth, que se desculpara porque tinha de ir embora. Carlos se despedira, porém mais tarde se convenceu de que perdera uma oportunidade de ouro ao não se oferecer para acompanhá-la até o carro; na verdade, ele se convencera de que havia uma chance razoável, talvez de uns 10 a 15%, de se casar com ela. Suas auto-recriminações por não ter agido com maior desenvoltura continuaram por toda a semana e incluíram auto-agressões verbais e auto-flagelo – beliscava-se e batia a cabeça na parede.

Não me aprofundei em seus sentimentos em relação a Ruth (embora eles fossem tão irracionais que decidi que voltaria a eles em algum momento), porque julguei urgente discutirmos sobre o grupo. Disse-lhe que falara com Sarah a respeito do encontro.

– Você pretendia falar hoje sobre o grupo? – perguntei.

– Nada em especial, isso não é importante. Seja como for, eu vou parar com o grupo. Sou avançado demais para ele.

– O que você quer dizer?

– Lá, todos são desonestos e fazem joguinhos. Sou a única pessoa com coragem suficiente para falar a verdade. Os homens são todos uns perdedores. Do contrário, não estariam lá. São idiotas sem *cojones*,[6] ficam se lamentando e não dizem nada.

– Conte-me o que aconteceu no encontro, do seu ponto de vista.

– Sarah falou a respeito de seu estupro; ela lhe contou?

Eu assenti com a cabeça.

– E Martha também contou. Aquela Martha. Deus, ela é uma coisa. Ela é horrível, realmente pirada. É maluca, toma tranqüilizantes. Que diabo eu estou fazendo num grupo com pessoas como ela? Mas ouça. O ponto importante é que elas falaram a respeito de seus estupros, as duas, e todos apenas ficaram sentados lá quietos, de boca aberta. Finalmente, eu reagi. Fiz perguntas a elas.

– Sarah disse que algumas das suas perguntas não pretendiam ajudar.

– Alguém tinha de fazê-las falar. Além disso, eu sempre fui curioso em relação a estupros. Você não é? Os homens todos não são? Em relação a como acontece, em relação à experiência da vítima?

– Ah, pare com isso, Carlos. Se fosse assim, você poderia ter lido em algum livro. Elas eram pessoas reais, não fontes de informação. Havia alguma coisa a mais acontecendo.

– Talvez sim, admito. Quando entrei no grupo, suas instruções foram de que eu deveria ser honesto ao expressar meus sentimentos. Acredite, eu juro, no último encontro eu fui a única pessoa honesta no grupo. Eu fiquei excitado, admito. É incrivelmente excitante pensar em Sarah sendo fodida. Eu adoraria participar e colocar minhas mãos naqueles peitinhos dela. Eu não o perdoei por me impedir de sair com ela.

Quando começara o grupo, havia seis semanas, ele falara longamente sobre sua louca paixão por Sarah – ou melhor, por seus seios – e estava convencido de que ela estaria inclinada a sair com ele. Para ajudá-lo a ser assimilado pelo grupo, tive, nos primeiros encontros, de instruí-lo sobre o comportamento social apropriado. Eu o persuadi, com dificuldade, de que uma abordagem sexual com Sarah seria ao mesmo tempo inútil e inadequada.

[6] Colhões. (N. do T.)

– Além disso, não é nenhum segredo que os homens se excitam com estupros. Eu vi os outros homens do grupo sorrindo para mim. Veja o negócio da pornografia! Você já deu uma boa olhada nos livros e vídeos sobre estupro ou sujeição? Faça isso! Vá visitar as lojas pornográficas no Tenderloin, será bom para a sua educação. Eles fazem essas coisas para alguém. Deve haver um mercado para isso. Quer saber a verdade? *Se o estupro fosse legal, eu o praticaria,* de vez em quando.

Carlos se deteve e sorriu para mim, com complacência – ou era um olhar provocador, um convite para eu me juntar a ele na irmandade dos estupradores?

Fiquei em silêncio por vários minutos, tentando identificar minhas opções. Era muito fácil concordar com Sarah: ele *realmente* soava depravado. Contudo, eu estava convencido de que parte daquilo era deboche, e que havia uma maneira de encontrar algo melhor nele, algo mais elevado. Eu me interessei, gratificado, pelas suas últimas palavras: o "de vez em quando". Essas palavras, acrescentadas quase sem pensar, pareciam sugerir algum fragmento de autoconsciência ou de vergonha.

– Carlos, você se orgulha da sua honestidade no grupo, mas será que você estava realmente sendo honesto? Ou apenas parcialmente honesto, ou ligeiramente honesto? É verdade, você foi mais aberto do que os outros membros do grupo. Você, na realidade, expressou alguns de seus sentimentos sexuais verdadeiros. E você na verdade tem razão sobre esses sentimentos serem amplamente disseminados: o mercado da pornografia deve oferecer alguma coisa que atrai os impulsos que todos os homens têm.

"Mas você estará sendo completamente honesto? E todos os seus outros sentimentos que você *não* expressou? Deixe-me dar um palpite sobre uma coisa: quando você disse "grande coisa" para Sarah e Martha, em relação aos estupros, é possível que estivesse falando sobre o seu câncer e aquilo que você precisa enfrentar o tempo inteiro. É muitíssimo mais difícil enfrentar alguma coisa que ameaça a sua vida *neste exato momento* do que algo que aconteceu há um ou dois anos.

"Talvez você deseje que o grupo se interesse por você, mas como você pode conseguir isso quando age de modo tão desagradável? Você ainda não falou a respeito do seu câncer."

(Eu insistira com Carlos para revelar ao grupo que ele estava com câncer, mas ele protelava: temia despertar piedade, e não queria sabotar suas chances sexuais com os membros do sexo feminino.)

Carlos sorriu para mim. – Boa tentativa, doutor! Faz muito sentido. Você tem um bom coração. Mas serei honesto – a idéia do meu câncer nunca entrou na minha cabeça. Desde que paramos a quimioterapia, há dois meses, eu passo muitos dias sem pensar no câncer. É incrivelmente bom, não é, esquecer, estar livre dele, ser capaz de viver uma vida normal durante um tempo?

Boa pergunta!, pensei. Era bom esquecer? Eu não estava tão certo. Ao longo dos meses em que atendi Carlos, descobri que eu era capaz de mapear, com surpreendente exatidão, o curso de seu câncer, simplesmente observando as coisas nas quais ele pensava. Sempre que o câncer piorava e que ele se via enfrentando a morte ativamente, ele reorganizava suas prioridades e se tornava mais reflexivo, mais compassivo, mais sábio. Quando, por outro lado, estava em remissão, passava a ser guiado, como dizia, por seu pinto, tornava-se notavelmente mais grosseiro e superficial.

Certa vez vi uma charge, num jornal, sobre um homenzinho atarracado, perdido, dizendo: "Subitamente, lá pelos 40 ou 50 anos, tudo fica claro... E depois tudo se perde novamente!" Essa charge se aplicava a Carlos, exceto pelo fato de que ele não tivera um, e sim *repetidos* episódios de clareza – e eles sempre desapareciam novamente. Eu muitas vezes pensei que, se pudesse encontrar uma maneira de mantê-lo constantemente consciente de sua morte e da "clareza" que ela provocava, poderia ajudá-lo a fazer mudanças maiores no modo como ele se relacionava com a vida e com as outras pessoas.

Ficava evidente, pela maneira com que ele falava naquele dia, e dois dias antes no grupo, que seu câncer estava controlado de novo, e que a morte, com sua resultante sabedoria, estava muito distante da sua mente.

Tentei outra tacada.

– Carlos, antes de você entrar no grupo eu tentei lhe explicar as noções básicas por trás da terapia de grupo. Lembra-se de como enfatizei que tudo o que acontece no grupo pode ser utilizado para ajudar no nosso trabalho na terapia? – Ele assentiu com a cabeça.

Eu continuei:

– E que um dos princípios mais importantes dos grupos é o de que o grupo é um mundo em miniatura: todo ambiente que criamos no grupo reflete a maneira como escolhemos viver? Lembra-se de que eu disse que cada um de nós estabelece *no* grupo o *mesmo tipo de mundo social que temos na nossa vida real*?

Ele assentiu novamente com a cabeça. Ele estava me ouvindo.

– Agora, veja o que lhe aconteceu no grupo! Você começou com um certo número de pessoas com as quais poderia ter desenvolvido relacionamentos estreitos. E quando você começou, concordamos que você precisava trabalhar as formas de estabelecer relacionamentos. Foi por essa razão que você entrou no grupo, lembra-se? Mas agora, depois de apenas seis semanas, todos os membros e pelo menos um dos co-terapeutas estão fartos de você. E você provocou isso. Você fez *no* grupo aquilo que faz *fora* do grupo! Eu quero que me responda honestamente: você está satisfeito? É isso o que você quer dos seus relacionamentos com as outras pessoas?

– Doutor, entendo exatamente o que você está dizendo, mas há uma falha em seu argumento. Eu não dou a mínima, não dou mesmo a mínima, para as pessoas do grupo. Elas não são pessoas reais. Jamais me associarei a perdedores como aqueles. A opinião deles não significa nada para mim. Eu não *quero* me aproximar deles.

Eu já havia visto Carlos se fechar completamente dessa forma em outras ocasiões. Ele estaria mais razoável, eu suspeitava, em uma ou duas semanas, e em circunstâncias comuns eu simplesmente teria sido paciente. Mas, a menos que algo mudasse rapidamente, ele sairia do grupo ou teria, na semana seguinte, rompido seu relacionamento com os outros membros de maneira irreparável. Já que eu duvidava muito, depois desse encantador episódio, que pudesse convencer outro terapeuta de grupo a aceitá-lo, perseverei.

– Eu ouço esses sentimentos de raiva e de reprovação e sei que você realmente os sente. Mas, Carlos, tente colocá-los entre parêntesis por um momento e veja se você pode entrar em contato com alguma outra coisa. Tanto Sarah quanto Martha estavam sofrendo muito. Que outros sentimentos você tem em relação a elas? Não estou falando sobre os sentimentos maiores ou predominantes, mas sobre quaisquer outros lampejos que você teve.

– Sei aonde você está querendo chegar. Você está fazendo o melhor que pode por mim. Eu quero ajudá-lo, mas estaria fingindo. Você está colocando sentimentos em minha boca. Aqui, este consultório, é o único lugar onde posso dizer a verdade, e a verdade é que, mais do que qualquer outra coisa, o que eu gostaria de fazer com aquelas duas bocetas do grupo é fodê-las! Eu falo sério quando digo que se o estupro fosse legal, eu o faria! E sei bem por onde começaria!

Provavelmente, ele se referia a Sarah, mas não perguntei. A última coisa que eu queria fazer era entrar nesse discurso com ele. Provavelmente havia uma importante competição edipiana acontecendo entre nós que tornava mais difícil a comunicação. Ele jamais perdia uma oportunidade de descrever para mim, em imagens, o que gostaria de fazer com Sarah, como se pensasse que éramos rivais em relação a ela. Sei que ele acreditava que a razão de eu tê-lo dissuadido de convidar Sarah para sair era o meu desejo de conservá-la para mim. Mas esse tipo de interpretação seria totalmente inútil agora: ele estava por demais fechado e defensivo. Se eu quisesse ir adiante, teria de utilizar algo mais poderoso.

A única abordagem em que consegui pensar envolvia a explosão de emoção que eu presenciara na nossa primeira sessão – a tática parecia tão planejada e simplista que seria impossível imaginar o resultado surpreendente que produziria.

– Tudo bem, Carlos, vamos considerar essa sociedade ideal que você está imaginando e defendendo: a sociedade do estupro legalizado. Pense agora, por alguns minutos, na sua filha. O que significaria para ela viver nessa comunidade, estando disponível para o estupro legal, apenas um buraco para alguém que resolva ficar excitado e queira transar à força com garotas de 17 anos?

Subitamente, Carlos parou de sorrir. Ele estremeceu de modo visível e disse simplesmente:

– Não gostaria que isso acontecesse com ela.

– Mas como ela se encaixaria, então, nesse mundo que você está construindo? Você precisa criar um lugar onde ela possa viver: é isso o que os pais fazem, eles constroem um mundo para os seus filhos. Eu nunca lhe perguntei antes: o que você realmente deseja para ela?

– Quero que ela tenha um relacionamento amoroso com um homem e uma família amorosa.

– Mas como isso pode acontecer se o pai dela defende um mundo com estupros? Se você quer que ela viva num mundo amoroso, cabe a você construir esse mundo e você precisa começar pelo seu próprio comportamento. Você não pode ficar à margem de sua própria lei. Essa é a base de qualquer sistema ético.

O tom da sessão havia mudado. Não era mais de embate ou grosseria. Nós estávamos mortalmente sérios. Eu me sentia mais um professor de filosofia ou de religião do que um terapeuta, mas sabia que estava no caminho certo. E estas eram as coisas que eu deveria ter dito antes. Ele muitas vezes brincara com sua própria inconsistência. Lembrei-me de uma vez que ele descrevera alegremente uma conversa com os filhos à mesa de jantar (eles o visitavam duas ou três vezes por ano), quando ele dissera a sua filha que desejava conhecer e aprovar qualquer garoto com quem ela saísse. "Quanto a *você*", apontando para o filho, "*você* deve pegar todos os traseiros que puder!"

Não havia dúvida de que eu agora tinha a sua atenção plena. Decidi aumentar minha vantagem por triangulação e abordei a mesma questão de outro modo:

– E, Carlos, eu agora me lembrei de outra coisa. Você se lembra do sonho do Honda verde, há duas semanas? Vamos voltar a ele.

Ele gostava de trabalhar com sonhos e ficou feliz por se dedicar a ele, e, assim, deixar a dolorosa discussão a respeito de sua filha.

Carlos sonhara que ia a uma agência para alugar um carro, mas os únicos existentes eram Hondas Civic – os que ele menos gostava. Das várias cores disponíveis, ele escolheu um vermelho. Mas, quando chegou ao estacionamento, o único carro disponível era um verde – a cor da qual ele menos gostava! O fato mais importante de um sonho é a emoção que o acompanha, e este sonho, apesar de seu conteúdo benigno, vinha carregado de terror: ele o tinha acordado e lhe causara angústia durante horas.

Duas semanas depois nós não conseguíramos ir longe com esse sonho. Carlos, segundo me lembro, partiu para uma tangente de associações sobre a identidade da funcionária da agência de aluguel. Mas hoje eu via o sonho sob uma luz diferente. Havia muitos anos, ele desenvolvera uma forte crença na reencarnação, uma crença que lhe proporcionara um abençoado alívio de seus medos em relação à morte. A metáfora usada por ele em um de nossos primeiros encontros foi a de que morrer é simplesmente trocar o seu corpo por um outro – como trocar um carro velho. Eu o lembrei agora daquela metáfora.

– Suponhamos, Carlos, que o sonho seja mais do que um sonho sobre carros. Alugar um carro obviamente não é uma atividade assustadora, não algo que se transforme num pesadelo e que o mantenha acordado o restante da noite. Eu imagino que o sonho seja sobre morte e vida futura, e utilize o seu símbolo de comparar a morte e o renascimento à troca de carros. Se o considerarmos dessa forma, poderemos entender melhor o imenso medo trazido pelo sonho. O que você acha do fato de que o único carro que você conseguiu era um Honda Civic?

– Eu odeio verde e odeio Honda Civic. Meu próximo carro será um Maserati.

– Mas, se os carros são símbolos de corpos no sonho, por que você, na sua próxima vida, teria o corpo, ou a vida, que odeia mais que todos os outros?

Carlos não tinha outra opção além de responder:

– Você consegue aquilo que merece, dependendo do que fez ou da maneira como viveu sua vida atual. Você pode tanto subir quanto descer.

Agora ele percebia para onde a discussão nos levava, e começou a transpirar. A densa floresta de grosseria e cinismo que o envolvia sempre chocara e afastara os visitantes. Mas agora chegara a vez de ele se chocar. Eu invadira dois de seus templos mais íntimos: seu amor pelos filhos e a crença na reencarnação.

– Continue, Carlos, é importante. Aplique isso tudo a você mesmo e à sua vida.

Ele pronunciou cada palavra lentamente:

– O sonho diz que eu não estou vivendo da maneira correta.

– Eu concordo, acho que *é* isso o que o sonho diz. Fale mais sobre o que você pensa sobre viver da maneira correta.

Eu estavas prestes a pontificar sobre o que constitui uma boa vida em qualquer sistema religioso – amor, generosidade, cuidado, pensamentos nobres, busca do bem, caridade –, mas nada disso foi necessário. Carlos me fez saber que entendera o que eu queria dizer: disse que estava atordoado e que tudo aquilo era demais para se lidar num dia só. Ele queria tempo para pensar durante a semana. Observando que ainda tínhamos 15 minutos, decidi atacar em outra frente.

Voltei ao primeiro assunto que ele trouxera à sessão: a crença de que perdera uma oportunidade de ouro com Ruth, a mulher que encontrara brevemente na reunião da igreja, e suas subseqüentes lamentações e auto-recriminações por não tê-la acompanhado até o carro. A função dessa crença irracional estava clara. Enquanto continuasse a acreditar que estava inevitavelmente prestes a ser desejado e amado por uma mulher atraente, ele podia sustentar a crença de que não era diferente de qualquer outra pessoa, de que não havia nada de muito errado com ele, de que não estava desfigurado, não estava mortalmente doente.

No passado, eu não questionei sua negação. De um modo geral, é melhor não enfraquecer uma defesa, a menos que ela crie mais problemas do que soluções, e a menos que tenhamos algo melhor para oferecer em seu lugar. A reencarnação era o caso em questão: embora eu a considere pessoalmente uma forma de negação da morte, a crença servia muito bem para Carlos (assim como para grande parte da população do mundo); de fato, em vez de enfraquecê-la, eu sempre a apoiei e, nesta sessão, eu a fortaleci, incitando-o a ser consistente e a estar atento a todas suas implicações.

Mas chegara o momento de desafiar alguns dos aspectos menos benéficos de seu sistema de negação.

– Carlos, você realmente acredita que se tivesse acompanhado Ruth até o carro teria uma chance de 10 a 15% de casar com ela?

– Uma coisa poderia levar a outra. Havia algo acontecendo entre nós dois. Eu senti. Eu tenho certeza!

– Mas você diz isso todas as semanas: a mulher no supermercado, a recepcionista do consultório do dentista, a vendedora de ingressos no cinema. Você sentiu isso até mesmo com Sarah. Ouça, quantas vezes você, ou qualquer outro homem, acompanhou uma mulher até o carro e *não* se casou com ela?

– Está bem, está bem, talvez esteja mais próximo de uma chance de 1% ou de 0,5%, mas havia uma chance, se eu não tivesse sido tão idiota. Eu nem mesmo *pensei* em pedir para acompanhá-la até o carro!

– As coisas que você escolhe para se torturar, Carlos! Carlos, vou ser rude. O que você está dizendo não faz nenhum sentido. Tudo o que você me contou a respeito de Ruth, você apenas conversou com ela por uns cinco minutos, é que ela tem 23 anos, dois filhos pequenos e se divorciou recentemente. Sejamos bem realistas. Como você disse, este é o lugar para ser honesto. O que você dirá a ela sobre a sua saúde?

– Quando a conhecer melhor, eu vou lhe dizer a verdade: que tenho câncer, que agora ele está sob controle, que os médicos podem tratá-lo.

– E...?

– Que os médicos não têm certeza do que pode acontecer, que a cada dia são descobertos novos tratamentos, que eu talvez tenha recaídas no futuro.

– O que os médicos lhe disseram? Disseram que *talvez* haja recorrências?

– Você está certo, *haverá* recorrências no futuro, a menos que se encontre uma cura.

– Carlos, eu não quero ser cruel, mas seja objetivo. Ponha-se no lugar de Ruth: 23 anos de idade, duas crianças pequenas, passou por um período difícil, supostamente buscando algum tipo de apoio para ela e seus filhos, tendo apenas o conhecimento e o medo do câncer de um desconhecido. Você representa o tipo de apoio e segurança que ela procura? Estará ela inclinada a aceitar a incerteza que envolve a sua saúde, arriscando-se a colocar-se numa situação em que talvez seja obrigada a cuidar de você? Quais são realmente as chances de ela deixar você conhecê-la da maneira que você quer, de se envolver com você?

– Provavelmente nem uma em um milhão – disse Carlos em um tom triste e cansado.

Eu estava sendo cruel; contudo, a opção de *não* ser cruel, de simplesmente animá-lo, de reconhecer tacitamente que ele era incapaz de ver a realidade, era ainda mais cruel. Sua fantasia a respeito de Ruth fazia com que ele sentisse que ainda podia ser tocado e cuidado por um outro ser humano. Eu esperava que ele compreendesse que meu desejo de manter o vínculo, em vez de fechar os olhos à situação, era a minha maneira de tocá-lo e de cuidar dele.

Toda a fanfarronice se fora. Num tom suave, Carlos perguntou:

– Então, aonde tudo isso me leva?

– Se aquilo que você realmente quer agora é proximidade, chegou o momento de esfriar toda essa busca por uma esposa. Eu observei, durante meses, você se atormentar com isso. Acho que é hora de você tratar a si mesmo com menos severidade. Você acabou de terminar um ciclo de quimioterapia. Há quatro semanas você não conseguia comer, sair da cama, ou parar de vomitar. Você emagreceu muito, está recuperando suas forças. Pare de esperar encontrar uma esposa imediatamente. É pedir demais a si mesmo. Estabeleça um objetivo razoável. Você pode fazer isso tanto quanto eu. Concentre-se em manter uma boa conversa com alguém. Tente aprofundar uma amizade com as pessoas que você já conhece.

Eu vi um sorriso começando a se formar nos lábios de Carlos. Ele sabia qual seria a minha próxima frase: *"E que melhor lugar existe para começar do que o grupo?"*

Carlos jamais foi a mesma pessoa depois dessa sessão. O nosso encontro seguinte ocorreu no dia posterior ao encontro do grupo. A primeira coisa que ele disse foi que eu não acreditaria quanto ele tinha sido bom no grupo. Ele se orgulhava de ser o membro mais contido e sensível do grupo. Ele sabiamente decidira se livrar dos problemas falando ao grupo sobre seu câncer. Afirmou – e, semanas mais tarde, Sarah o confirmaria – que o seu comportamento mudara tão extraordinariamente que agora os outros membros buscavam apoio nele.

Ele elogiou nossa sessão anterior.

– A última sessão foi a melhor que tivemos até agora. Eu gostaria que pudéssemos ter sempre sessões como aquela. Não me lembro exatamente do que falamos, mas ela me ajudou a mudar bastante.

Achei um de seus comentários particularmente divertido.

– Não sei por que, mas estou inclusive me relacionando de um modo diferente com os homens do grupo. Eles são mais velhos do que eu, mas parece que eu os trato como se fossem meus filhos!

O fato de ele ter esquecido o conteúdo da nossa última sessão não me preocupou muito. Era muito melhor que ele esquecesse o que conversamos do que a possibilidade contrária (uma escolha bem mais comum para os pacientes) – lembrar exatamente o que foi dito, mas não mudar.

A melhora de Carlos progrediu exponencialmente. Duas semanas mais tarde, ele iniciou nossa sessão dizendo ter tido, durante aquela semana, dois grandes *insights*. Estava tão orgulhoso deles que inclusive os batizara. Ele chamou (consultando suas notas) o primeiro de "Todos têm um coração" e o segundo de "Eu não sou os meus sapatos".

Primeiro, ele explicou "Todos têm um coração": – Durante o encontro do grupo na última semana, todas as três mulheres compartilhavam intensamente os seus sentimentos, sobre como era duro ser solteira, sobre a solidão, sobre a preocupação com os pais, sobre pesadelos. Não sei por que, mas subitamente eu as vi de um modo diferente! Elas eram como eu! Elas estavam tendo os mesmos problemas que eu. Eu antes sempre imaginava as mulheres sentadas no Olimpo, com uma fileira de homens diante delas, enquanto elas os escolhiam – este aqui para o meu quarto, este aqui não!

"Mas, naquele momento – continuou Carlos – eu tive uma visão de seus corações nus. A parede de suas caixas torácicas tinha sumido, simplesmente se dissolvera, revelando uma cavidade quadrada azul-avermelhada, com costelas, e, no centro, um brilhante coração cor de fígado, pulsando. Durante toda a semana, eu vi o coração de todas as pessoas batendo, e dizia a mim mesmo: Todos têm um coração, todos têm um coração. Tenho visto o coração em todas as pessoas: no corcunda disforme que trabalha na recepção, na velha senhora que limpa o piso, até mesmo nos homens com os quais eu trabalho!"

O comentário de Carlos me deu tanta alegria que me vieram lágrimas aos olhos. Acho que ele as percebeu, mas, para me poupar do embaraço, não fez nenhum comentário e se apressou para o *insight* seguinte: "Eu não sou os meus sapatos."

Ele me lembrou de que na última sessão havíamos discutido a sua grande angústia em relação a uma apresentação que faria em seu trabalho. Ele sempre tivera grande dificuldade para falar em público: extremamente sensível a qualquer crítica, ele muitas vezes, segundo disse, dera vexame ao contra-atacar ferozmente qualquer pessoa que questionasse algum aspecto de sua apresentação.

Eu o ajudara a compreender que ele tinha perdido de vista suas fronteiras pessoais. É natural, eu dissera, que alguém responda negativamente a um ataque ao seu núcleo mais central – afinal de contas, nessa situação está em jogo a própria sobrevivência. Mas eu enfatizara que ele tinha expandido as suas fronteiras pessoais até incluírem o seu trabalho e, conseqüentemente, respondia a qualquer crítica branda a algum aspecto de seu trabalho como se fosse um ataque mortal ao seu ser central, uma ameaça à sua própria sobrevivência.

Eu insistira com Carlos para que diferenciasse seu eu nuclear de outros atributos ou atividades periféricas. Depois, ele teria que "se desidentificar " com as partes não nucleares: elas poderiam representar o que ele gostava, ou fazia, ou valorizava – mas não eram *ele*, não eram seu ser central.

Carlos ficara intrigado com essa construção. Ela não apenas explicava sua atitude defensiva no trabalho, como ele também podia estender o modelo de "desidentificação" e incluir até mesmo o corpo. Em outras palavras, ainda que o corpo estivesse em perigo, ele próprio, sua essência vital, estava intacta.

A interpretação diminuiu muito a sua angústia, e sua apresentação no trabalho na semana anterior havia sido maravilhosamente lúcida e não defensiva. Ele jamais fizera um trabalho tão bom. Durante toda a apresentação, um pequeno mantra em sua cabeça sussurrara: "Eu não sou o meu trabalho." Quando ele terminou e se sentou junto de seu chefe, o mantra prosseguiu: "Eu não sou o meu trabalho. Eu não sou o que falo. Eu não sou as minhas roupas. Nenhuma dessas coisas." Ele cruzou as pernas e notou seus sapatos gastos: "E não sou, tampouco, os meus sapatos." Ele começou a mexer os dedos e pés, esperando atrair a atenção do chefe, como se lhe dissesse: "Eu não sou os meus sapatos!"

Os dois *insights* de Carlos – os primeiros de muitos que estavam por vir – foram um presente para mim e meus alunos. Os dois *insights*, cada um deles originado por uma forma diferente de terapia, ilustravam, de forma categórica, a diferença entre o que alguém pode obter da terapia de grupo, com seu foco na comunhão *entre*, e da terapia individual, com seu foco na comunhão *interior.* Eu ainda utilizo muitos de seus *insights* visuais para ilustrar o meu ensino.

Nos poucos meses de vida que lhe restavam, Carlos escolheu continuar a dar. Organizou um grupo de câncer de auto-ajuda (não sem alguma piada divertida sobre essa ser a "última parada" da encruzilhada) e foi também líder de alguns grupos de vivências interpessoais em uma de suas igrejas. Sarah, a essa altura uma de suas maiores entusiastas, foi convidada para falar em um deles e confirmou sua liderança responsável e competente.

Porém, acima de tudo, ele deu aos filhos, que perceberam a sua mudança e decidiram morar com ele, matriculando-se por um semestre numa escola próxima. Ele foi um pai maravilhosamente generoso e solidário. Sempre senti que a maneira como alguém enfrenta a morte é, em grande parte, determinada pelo modelo que os pais estabelecem. O último presente que um genitor pode dar aos filhos é ensiná-los, por meio do exemplo, a enfrentar a morte com serenidade – e Carlos deu uma lição extraordinária sobre dignidade. Sua morte não foi uma daquelas passagens escuras, abafadas, conspiratórias. Até o final da vida, ele e seus filhos foram honestos uns com os outros em relação à sua doença, e riam juntos da maneira como ele bufava, virava os olhos e franzia os lábios quando se referia ao seu "linfooooooo ooooma".

Mas nenhum presente foi maior do que o que ele me ofereceu pouco antes de morrer, um presente que responde para sempre à pergunta sobre a racionalidade ou a adequação de se lutar por uma terapia "ambiciosa" para os portadores de uma doença terminal. Quando eu o visitei no hospital, ele estava tão fraco que mal conseguia se mexer, mas ergueu a cabeça, apertou a minha mão e sussurrou:

– Obrigado. Obrigado por salvar a minha vida.

CAPÍTULO 3

A mulher gorda

Os melhores jogadores de tênis do mundo treinam cinco horas por dia para eliminar os pontos fracos de seu jogo. Os mestres zen aspiram incansavelmente à quietude da mente, a bailarina, ao equilíbrio perfeito, e o sacerdote examina permanentemente a sua consciência. Cada profissão abriga um mundo de possibilidades, em que o praticante pode buscar a perfeição. Para o psicoterapeuta, esse mundo, esse inesgotável currículo de auto-aperfeiçoamento em que ninguém jamais se gradua, é conhecido como contratransferência. Enquanto a *transferência* se refere aos sentimentos que o paciente erroneamente vincula ("transfere") ao terapeuta, mas que na verdade se originam de relacionamentos anteriores, a *contratransferência* é o reverso – sentimentos irracionais semelhantes que o terapeuta tem em relação ao paciente. Algumas vezes a contratransferência é dramática e torna impossível uma terapia profunda: imaginem um judeu tratando um nazista, ou uma mulher que foi sexualmente agredida tratando um estuprador. Porém, em situações mais amenas, a contratransferência se insinua ao longo de toda psicoterapia.

No dia em que Betty entrou em meu consultório, no instante em que a vi conduzindo seus 115 quilos e sua figura de 1,55 metro na direção da minha mesa e da moderna cadeira do consultório, eu me dei conta de que uma grande prova contratransferencial me aguardava.

Sempre me senti repelido por mulheres gordas. Eu as acho repulsivas: o absurdo andar bamboleante, a ausência de contornos corporais – seios, colo, nádegas, ombros, maxilar, ossos do rosto –, *tudo,* tudo aquilo que gosto de ver numa mulher oculto por uma avalanche de carne. E eu odeio suas roupas – os vestidos disformes, folgados ou, pior, os jeans apertados, elefantinos, com as coxas em forma de barril. Como elas ousam impor seus corpos a todos nós?

As origens desses lamentáveis sentimentos? Eu jamais tentei descobrir. Eles são tão profundos que nunca os considerei preconceituosos. Mas, se me fosse exigida uma explicação, suponho que poderia apontar a família de mulheres gordas, controladoras, incluindo – apresentando-a – minha mãe, que povoaram os primórdios da minha vida. A obesidade, endêmica na minha família, foi parte daquilo que abandonei quando eu, um americano de primeira geração, impulsivo, ambicioso, decidi sacudir para sempre de meus pés a poeira da *shtetl*[7] russa.

Posso oferecer outras hipóteses. Sempre admirei, talvez mais do que muitos homens, o corpo feminino. Não, não apenas o admirei: eu o elevei, idealizei, extasiei-me com ele em um nível e a um ponto que excede toda a razão. Será que me ressinto das mulheres gordas por profanarem meu desejo, por macularem todas as adoráveis características que aprecio? Por me tirarem a minha doce ilusão e revelarem sua base de carne – carne em rebuliço?

Cresci numa Washington racialmente segregada, filho único da única família branca em meio a uma vizinhança negra. Nas ruas, os negros me atacavam pela minha brancura, e, na escola, os brancos me atacavam por ser judeu. Mas sempre havia a gordura, as crianças gordas, os traseiros grandes, os alvos das brincadeiras, os escolhidos por último para os times esportivos, os incapazes de correr toda a volta da pista de atletismo. Eu também precisava de alguém para odiar. Talvez tenha sido aí que eu aprendi.

Claro, não estou só com o meu preconceito. O reforço cultural está por toda parte. Quem tem uma palavra gentil para a senhora gorda? Mas o meu desprezo supera todas as normas culturais. No início da minha carreira, trabalhei numa prisão de segurança máxima em que o crime *menos* horrendo cometido por qualquer um de meus pacientes era um assassinato simples, único. No entanto, tive pouca dificuldade para aceitar aqueles pacientes, tentar compreendê-los e encontrar maneiras de ampará-los.

Mas quando vejo uma senhora gorda comendo, desço alguns degraus na escada da compreensão humana. Tenho vontade de arrancar a comida dela. De empurrar seu rosto para dentro do sorvete. "Pare de se estufar! Você já não tem o suficiente, pelo amor de Deus?" Eu gostaria de amarrar suas mandíbulas com um arame!

A pobre Betty – graças a Deus, graças a Deus – não sabia de nada disso, enquanto prosseguia em seu caminho, inocentemente, na direção da minha cadeira, e baixou,

[7] Pequenas cidades da Europa Oriental onde os judeus viviam (o termo tem conotação afetiva). (N.do T.)

lentamente, seu corpo, arrumou suas dobras e, com os pés mal tocando o chão, olhou para mim, expectante.

E por que, eu pensei, seus pés não alcançam o chão? Ela não é assim tão baixinha. Ela se sentava alta na cadeira, como se estivesse sentada em seu próprio colo. Seria possível que suas coxas e nádegas fossem tão infladas que os pés teriam de ir mais longe para alcançar o chão? Afastei, rapidamente, esse enigma de minha mente – afinal de contas, aquela pessoa viera buscar minha ajuda. Passado um instante, eu me vi pensando no desenho da mulherzinha gorda no filme *Mary Poppins* – aquela que canta Supercalifragilisticexpialidocious –, pois era ela que Betty me lembrava. Com certo esforço, eu também afastei essa imagem. E assim foi: a sessão inteira com ela se constituiu de um exercício de afastar de minha mente um pensamento depreciativo depois do outro, a fim de lhe oferecer atenção plena. Fantasiei Mickey Mouse, o aprendiz de feiticeiro em *Fantasia*, varrendo todos os meus pensamentos distrativos, até ter de me desfazer também dessa imagem, para poder escutar Betty.

Como sempre, comecei por me orientar com perguntas demográficas. Betty me contou que tinha 27 anos e era solteira, que trabalhava como relações públicas para uma grande cadeia varejista, com matriz em Nova York, que, três meses antes, a tinha transferido para a Califórnia por 18 meses, para que ela acompanhasse a abertura de uma nova franquia.

Ela crescera, filha única, em um rancho pequeno e pobre no Texas, onde sua mãe vivia sozinha desde a morte do pai, 15 anos antes. Betty era boa aluna, freqüentara a universidade estadual, trabalhara em uma loja de departamentos no Texas e, depois de dois anos, fora transferida para o escritório central em Nova York. Sempre com excesso de peso, ela se tornara extremamente obesa no final da adolescência. Com exceção de dois ou três breves períodos, quando perdeu de 20 a 25 quilos em dietas rígidas, ela oscilou entre 94 e 115 quilos desde os 21 anos.

Fui direto ao assunto e fiz a minha pergunta inicial padrão:

– O que a incomoda?

– Tudo – retrucou Betty. Nada dava certo na sua vida. Na verdade, disse, ela não tinha vida. Trabalhava sessenta horas por semana, não tinha amigos, nenhuma vida social, nenhuma atividade na Califórnia. Sua vida, ela disse, era em Nova York, mas a solicitação de uma transferência agora condenaria a sua carreira, que já estava em risco pela sua impopularidade com os colegas. Ela fora originalmente treinada pela companhia, juntamente com outros oito novatos, em um curso intensivo de três meses. Ela estava preocupada por não estar se desempenhando, nem progredindo por meio de promoções, tão bem quanto seus oito colegas de classe. Morava num apartamento suburbano mobiliado, sem fazer nada, disse, além de trabalhar, comer e contar os dias que faltavam para seus 18 meses terminarem.

Um psiquiatra de Nova York, dr. Farber, que ela consultara por aproximadamente quatro meses, a tratara com medicação antidepressiva. Embora ela continuasse a tomar o remédio, ele não a ajudara: ela estava profundamente deprimida, chorava todas as noites, desejava estar morta, dormia sobressaltada e sempre acordava por volta de quatro ou cinco horas da manhã. Ela vagava pela casa e aos domingos, sua folga, nunca se vestia e passava o dia comendo doces na frente da televisão. Na semana anterior, ela telefonara ao dr. Farber, que lhe dera o meu nome e sugerira que ela telefonasse e marcasse uma consulta.

– Conte-me mais sobre o que você está enfrentando em sua vida – pedi.

– A minha alimentação está fora de controle – disse Betty, rindo, e acrescentou – Poderíamos dizer que sempre esteve fora de controle, mas agora *realmente* está fora de controle. Eu ganhei cerca de 10 quilos nos últimos três meses, e não consigo entrar na maioria das minhas roupas.

Isso me surpreendeu, uma vez que suas roupas pareciam tão disformes, tão infinitamente expansíveis, que eu não podia imaginá-las deixando de servir.

– E as outras razões pelas quais você decidiu vir aqui neste momento?

– Consultei um médico na semana passada por causa das minhas dores de cabeça, e ele me disse que minha pressão arterial está perigosamente alta, por volta de 22 por 11, e que preciso começar a perder peso. Ele pareceu preocupado. Não sei o quanto devo levá-lo a sério, já que todo mundo na Califórnia é louco por saúde. Ele usa jeans e tênis no consultório.

Ela disse tudo isso num tom coloquial alegre, como se estivesse falando sobre outra pessoa, ou como se ela e eu fôssemos alunos da faculdade trocando histórias no dormitório, numa tarde chuvosa de domingo. Ela tentou fazer com que eu me juntasse à diversão. Contou piadas. Tinha o dom de imitar sotaques e imitou seu médico boa-vida de Marin County, seus fregueses chineses e seu patrão do centro-oeste. Ela deve ter rido umas vinte vezes durante a sessão, e sua animação aparentemente não diminuía nem um pouco ante a minha firme recusa em rir com ela.

Sempre levo muito a sério a proposta de estabelecer um contrato de tratamento com um paciente. Uma vez que aceito alguém para tratamento, me comprometo a estar disponível para ele: a gastar todo o tempo e toda a energia necessários para que o paciente melhore, e, acima de tudo, eu me disponho a me relacionar com o paciente de uma maneira íntima, verdadeira.

Mas eu poderia me relacionar com Betty? Para ser franco, ela me revoltava. Ver seu rosto mergulhado em carne se constituía para mim em um esforço. Seus comentários tolos eram igualmente desagradáveis. No final de nossa primeira hora, eu estava irritado e aborrecido. Poderia me tornar íntimo dela? Eu mal podia pensar em uma pessoa de quem eu quisesse ser *menos* íntimo. Mas esse era o *meu* problema, não o de Betty. Era hora, depois de 25 anos de prática, de mudar. Betty representava o supremo desafio da contratransferência – e, por essa exata razão, eu me ofereci, naquele momento e naquele lugar, para ser seu terapeuta.

Certamente, ninguém pode criticar um terapeuta que luta para melhorar a sua técnica. Mas, me perguntei inquieto, e os direitos do paciente? Não existe uma diferença entre um terapeuta que esfrega as manchas inconvenientes da contratransferência para retirá-las e uma dançarina ou um mestre zen que lutam para atingir a perfeição em suas disciplinas? Uma coisa é alguém aperfeiçoar sua devolução de saque de esquerda, que é muito diferente de aprimorar as próprias capacidades à custa de uma pessoa frágil, perturbada.

Esses pensamentos me ocorreram, mas eu os considerei descartáveis. Era verdade que Betty oferecia uma oportunidade para eu aperfeiçoar minhas competências pessoais como terapeuta. No entanto, também era verdade que meus futuros pacientes se beneficiariam de todo o crescimento que eu pudesse vir a ter. Além disso, os profissionais a serviço da humanidade sempre praticaram com o paciente vivo. Não existe alternativa. Como poderia a educação médica, para dar um exemplo, sobreviver sem a prática clínica? E eu sempre achei que os terapeutas principiantes responsáveis, que transmitem seu senso de curiosidade e entusiasmo, geralmente estabelecem excelentes relacionamentos terapêuticos e conseguem ser tão efetivos quanto um profissional experiente.

É o relacionamento que cura, o relacionamento que cura, o relacionamento que cura – meu rosário profissional. Freqüentemente digo isso aos alunos. E também digo outras coisas, sobre a maneira de se relacionar com um paciente – consideração positiva incondicional, aceitação sem julgamento, comprometimento autêntico, compreensão empática. Como eu seria capaz de curar Betty por meio de nosso relacionamento? Quão autêntico, empático ou contido eu poderia ser? Quão honesto? Como eu responderia quando Betty me perguntasse sobre meus sentimentos em relação a ela? Minha esperança era a de que eu mudaria, conforme progredíssemos em sua (nossa) terapia. Até então, eu tinha a impressão de que as interações sociais de Betty eram tão primitivas e superficiais que não seria necessária nenhuma análise penetrante do relacionamento terapeuta-paciente.

Eu esperava secretamente que sua aparência fosse compensada, de alguma maneira, por suas características interpessoais – ou seja, pela grande vivacidade ou agilidade mental que descobri em algumas mulheres gordas –, mas, infelizmente, não seria assim. Quanto mais eu a conhecia, mais enfadonha e superficial ela me parecia.

Durante as primeiras sessões, Betty relatou, com detalhes intermináveis, os problemas que tinha com os clientes, colegas e patrões. Apesar de minhas lamentações internas, ela freqüentemente narrava uma conversa banal, desempenhando vários papéis – eu sempre odiei isso. Ela descrevia, sempre com detalhes tediosos, todos os homens atraentes em seu trabalho e as pequenas e patéticas maquinações que ela utilizava para trocar algumas frases com eles. Ela resistia a todos os meus esforços para ir além da superfície.

Não apenas nossa "conversa de coquetel" inicial, experimental, se prolongava indefinidamente, como também eu tinha uma forte impressão de que, mesmo que conseguíssemos passar desse estágio, permaneceríamos presos aos elementos da superfície – desde que Betty e eu tínhamos nos encontrado, estávamos condenados a falar sobre quilos, dietas, aborrecimentos insignificantes no trabalho, e as razões pelas quais ela não entrara na aula de aeróbica. Bom Deus, onde eu havia me metido?

Todas as minhas notas dessas sessões iniciais contêm frases como: "Outra sessão enfadonha"; "Olhei para o relógio a cada três minutos, hoje"; "A paciente mais chata que eu já vi"; "Quase adormeci hoje – tive de sentar aprumado na cadeira para permanecer acordado"; "Quase caí da cadeira hoje."

Enquanto considerava mudar para uma cadeira mais dura, desconfortável, de repente me ocorreu que, quando eu estava em terapia com Rollo May, ele costumava sentar em uma cadeira de madeira com as costas retas. Ele dizia que tinha problemas nas costas, mas eu o conheci muito bem, anos mais tarde, e jamais o ouvi mencionar problemas nas costas. Será que ele *me* achava...?

Betty mencionara que não havia gostado do dr. Farber porque ele muitas vezes adormecia durante a sessão. Agora eu sabia por quê! Quando falei com ele ao telefone, não mencionou seus cochilos, claro, mas na verdade adiantou que Betty não fora capaz de aprender a utilizar a terapia. Não era difícil compreender por que ele começara a medicá-la; nós, psiquiatras, recorremos a isso freqüentemente quando não conseguimos fazer com que a terapia funcione.

Por onde começar? Como começar? Lutei para encontrar algo a que pudesse me agarrar. Não fazia sentido começar tratando de seu peso. Betty deixara claro de imediato que esperava que a terapia a ajudasse a chegar ao ponto em que ela seria capaz de considerar seriamente a redução de seu peso, mas ela ainda estava muito distante desse momento. "Quando estou deprimida, comer é a única coisa que me mantém funcionando."

Mas quando eu enfocava a sua depressão, ela defendia persuasivamente o argumento de que a depressão era uma resposta apropriada à sua situação de vida. Quem não ficaria deprimido enfiado num pequeno apartamento mobiliado, num subúrbio impessoal da Califórnia, durante 18 meses, arrancado de sua vida real – seu lar, atividades sociais, amigos?

Assim, eu tentei ajudá-la a trabalhar sua condição de vida, mas fiz poucos progressos. Ela oferecia inúmeras explicações desanimadoras. Não fazia amigos com facilidade, salientando: nenhuma mulher obesa faz. (Quanto a esse ponto, eu não precisava ser persuadido.) As pessoas na Califórnia tinham seus próprios grupos exclusivos, fechados, e não recebiam bem os estranhos. Seus únicos contatos sociais eram no trabalho, onde a maioria dos colegas se ressentia de seu papel de supervisora. Além disso, como todos os californianos, eles eram esportistas – praticavam surfe e pára-quedismo. Eu podia imaginá-la fazendo isso? Afastei uma fantasia dela submergindo lentamente em uma prancha de surfe e reconheci que ela tinha razão – esses não pareciam ser os esportes dela.

Que outras opções havia?, ela perguntou. O mundo dos solteiros é impossível para as pessoas obesas. Para provar esse ponto, ela descreveu um encontro desesperador que tivera no mês anterior – seu único encontro em anos. Ela respondera a um anúncio na seção pessoal do *Bay Guardian*, um jornal local. Embora a maioria dos anúncios colocados pelos homens especificasse explicitamente uma mulher "esbelta", um deles não o fazia. Ela telefonou e combinou um jantar com um homem chamado George, que lhe pediu para usar uma rosa no cabelo e encontrá-lo no bar de um restaurante local.

O rosto dele caiu, ela contou, quando a viu, mas, para seu eterno crédito, ele se identificou e depois se comportou como um cavalheiro durante todo o jantar. Embora Betty jamais tivesse ouvido falar de George depois disso, ela pensava nele freqüentemente. Em várias outras tentativas semelhantes no passado, ela fora deixada esperando por homens que provavelmente a identificaram de longe e saíram sem falar com ela.

Com certo desespero, eu busquei maneiras de ajudá-la. Talvez (num esforço para esconder meus sentimentos negativos) eu tenha me empenhado demais e cometido o erro do principiante de sugerir outras opções. Ela havia pensado no Sierra Club? Não, ela não tinha resistência para andar grandes distâncias. Ou os Comedores Anônimos, que poderiam oferecer uma certa rede social? Não, ela odiava grupos. Outras sugestões tiveram sorte semelhante. Tinha de haver outra maneira.

O primeiro passo em qualquer mudança terapêutica é o surgimento da responsabilidade. Se a pessoa não se sente, de maneira nenhuma, responsável por suas próprias dificuldades, como, então, ela será capaz de modificar a situação? Essa era exatamente a situação de Betty: ela externalizava completamente o seu problema. Não era culpa *dela*: era a transferência no emprego, ou a cultura estéril da Califórnia, ou a ausência de eventos culturais, ou o cenário social de esportistas, ou a atitude miserável da sociedade em relação às pessoas obesas. Apesar dos meus esforços, Betty negava qualquer contribuição pessoal à sua infeliz situação.

Ah, sim, ela podia, em um nível intelectual, concordar que, se parasse de comer e perdesse peso, o mundo poderia tratá-la de modo diferente. Mas isso era muito remoto para ela, muito a longo prazo, e sua forma de se alimentar lhe parecia por demais fora de controle. Além disso, ela enumerou outros argumentos que a isentavam de responsabilidade: o componente genético (existia uma obesidade considerável em ambos os lados de sua família), além das pesquisas recentes que demonstravam anormalidades fisiológicas nos obesos, variando desde taxas de metabolismo basal mais baixas até um peso corporal predeterminado, programado, relativamente não influenciável. Não, aquilo não iria funcionar. No final, eu teria de ajudá-la a assumir a responsabilidade por sua aparência – mas não via nenhuma vantagem em conseguir isso naquele momento. Eu tinha de começar com alguma coisa mais imediata. Eu conhecia uma maneira.

O instrumento prático individual mais valioso para o psicoterapeuta é o foco no "processo". Pensem em *processo* como o oposto de *conteúdo*. Em uma conversa, o conteúdo consiste nas palavras reais pronunciadas, nos assuntos substantivos discutidos; o processo, contudo, é *como* o conteúdo se expressa e, especialmente, o que o modo de expressão revela sobre o relacionamento entre os indivíduos envolvidos.

O que eu tinha de fazer era deixar o conteúdo – parar, por exemplo, de tentar oferecer soluções simplistas para Betty – e me concentrar no processo – em como estávamos nos relacionando um com o outro. E havia uma característica marcante em nosso relacionamento – o *tédio*. E é precisamente aí que a contratransferência complica as coisas: eu tinha de ser claro a respeito de quanto o tédio era *meu* problema, como eu estaria entediado diante de *qualquer* mulher gorda.

Assim, prossegui cuidadosamente – cuidadosamente demais. Meus sentimentos negativos me tornaram lento. Eu tinha muito medo de tornar visível a minha aversão. Jamais teria esperado tanto tempo com um paciente do qual gostasse mais. Eu me chicoteava para me obrigar a ir em frente. Se eu quisesse ajudar Betty, teria de escolher confiar e agir a partir dos meus sentimentos.

A verdade é que ela era uma mulher muito maçante, e eu precisava confrontá-la com isso de uma maneira aceitável. Ela poderia negar a responsabilidade por tudo o mais – a ausência de amigos na sua vida atual, o duro cenário dos solteiros, os horrores do subúrbio –, mas eu *não* a deixaria negar a responsabilidade por me aborrecer.

Eu não ousava pronunciar a palavra *maçante* – vaga e pejorativa demais. Eu tinha de ser preciso e construtivo. Perguntei-me o que, exatamente, era maçante em Betty e identifiquei duas características evidentes. Primeiro, ela jamais revelava algo íntimo sobre si mesma. Segundo, havia a sua maldita mania de dar risadinhas, a alegria forçada, a relutância em ser devidamente séria.

Seria difícil conscientizá-la dessas características sem feri-la. Escolhi uma estratégia geral: a minha posição básica seria a de que eu queria me aproximar dela, mas seus traços comportamentais atrapalhavam. Pensei que seria difícil ela se ofender com qualquer crítica ao seu comportamento desde que fosse colocada nesse contexto. Ela só poderia ficar satisfeita pelo meu desejo de conhecê-la melhor. Decidi começar pela falta de auto-revelações e, quase no final de uma sessão particularmente soporífica, eu me arrisquei.

– Betty, eu vou explicar depois por que estou lhe pedindo isso, mas gostaria que você tentasse uma coisa nova hoje. Você poderia dar uma nota, de 1 a 10, para o quanto você revelou sobre si mesma na sessão de hoje? Considere 10 como o que você pode imaginar de mais revelador e 1 como o tipo de revelação que você faria, digamos, para desconhecidos em uma fila do cinema.

Foi um erro. Betty passou vários minutos explicando por que não iria ao cinema sozinha. Imaginava que as pessoas teriam pena dela por não ter amigos. Sentia o medo que teriam de que ela pudesse espremê-las, sentando-se perto delas. Via a curiosidade, a perturbação em seus rostos, enquanto esperavam para ver se ela caberia na estreita cadeira do cinema. Quando ela começou a divagar ainda mais – estendendo a discussão para os assentos de avião e para como os rostos dos passageiros sentados ficavam brancos de medo quando ela começava a caminhar pelo corredor procurando o seu lugar –, eu a interrompi, repeti o meu pedido e defini 1 como "uma conversa casual no trabalho".

Betty respondeu dando-se um "10". Eu fiquei pasmo (esperava um "dois" ou "três") e lhe disse isso. Ela defendeu sua avaliação com base no fato de que havia me contado coisas que jamais partilhara antes: que, por exemplo, ela uma vez roubara uma revista de uma loja e que tinha medo de ir sozinha a um restaurante ou ao cinema.

Repetimos a mesma cena várias vezes. Todavia, Betty insistia em que estava assumindo grandes riscos, enquanto eu lhe dizia:

– Betty, você se dá um 10, mas eu não *senti* dessa maneira. Não senti que você estava assumindo um risco real comigo.

– Eu jamais contei essas coisas a ninguém. Não ao dr. Farber, por exemplo.

– Como você se sente ao me contar essas coisas?

– Eu me sinto bem.

– Será que você pode usar outras palavras em vez de *bem*? Deve ser assustador ou libertador falar essas coisas pela primeira vez!

– Eu me sinto o.k. fazendo isso. Sei que você está ouvindo profissionalmente. É o.k. Eu me sinto o.k. Eu não sei o que você está querendo.

– Como tem tanta certeza de que estou ouvindo profissionalmente? Você não tem dúvidas?

Cuidado, cuidado! Eu não podia prometer mais honestidade do que estava disposto a dar. Não havia nenhuma maneira de ela poder lidar com a minha revelação de meus sentimentos negativos. Betty negava quaisquer dúvidas – e, nesse momento, contou-me que o dr. Farber tinha adormecido na frente dela e acrescentou que eu parecia muito mais interessado do que ele.

O que eu *queria* dela? De *seu* ponto de vista, ela estava revelando muitas coisas. Eu tinha de ter certeza de que eu realmente sabia. O que havia em suas revelações que me deixava impassível? Ocorreu-me que ela estava sempre revelando coisas que haviam acontecido a distância – em outro momento, em outro lugar. Ela era incapaz, ou não estava disposta, a se revelar no presente imediato que nós dois compartilhávamos. Por isso as respostas evasivas como "O.k." ou "Bem" sempre que eu perguntava sobre seus sentimentos no aqui e agora.

Essa foi a primeira descoberta importante que fiz sobre Betty: ela estava desesperadamente sozinha, e sobrevivia à solidão unicamente por meio do mito contido de que sua vida íntima era vivida em outro lugar. Seus amigos, seu círculo de conhecidos não estavam aqui, e sim em outra parte: em Nova York, no Texas, no passado. Na verdade, tudo o que tinha importância estava em outro lugar. Foi nesse momento que eu comecei a suspeitar de que, para Betty, não existia nenhum "aqui".

Outra coisa: se ela estava revelando mais para mim do que jamais revelara antes para qualquer pessoa, qual era então a natureza de seus relacionamentos íntimos? Betty respondeu que tinha reputação de ter um bom papo. Ela e eu, disse, estávamos no mesmo ramo de negócios: ela era a terapeuta de todo o mundo. Acrescentou que tinha muitos amigos, mas que ninguém *a* conhecia. Sua marca registrada era saber ouvir e ser divertida. Ela odiava a idéia, mas o estereótipo era verdade: ela era a gorda alegre.

Isso conduziu naturalmente à outra razão principal pela qual eu achava Betty tão maçante: ela não estava sendo sincera comigo – em nossas conversas face a face ela jamais era real, era toda simulação e falsa alegria.

– Eu estou realmente interessado no que você falou sobre ser, ou melhor, fingir ser, alegre. Eu acho que você está determinada, absolutamente comprometida, a ser alegre comigo.

– Hmmm, teoria interessante, dr. Watson.

– Você tem agido assim desde o nosso primeiro encontro. Você me fala a respeito de uma vida cheia de desespero, mas faz isso de uma maneira vivaz, do tipo "como-estamos-nos-divertindo".

– É assim que eu sou.

– Quando você fica alegre dessa forma, eu perco de vista a dor que você está sentindo.

– Isso é melhor do que chafurdar nela.

– Mas você veio aqui buscar ajuda. Por que é tão importante você me divertir?

Betty corou. Ela parecia ter ficado confusa com a minha confrontação e expressou isso afundando em seu corpo. Secando a testa com um lencinho minúsculo, ela se esquivou, querendo ganhar tempo.

– O suspeito se recusa a responder.

– Betty, hoje eu serei persistente. O que aconteceria se você parasse de tentar me divertir?

– Não vejo nada de errado em se divertir. Por que levar tudo tão... tão... não sei... Você é sempre tão sério. Além de tudo, isso sou eu, é assim que eu sou. Não sei se estou entendendo o que você quer dizer. O que quer dizer com divertir você?

– Betty, isso é importante, é a coisa mais importante em que já entramos. Mas você está certa. Primeiro, você tem de entender exatamente o que eu quero dizer. Você concorda que nas nossas futuras sessões, a partir de agora, eu a interrompa e aponte quando você estiver tentando me divertir, no momento em que isso ocorrer?

Betty concordou – ela dificilmente poderia recusar; e agora eu tinha à minha disposição um artifício extremamente libertador. Eu poderia interrompê-la imediatamente (lembrando-a, é claro, do nosso novo acordo) sempre que ela desse risadinhas, adotasse um sotaque tolo, tentasse me divertir ou minimizar as coisas de maneira evasiva.

Passadas três ou quatro sessões, seu comportamento "divertido" desapareceu à medida que ela, pela primeira vez, começou a falar de sua vida com a seriedade que esta merecia. Ela refletiu que precisava ser divertida para manter os outros interessados nela. Eu comentei que, neste consultório, o oposto era verdade: quanto mais ela tentasse me divertir, mais distante e menos interessado eu ficaria.

Mas Betty disse que não sabia como ser de outro modo: eu lhe pedia para que ela se livrasse de todo o seu repertório social. Revelar-se? Se ela fosse se revelar, o que mostraria? Não havia nada lá dentro. Ela estava vazia. (A palavra *vazia* iria surgir com freqüência cada vez maior com o prosseguimento da terapia. O "vazio" psicológico é um conceito comum no tratamento das pessoas com transtornos alimentares.)

Eu a apoiei o máximo possível naquele momento. *Agora*, mostrei a Betty, ela estava assumindo riscos. *Agora* ela ganharia um 8 ou 9 na escala de revelações. Ela conseguia sentir a diferença? Ela entendeu rapidamente. Disse que se sentia assustada, como se pulasse de um avião sem pára-quedas.

Eu estava menos entediado. Olhava para o relógio com menos freqüência, e de vez em quando verificava o tempo na sessão de Betty, não como antes, para contar o número de minutos que ainda teria de suportar, mas para ver se restava tempo suficiente para começar um novo assunto.

Nem era mais necessário varrer de minha mente pensamentos depreciadores em relação à sua aparência. Eu não prestava mais atenção ao seu corpo e, em vez disso, olhava nos seus olhos. Na verdade, eu percebi, surpreso, os primeiros ímpetos de empatia em mim. Quando Betty me contou que tinha ido a um *western bar*, onde dois caipiras se aproximaram silenciosamente dela e a ridicularizaram mugindo como uma vaca, eu fiquei indignado por ela e lhe disse isso.

Meus novos sentimentos em relação a Betty me fizeram lembrar e ficar envergonhado de minha reação inicial a ela. Eu me senti pequeno quando pensei em todas as outras mulheres obesas com quem havia me relacionado de uma maneira intolerante e desumana.

Essas mudanças todas significavam que fazíamos progressos: estávamos tratando com sucesso do isolamento de Betty e de sua sede de proximidade. Eu esperava mostrar a ela que uma outra pessoa podia conhecê-la por inteiro e ainda se importar com ela.

Betty agora se sentia definitivamente engajada na terapia. Ela pensava sobre as nossas conversas no período entre as sessões, tinha longos diálogos imaginários comigo durante a semana, esperava ansiosamente pelos nossos encontros, e ficava zangada e desapontada quando uma viagem de negócios a fazia perder sessões.

Mas, ao mesmo tempo, ela ficou incomparavelmente mais perturbada e relatava mais tristeza e mais angústia. Eu me entreguei à oportunidade de compreender esse fenômeno. Quando o paciente começa a desenvolver sintomas relativos ao relacionamento com o terapeuta, a terapia realmente começou, e a investigação desses sintomas abrirá caminho para as questões centrais.

Sua angústia tinha a ver com o medo de ficar dependente demais ou viciada na terapia. Nossas sessões haviam se tornado a coisa mais importante em sua vida. Ela não sabia o que poderia acontecer se não tivesse seu "compromisso" semanal. Pareceu-me que ela estava resistindo à proximidade ao se referir a um "compromisso" em vez de se referir a mim, e gradualmente eu a confrontei com essa questão.

– Betty, qual é o risco de deixar que eu seja importante para você?

– Não tenho certeza. Parece apavorante, como se eu fosse precisar demais de você. Não sei se você estará disponível para mim. Vou deixar a Califórnia dentro de um ano, lembre-se.

– Um ano é muito tempo. Então você me evita porque não me terá para sempre?

– Sei que não faz sentido. Mas faço a mesma coisa com a Califórnia. Eu gosto de Nova York e não quero gostar da Califórnia. Tenho medo de que se fizer amigos aqui e começar a gostar deles talvez não queira partir. A outra coisa é que eu começo a sentir: "Por que vou me preocupar? Estou aqui por tão pouco tempo. Quem quer amigos temporários?"

– O problema com essa atitude é que você acaba tendo uma vida despovoada. Talvez ela seja parte da razão pela qual você se sente vazia por dentro. De uma maneira ou de outra, todos os relacionamentos terminam. Não existe garantia vitalícia. É como se recusar a ver o nascer do sol porque você odeia vê-lo se pôr.

– Parece loucura quando você coloca assim, mas é o que eu faço. Quando conheço uma pessoa de quem gosto, começo imediatamente a imaginar como será despedir-me dela.

Eu sabia que essa era uma questão importante e que voltaríamos a ela. Otto Rank descreveu essa posição ante a vida com uma frase maravilhosa: "Recusar o empréstimo da vida de modo a evitar o débito da morte."

Betty entrou nesse período numa depressão que foi breve e teve uma curva curiosa, paradoxal. Ela se sentia vivificada pela proximidade e honestidade da nossa interação; mas, em vez de se autorizar a desfrutar desse sentimento, ela se entristecia ao compreender como sua vida até então fora destituída de intimidade.

Lembrei-me de uma outra paciente que eu tratara no ano anterior, uma médica de 44 anos de idade, excessivamente responsável, conscienciosa. Uma noite, em meio a uma disputa conjugal, ela bebeu demais, de modo incomum, perdeu o controle, jogou pratos contra a parede e quase atingiu o marido com uma torta de limão. Quando a atendi, dois dias depois, ela parecia culpada e deprimida. Num esforço para consolá-la, eu tentei sugerir que perder o controle nem sempre constitui uma catástrofe. Mas ela me interrompeu e me disse que eu entendera mal: ela não sentia culpa, mas, ao contrário, estava muito arrependida de ter esperado até os 44 anos para perder o controle e liberar alguns sentimentos verdadeiros.

Apesar de seus 115 quilos, Betty e eu raramente havíamos discutido sua alimentação e seu peso. Ela falara freqüentemente sobre batalhas épicas (e invariavelmente improdutivas) que tivera com a mãe e com amigos que tentaram ajudá-la a controlar a sua alimentação. Eu estava determinado a evitar esse papel; em vez disso, tinha fé em que, se eu pudesse ajudar a remover os obstáculos que existiam em seu caminho, Betty iria, sozinha, tomar a iniciativa de cuidar de seu corpo.

Até o momento, ao tratar de seu isolamento, eu já removera obstáculos maiores: a depressão de Betty melhorara; e, tendo estabelecido uma vida social para si mesma, já não considerava a comida sua única fonte de satisfação. Mas foi somente depois de ela deparar com uma extraordinária revelação sobre os perigos de perder peso que pôde tomar a decisão de iniciar a sua dieta. Aconteceu da seguinte maneira.

Quando já fazia alguns meses que ela estava em terapia, decidi que seu progresso seria acelerado se ela trabalhasse em terapia de grupo além da terapia individual. Eu tinha certeza de que seria acertado criar uma comunidade de apoio para ajudar a sustentá-la nos dias difíceis de dieta que estavam por vir. Além disso, um grupo de terapia ofereceria a Betty uma oportunidade para explorar as questões interpessoais que abríramos em nossa terapia – o encobrimento, a necessidade de divertir, o sentimento de que ela não tinha nada a oferecer. Embora Betty estivesse muito assustada e inicialmente resistisse à minha sugestão, ela corajosamente concordou e entrou em um grupo de terapia conduzido por dois residentes de psiquiatria.

Um de seus primeiros encontros de grupo foi uma sessão altamente incomum em que Carlos, também em terapia individual comigo (veja "Se o estupro fosse legal..."), revelou ao grupo o seu câncer incurável. O pai de Betty morrera de câncer quando ela tinha 12 anos de idade, e desde então ela tinha pavor da doença. Na faculdade, ela inicialmente escolhera um currículo pré-médico, mas desistira pelo medo de entrar em contato com pacientes cancerosos.

Nas semanas seguintes, o contato com Carlos gerou tanta angústia em Betty que eu precisei atendê-la em várias sessões de emergência e tive dificuldade em persuadi-la a continuar no grupo. Ela desenvolveu sintomas físicos perturbadores – incluindo dores de cabeça (seu pai morrera de câncer no cérebro), dores nas costas e dificuldade respiratória – e era atormentada pelo pensamento obsessivo de que ela também estava com câncer. Uma vez que ela tinha fobia de médicos (pela vergonha que tinha de seu corpo, ela raramente permitia um exame físico e jamais fizera um exame ginecológico), foi difícil tranqüilizá-la em relação à sua saúde.

Testemunhar a alarmante perda de peso de Carlos lembrou Betty de como vira seu pai encolher, de um homem obeso a um esqueleto envolto em grandes dobras de pele excedente, num período de 12 meses. Embora ela reconhecesse que era um pensamento irracional, percebeu que desde a morte do pai ela acreditava que a perda de peso a tornaria suscetível a um câncer.

Ela tinha sentimentos muito fortes também em relação à queda de cabelo. Quando ela se reuniu ao grupo, Carlos (cujo cabelo caíra como resultado da quimioterapia) estava usando uma peruca, mas no dia em que ele informou ao grupo sobre o seu câncer, compareceu careca ao encontro. Betty ficara horrorizada, e visões de seu pai careca – ele raspara a cabeça para a cirurgia no cérebro – lhe voltaram. Ela se lembrou de como se assustara quando, em dietas anteriores rigorosas, ela própria sofrera considerável queda de cabelo.

Esses sentimentos perturbadores compunham, em grande parte, os problemas de peso de Betty. Não apenas a comida representava a sua única forma de gratificação, não apenas era uma maneira de amenizar seu sentimento de vazio, não apenas a magreza evocava a dor da morte do pai, como ela também sentia, inconscientemente, que perder peso resultaria na *sua* morte.

Gradualmente, a angústia aguda de Betty diminuiu. Ela jamais falara antes abertamente sobre essas questões: talvez a simples catarse tenha ajudado; talvez tenha sido benéfico para ela reconhecer a natureza mágica de seu pensamento; talvez alguns de seus pensamentos apavorantes tivessem sido simplesmente dessensibilizados quando falou sobre eles à luz do dia, de uma maneira calma, racional.

Durante esse período, Carlos foi particularmente útil. Os pais de Betty, até o final, haviam negado a gravidade da doença do pai. Essa negação maciça sempre é devastadora para os sobreviventes, e Betty não estava preparada para a morte dele nem teve a oportunidade de dizer adeus. Mas Carlos estabeleceu uma abordagem muito diferente em relação ao seu destino: ele foi corajoso, racional e honesto a respeito de seus sentimentos em relação à sua enfermidade e à morte iminente.

Além disso, ele foi especialmente bondoso com Betty – talvez porque soubesse que ela era minha paciente, talvez porque ela tivesse chegado quando ele estava num estado de espírito generoso ("Todos têm um coração"), talvez simplesmente porque ele sempre teve uma queda por mulheres gordas (o que, lamento dizer, sempre considerei uma prova adicional de sua perversão).

Betty deve ter sentido que os impedimentos para perder peso haviam sido suficientemente removidos, porque exibiu evidências inconfundíveis de que uma grande campanha estava para ser iniciada. Eu fiquei pasmo com o alcance e a complexidade dos preparativos.

Primeiro, ela ingressou em um programa para transtornos alimentares na clínica onde eu trabalhava e completou o protocolo de investigação, que incluía um exame físico complexo (ela ainda se recusou a fazer um exame ginecológico) e uma bateria de testes psicológicos. Depois, ela tirou toda a comida do apartamento – cada lata, cada pacote, cada garrafa. Planejou atividades sociais alternativas: ela me mostrou que eliminar almoços e jantares criava lacunas no calendário social da pessoa. Para minha surpresa, ela se associou a um grupo de *square-dancing*[8] (a moça é esperta, pensei) e a um grupo semanal de boliche – seu pai muitas vezes a levara para jogar boliche quando ela era criança, explicou. Ela comprou uma bicicleta ergométrica usada e colocou-a na frente da televisão. Em seguida deu adeus a velhos amigos – suas últimas batatas fritas Vovó Ganso havaiana, seus últimos biscoitos de chocolate e, o mais difícil de tudo, sua última rosquinha caramelada com mel.

Houve também uma considerável preparação interna, que Betty achou difícil descrever, mas que explicou como "acumulando resolução interior" e esperando o momento certo de começar a dieta. Eu fui ficando impaciente e me diverti com uma visão de um enorme lutador japonês de sumô se posicionando e grunhindo enquanto se aprontava.

Subitamente, ela deu a partida! Começou uma dieta líquida de Programa Comercial de Perda de Peso *Optifast*: não comia nenhuma comida sólida, pedalava 40 minutos todas as manhãs, caminhava quase cinco quilômetros todas as tardes, e jogava boliche e dançava uma vez por semana. Seu gordo invólucro começou a se desintegrar. Ela começou a perder volume. Grandes porções de carne excedente

[8] Dança em que quatro pares de dançarinos ficam de frente uns para os outros, de modo a formar um quadrado. (N. do T.)

se desmanchavam e eram eliminadas. Rapidamente, os quilos escoavam como regatos – um, um e meio, dois, às vezes dois quilos e meio por semana.

Betty começava toda sessão com um relatório sobre seu progresso: cinco quilos perdidos, depois 10, 12, 15. Ela baixou para 108 quilos, depois para 104, e para 99 quilos. Parecia surpreendentemente rápido e fácil. Eu estava encantado por ela e a elogiava muito toda semana por seus esforços. Mas nas primeiras semanas eu também tinha consciência de uma voz pouco caridosa dentro de mim, uma voz que dizia: "Bom Deus, se ela está emagrecendo tão rápido, imagine quanto ela comia!"

As semanas passavam, a campanha continuava. Depois de três meses, ela pesava 95 quilos. Em seguida, 90 quilos, uma perda de 25 quilos! Depois 85. A dificuldade aumentou. Às vezes, ela entrava em meu consultório aos prantos, depois de uma semana sem comida e sem uma perda de peso compensadora. Cada quilo significava uma batalha, mas Betty continuou com a dieta.

Foram meses terríveis. Ela odiava tudo. Sua vida era um tormento – a horrível comida líquida, a bicicleta ergométrica, as pontadas de fome, os diabólicos comerciais de hambúrguer do McDonald's na televisão e os cheiros, os eternos cheiros: pipoca no cinema, pizza na pista de boliche, *croissants* no shopping center, caranguejo no Fisherman's Wharf. Será que não havia um lugar no mundo sem cheiros?

Cada dia era um dia ruim. Nada em sua vida lhe dava prazer. Outras pessoas no grupo de emagrecimento da clínica para transtornos alimentares desistiram – mas Betty permaneceu firme. Meu respeito por ela cresceu.

Eu também gosto de comer. Muitas vezes antecipo o dia inteiro uma refeição especial; e, quando bate o desejo, nenhum obstáculo consegue me impedir de chegar àquele restaurante ou à sorveteria. Mas à medida que a provação de Betty prosseguia, eu comecei a sentir culpa por comer – como se eu estivesse agindo de má-fé em relação a ela. Sempre que eu sentava para comer pizza, ou massa *al pesto*, ou enchiladas com salsa verde, ou torta de sorvete de chocolate, ou qualquer outra coisa de que eu sabia que Betty gostava, eu pensava nela. Estremecia quando pensava nela jantando, com o abridor na mão, a dieta líquida *Optifast*. Algumas vezes, eu esperava alguns segundos em homenagem a ela.

Durante aquele período, aconteceu que eu ultrapassei o limite de peso que me permitia e iniciei uma dieta de três semanas. Uma vez que minha dieta consistia principalmente em eliminar sorvetes e batatas fritas, eu dificilmente poderia dizer a Betty que estava de mãos dadas com ela em um vínculo de harmonia. Mesmo assim, durante aquelas três semanas eu senti mais agudamente a sua privação. Eu agora me comovia quando ela me contava como chorava até dormir. Eu sofria por ela quando ela descrevia a criança faminta dentro dela gritando: "Coma! Coma!"

Oitenta e dois quilos. Oitenta quilos. Uma perda de 35 quilos! O humor de Betty agora oscilava loucamente, e eu fui ficando cada vez mais preocupado com ela. Ela tinha ocasionais períodos breves de orgulho e regozijo (especialmente quando saía para comprar roupas menores), mas sentia, mais que tudo, um desânimo tão profundo que tudo o que conseguia fazer era ir trabalhar todos os dias de manhã.

Às vezes, ela ficava irritada e trazia várias queixas antigas contra mim. Achava que eu a encaminhara a um grupo de terapia como uma forma de me livrar dela ou, no mínimo, de partilhar o peso, tirando-a parcialmente de minhas mãos. Por que eu não lhe perguntara mais sobre seus hábitos alimentares? Afinal de contas, comer era a sua vida. Ame-a, ame-a comendo. (Cuidado, cuidado, ela está chegando perto.) Por que eu concordara quando ela listara as razões pelas quais a escola de medicina não era possível para ela (pela idade, a falta de resistência, a preguiça, por ter feito poucos dos cursos que eram pré-requisitos e pela falta de fundos)? Ela vira, disse-me agora, minha sugestão sobre uma possível carreira como enfermeira como uma humilhação e me acusou de ter dito algo como: "A garota não é suficientemente esperta para a escola de medicina – nesse caso, que seja uma enfermeira!"

Algumas vezes, ela ficava petulante e regredia. Uma vez, por exemplo, quando eu perguntei por que ela se tornara inativa em seu grupo de terapia, ela simplesmente me olhou fixamente e se recusou a responder. Quando eu a pressionei para que dissesse o que exatamente estava pensando, ela respondeu, cantarolando com uma voz infantil: "Se eu não ganhar um biscoito, não farei o que você pede."

Durante um de seus períodos de depressão, ela teve um sonho muito vívido.

> Eu estava em um lugar semelhante a Meca, aonde as pessoas iam para cometer suicídio legalmente. Eu estava com uma amiga íntima, mas não lembro qual. Ela ia se suicidar pulando em um poço profundo. Prometi-lhe que recuperaria seu corpo, porém, mais tarde, percebi que para fazer isso teria de descer naquele poço terrível, cheio de corpos mortos e em decomposição, e pensei que não seria capaz de fazê-lo.

Fazendo associações sobre o sonho, Betty disse que no dia que antecedeu ao sonho, ela pensara que perdera um corpo inteiro: perdera 36 quilos, e havia uma mulher em seu escritório que pesava somente 36 quilos. Naquele momento, ela imaginara uma autópsia e um funeral para o "corpo" que perdera. Esse pensamento macabro, Betty suspeitava, tinha eco na imagem do sonho de recuperar no poço o corpo morto da amiga.

As imagens e a profundidade do sonho me fizeram perceber quão longe ela havia chegado. Era difícil lembrar a mulher risonha, superficial, de poucos meses antes. Betty agora tinha a minha atenção completa em todos os minutos de cada sessão. Quem poderia ter imaginado que, daquela mulher cuja conversa vazia tanto aborrecera a mim e a seu psiquiatra anterior, poderia emergir essa pessoa reflexiva, espontânea e sensível?

Setenta e cinco quilos. Um outro tipo de coisa emergia. Um dia, em meu consultório, olhei para Betty e notei, pela primeira vez, que ela tinha um colo. Olhei novamente. Será que ele sempre estivera lá? Talvez eu estivesse prestando mais atenção a ela agora. Porém, eu não achava que fosse isso: seu contorno corporal, do queixo aos dedos dos pés, sempre fora liso e globoso. Algumas semanas mais tarde, eu vi sinais definidos de um seio, dois seios. Uma semana depois, uma linha de queixo, depois um queixo, um cotovelo. Estava tudo lá – havia uma pessoa, uma mulher bonita, enterrada lá todo o tempo.

Outras pessoas, especialmente homens, haviam notado a mudança, e agora falavam nela durante conversas. Um homem em seu escritório acompanhou-a até o carro. Seu cabeleireiro lhe ofereceu, gratuitamente, uma massagem capilar. Ela tinha certeza de que seu chefe estava olhando seus seios.

Um dia Betty anunciou: "72 quilos", e acrescentou que este era um "território virgem" – isto é, ela não pesava isso desde o segundo grau. Embora a minha resposta – perguntar se ela estava preocupada por entrar em "território não-virgem" – fosse uma piada lamentável, a resposta, não obstante, precipitou uma importante discussão sobre sexo.

Apesar de possuir uma vida sexual ativa na fantasia, ela jamais tivera qualquer contato físico com um homem – nem um abraço, nem um beijo, nem um amasso. Ela sempre desejara o sexo e tinha raiva da atitude da sociedade em relação aos obesos, que a sentenciava à frustração sexual. Somente agora, quando ela estava se aproximando do peso em que os convites sexuais poderiam se materializar, somente agora, quando seus sonhos estavam repletos de ameaçadoras figuras masculinas (um médico mascarado enterrando uma grande agulha hipodérmica em seu abdome, um homem furtivo tirando a crosta de um grande ferimento abdominal), é que ela reconheceu que tinha muito medo do sexo.

Essas discussões liberaram um fluxo de lembranças dolorosas sobre uma vida inteira de rejeição por parte dos homens. Ela jamais fora convidada para sair e nunca dançara ou fora a uma festa na escola. Ela desempenhava muito bem o papel de confidente, e havia ajudado várias amigas a planejarem seus casamentos. Quase todas elas estavam casadas agora, e ela não conseguia mais esconder de si mesma que iria desempenhar para sempre o papel da observadora preterida.

Nós logo fomos do sexo para as águas mais profundas de sua identidade sexual básica. Betty ouvira que seu pai na verdade queria um filho homem e que ficara silenciosamente desapontado quando ela nascera. Uma noite, ela teve dois sonhos sobre um irmão gêmeo perdido. Em um deles, ela e ele usavam signos de identificação e ficavam trocando os signos um com o outro. Ela acabou com ele no outro sonho: ele se espremeu num elevador lotado, no qual ela não conseguiu entrar (por causa de seu tamanho). Em seguida, o elevador caiu, matando todos os ocupantes, e ela se pusera a recolher o que restara dele.

Em outro sonho, seu pai lhe deu um cavalo chamado "Ela é uma Dama". Ela sempre quisera ganhar um cavalo de seu pai, e no sonho não apenas o desejo da infância se realizara, como também seu pai oficialmente a batizara como uma dama.

Nossas discussões a respeito da prática sexual e de sua identidade sexual geraram tanta angústia e um sentimento tão torturante de vazio que, em várias ocasiões, ela se pôs a comer vorazmente biscoitos e rosquinhas. Na realidade, Betty podia comer um pouco de comida sólida – um jantar *diet* descongelado todas as noites –, mas essa alimentação lhe parecia mais difícil de seguir do que a dieta unicamente líquida.

Aproximava-se gradualmente um marco simbólico importante – a perda do 45º quilo.[9] Esse alvo específico, que jamais seria atingido, tinha poderosas conotações sexuais. Em primeiro lugar, Carlos, meses antes, dissera-lhe, não apenas brincando, que a levaria ao Havaí para um fim de semana quando ela tivesse perdido 45 quilos.

[9] Quarenta e cinco quilos correspondem a cem libras (conforme o texto original); conseqüentemente, a referência ao importante marco simbólico. (N. do T.)

Além disso, como parte de sua preparação mental pré-dieta, Betty prometera a si mesma que quando perdesse 45 quilos iria entrar em contato com George, o homem a cujo anúncio pessoal ela respondera, para surpreendê-lo com seu novo corpo e recompensar seu comportamento cavalheiresco com favores sexuais.

Num esforço para reduzir a angústia, eu recomendei moderação e sugeri que ela se aproximasse do sexo com passos menos drásticos: por exemplo, passando um tempo falando com homens; educando-se em assuntos tais como anatomia sexual, mecânica sexual e masturbação. Recomendei um material para leitura e insisti em que ela procurasse uma ginecologista e explorasse essas questões com as amigas e com seu grupo de terapia.

Durante todo esse período de rápida perda de peso, um outro extraordinário fenômeno estava acontecendo. Betty experienciava *flashbacks* emocionais e passava grande parte da sessão de terapia discutindo, chorosa, lembranças surpreendentemente vívidas, tais como o dia em que ela deixara o Texas para se mudar para Nova York, ou sua formatura na faculdade, ou sua raiva em relação à mãe por ser tímida e medrosa demais para ir à sua formatura na escola.

A princípio, parecia que esses *flashbacks*, assim como as concomitantes alterações extremas de humor, eram ocorrências caóticas, ao acaso; mas depois de várias semanas, Betty percebeu que eles seguiam um padrão coerente: à medida que perdia peso ela *revivia os eventos mais traumáticos ou não resolvidos de sua vida, que haviam ocorrido quando ela estava com um determinado peso.* Assim, sua descida dos 115 quilos a fez viajar velozmente para trás no tempo, em meio aos acontecimentos emocionalmente carregados de sua vida: deixar o Texas por Nova York (95 quilos), a formatura na faculdade (86 quilos), a decisão de desistir do currículo pré-médico (e desistir do sonho de descobrir a cura para o câncer que matara seu pai, 80 quilos), a solidão na formatura da escola – a inveja de outras filhas e pais, a incapacidade de conseguir um par para o baile da escola secundária (77 quilos), a formatura no primeiro grau e o quanto ela sentira falta do pai nessa formatura (70 quilos). Que prova maravilhosa do domínio do inconsciente! O corpo de Betty lembrava do que sua mente há muito esquecera.

Lembranças de seu pai permeavam esses *flashbacks*. Quanto mais de perto olhávamos, mais era aparente que tudo conduzia a ele, à sua morte, e aos 67 quilos que Betty pesava naquela época. Quanto mais perto ela chegava desse peso, mais deprimida ela ficava e mais sua mente fervilhava com sentimentos e recordações relativos ao seu pai.

Nós logo estávamos passando sessões inteiras falando sobre seu pai. Chegara o momento de desenterrar tudo. Eu a arrastei a reminiscências e a encorajei a expressar tudo o que ela podia lembrar sobre sua enfermidade, sua morte, sua aparência no hospital quando ela o viu pela última vez, os detalhes do funeral, as roupas que ela usava, o discurso do pastor, as pessoas que compareceram.

Betty e eu havíamos falado antes sobre seu pai, mas nunca com tanta intensidade e profundidade. Ela sentiu a perda como nunca a sentira antes e, por umas duas semanas, chorou quase sem parar. Nós nos encontrávamos três vezes por semana durante esse período, e eu tentei ajudá-la a compreender a origem de suas lágrimas. Em parte, ela chorava pela perda, mas em grande medida porque achava que a vida de seu pai fora uma tragédia: ele jamais conseguira a educação que desejava (ou que ela desejava para ele), morrera um pouco antes de se aposentar e jamais pôde aproveitar os anos de lazer pelos quais tanto esperara. Contudo, como lhe mostrei, a descrição que fizera de sua vida de atividades – sua grande família, seu amplo círculo social, suas sessões diárias de conversa jogada fora com os amigos, seu amor pela terra, sua juventude na Marinha, suas tardes pescando – era um retrato de uma vida plena, em que seu pai estivera imerso numa comunidade de pessoas que o conheciam e amavam.

Quando lhe pedi que comparasse a vida dele com a sua própria vida, ela percebeu que parte de sua tristeza estava deslocada: sua própria vida, não a de seu pai, que era tragicamente incompleta. Quanto de sua tristeza, então, se relacionava às suas esperanças não realizadas? Essa pergunta foi particularmente dolorosa para Betty, que, naquela época, consultara uma ginecologista e havia sido informada de que sofria de um distúrbio endócrino que a impossibilitaria de ter filhos.

Eu me senti cruel naquelas semanas, por causa da dor que a nossa terapia trazia à luz. Cada sessão era uma provação, e Betty muitas vezes saía do consultório profundamente incomodada. Começou a ter ataques de pânico agudos e muitos sonhos perturbadores, e, como ela informou, morria no mínimo três vezes por noite. Ela não conseguia se lembrar dos sonhos, exceto de dois recorrentes que haviam começado na adolescência, logo depois da morte do pai. Em um deles, ela jazia paralisada em um pequeno armário revestido de tijolos. No outro, ela estava em uma cama de hospital, com uma vela, que representava a sua alma, queimando à cabeceira da cama. Ela sabia que quando a chama se apagasse ela morreria, e se sentia cada vez mais desamparada enquanto a observava ficando cada vez menor.

Discutir a morte do pai obviamente evocou medos em relação à sua própria morte. Pedi que Betty falasse sobre suas primeiras experiências e idéias a respeito da morte. Ela via a sua mãe matar galinhas e escutava os guinchos dos porcos sendo abatidos. Ficara extremamente perturbada pela morte do avô, quando tinha 9 anos de idade. De acordo com sua mãe (Betty contou-me que não tinha nenhuma lembrança disso), ela fora tranqüilizada pelos pais, que lhe disseram que somente as pessoas velhas morriam, mas então ela os importunou durante semanas, repetindo que não queria ficar velha, perguntando-lhes, repetidamente, se eles eram muito velhos. Mas foi somente depois da morte do pai que Betty compreendeu a verdade sobre a inevitabilidade da morte. Ela lembrava do momento exato.

– Foi alguns dias depois do funeral, eu ainda não estava indo à escola. A professora dissera que eu deveria voltar quando me sentisse pronta. Eu poderia ter voltado antes, mas não parecia certo voltar tão cedo. Eu tinha medo de que as pessoas pensassem que eu não estava suficientemente triste. Eu caminhava pelos campos atrás da casa. Estava terrivelmente frio. Eu podia ver a minha respiração, e era difícil caminhar, porque a terra estava partida em torrões e os sulcos do arado estavam congelados. Eu pensava em meu pai jazendo debaixo da terra e em como ele deveria estar frio, e subitamente ouvi uma voz vinda de cima me dizendo: "Você é a próxima!"

Betty se deteve e olhou para mim.

– Você acha que eu sou louca?

– Não, eu já lhe disse antes, você não leva jeito para isso.

Ela sorriu.

– Eu jamais contei essa história para ninguém. Na verdade, eu tinha me esquecido dela, me esqueci dela durante anos, até esta semana.

– Eu fico satisfeito por você estar disposta a compartilhá-la comigo. Ela parece importante. Diga mais alguma coisa sobre ser "a próxima".

– É como se meu pai não estivesse mais lá para me proteger. De certa maneira, ele ficava entre mim e a sepultura. Sem ele, eu era a próxima da fila. – Betty encolheu os ombros e estremeceu. – Você acredita que eu ainda me sinto assombrada quando penso nisso?

– E sua mãe? Onde ela estava em meio a isso tudo?

– Como eu lhe contei antes, em segundo plano. Ela cozinhava e me alimentava – ela era realmente muito boa nisso –, mas era fraca. Era eu quem a protegia. Você pode acreditar que exista um texano que não dirija? Eu comecei a dirigir aos 12 anos, quando meu pai adoeceu, porque ela tinha medo de aprender.

– Assim, não havia ninguém que a protegesse?

– Foi quando eu comecei a ter pesadelos. Aquele sonho da vela, eu devo tê-lo sonhado umas vinte vezes.

– Esse sonho me faz pensar no que você disse antes sobre o seu medo de perder peso, sobre ter de continuar pesada para não morrer de câncer como o seu pai. Se a chama da vela continua gorda, você vive.

– Talvez, mas soa um pouco forçado.

Um outro bom exemplo, eu pensei, da falta de sentido de o terapeuta se apressar com uma interpretação, ainda que seja boa como essa. Os pacientes, como todas as outras pessoas, se beneficiam principalmente de uma verdade que eles, eles próprios, descobrem.

Betty continuou:

– E, em algum momento daquele ano, eu passei a pensar que morreria antes dos 30 anos. Sabe, acho que ainda acredito nisso.

As discussões diminuíram a sua negação da morte. Betty começou a se sentir insegura. Ela estava sempre em guarda contra possíveis ferimentos – quando dirigia, andava de bicicleta, atravessava a rua. Ela passou a se preocupar com o caráter caprichoso da morte. "Ela pode chegar a qualquer momento," dizia," "quando eu menos esperar." Durante anos, seu pai economizara dinheiro e planejara uma viagem à Europa, e acabara desenvolvendo um tumor cerebral pouco antes da data da partida. Ela, eu, qualquer pessoa, podemos ser atingidos a qualquer momento. Como as pessoas – como *eu* – lidavam com essa idéia?

Comprometido agora em estar inteiramente "presente" para Betty, eu tentava não me esquivar a nenhuma de suas perguntas. Contei-lhe minhas próprias dificuldades em chegar a um acordo com a morte; que, embora o fato da morte não possa ser alterado, nossa atitude em relação a ela pode ser fortemente influenciada. A partir da minha experiência tanto pessoal quanto profissional, eu acreditava que o medo da morte era sempre maior naqueles que sentiam que não viveram plenamente suas vidas. Uma fórmula funcional muito boa seria: quanto mais a vida não é vivida, ou seu potencial não é realizado, maior a angústia da morte.

Minha intuição, disse a Betty, era a de que quando ela entrasse mais completamente na vida, perderia o terror da morte – parte dele, não todo ele. (Nós todos conservamos certa angústia em relação à morte. É o preço do ingresso na autoconsciência.)

Em outros momentos, Betty expressava raiva porque eu a forçava a pensar em assuntos mórbidos. "Por que pensar sobre a morte? Não podemos fazer nada a respeito disso!" Eu tentei ajudá-la a compreender que, embora a *realidade* da morte nos destrua, a *idéia* da morte pode nos salvar. Em outras palavras, nossa consciência da morte pode lançar uma perspectiva diferente sobre a vida e nos incitar a reorganizar nossas prioridades. Carlos aprendera essa lição – foi o que ele quis dizer em seu leito de morte, quando falou que a sua vida havia sido salva.

Parecia-me que uma lição importante que Betty poderia aprender a partir da consciência da morte era a de que a vida precisa ser vivida *agora*; ela não pode ser adiada indefinidamente. Não foi difícil lhe mostrar as maneiras pelas quais ela evitava a vida: a relutância em se envolver com as pessoas (porque ela odiava separações); a alimentação excessiva e a obesidade, que haviam resultado na exclusão dela de uma parte tão grande da vida; sua ação de evitar o momento presente, ao escapar rapidamente para o passado ou o futuro. Também não foi difícil argumentar que o poder para modificar esses padrões estava dentro dela – de fato, ela já começara: considerem a maneira como ela estava me envolvendo naquele exato dia!

Eu a encorajei a mergulhar em sua dor; queria que ela explorasse e expressasse cada faceta dela. Repetidas vezes, fiz a mesma pergunta:

– Por quem, pelo que, você está sofrendo?

Betty respondeu:

– Acho que estou sofrendo pelo amor. Meu pai foi o único homem que já me apertou em seus braços. Ele foi o único homem, a única pessoa, que disse que me amava. Não sei se isso me acontecerá novamente.

Eu sabia que estávamos entrando em uma nova área, na qual outrora eu jamais teria ousado entrar. Era difícil lembrar que menos de um ano antes eu tinha dificuldade até mesmo de olhar para Betty. Atualmente, eu me sentia francamente terno em relação a ela. Tentei encontrar uma maneira de responder, mas ela foi menos do que eu gostaria de dar.

– Betty, ser amado não é pura sorte ou destino. Você pode influenciar isso, mais até do que você pensa. Você está agora muito mais disponível para o amor do que há alguns meses. Eu consigo ver, consigo sentir a diferença. Você está mais bonita, se relaciona melhor, está muito mais interessante e acessível atualmente.

Betty foi mais aberta sobre seus sentimentos positivos em relação a mim, e compartilhou comigo longos sonhos diurnos nos quais ela se tornava uma médica ou uma psicóloga, e nós trabalhávamos juntos, lado a lado, em um projeto de pesquisa. Seu desejo de que eu tivesse sido seu pai nos conduziu a um aspecto final de sua tristeza, que sempre lhe causara grande tormento. Juntamente com seu amor pelo pai, também tivera sentimentos negativos: ela se envergonhava dele, de sua aparência (ele era extremamente obeso), de sua falta de ambição e educação, de sua ignorância das boas maneiras sociais. Enquanto falava dessas coisas, Betty desatou a chorar. Era muito difícil falar sobre isso, ela disse, pois sentia muita vergonha de ter vergonha do próprio pai.

Enquanto procurava uma resposta, lembrei-me de uma coisa que a minha primeira analista, Olive Smith, me dissera havia mais de trinta anos. (Acho que me lembro bem, porque foi a única coisa remotamente pessoal - e a mais útil - que me disse em minhas seiscentas horas com ela.) Eu estava muito perturbado por ter expressado alguns sentimentos monstruosos em relação à minha mãe, e Olive Smith se inclinou sobre o divã e falou gentilmente: "Essa simplesmente parece ser a maneira como nós somos."

Apreciei muito essas palavras; e agora, trinta anos mais tarde, eu passei adiante o presente e as disse a Betty. As décadas não haviam desgastado nenhum de seus poderes curativos: ela exalou profundamente, acalmou-se e se recostou na cadeira. Eu acrescentei que sabia pessoalmente como era difícil para os adultos com excelente instrução se relacionarem com pais não instruídos que trabalhavam em profissões braçais.

O ano e meio que Betty passaria na Califórnia estava chegando ao final. Ela não queria parar a terapia e pediu à companhia para estender sua estadia na Califórnia. Quando isso não deu certo, ela pensou em procurar um emprego na Califórnia, mas acabou decidindo voltar a Nova York.

Que momento para parar - em meio ao trabalho sobre questões importantes e com Betty ainda acampada antes da barreira dos 68 quilos![10] Inicialmente, eu

[10] Sessenta e oito quilos correspondem a 150 libras, o que explica a menção a uma barreira mais significativa. (N. do T.)

pensei que o momento não poderia ter sido pior. Todavia, quando refleti melhor, percebi que Betty talvez tivesse mergulhado tão profundamente na terapia *por causa de*, e não apesar de, nosso período de tempo limitado. Existe uma longa tradição em psicoterapia, remontando a Carl Rogers e, antes dele, a Otto Rank, que entende que uma data de término preestabelecida geralmente aumenta a eficiência da terapia. Se Betty não soubesse que seu tempo na terapia era limitado, talvez, por exemplo, tivesse demorado mais para chegar à decisão interna de iniciar a dieta. Além disso, não estava nada claro se poderíamos ir muito adiante. Em nossos últimos meses de terapia, Betty parecia mais interessada em resolver as questões que já havíamos aberto do que em descobrir novas questões. Quando recomendei que continuasse a terapia em Nova York e lhe ofereci o nome de um terapeuta adequado, ela não se comprometeu, afirmando que não tinha certeza de que iria continuar, que talvez já tivesse feito o suficiente.

Também havia outros sinais de que Betty talvez não fosse muito além. Embora não comesse vorazmente, ela não fazia mais dieta. Concordamos em nos centrar na manutenção de seu novo peso de 72 quilos e, para esse fim, Betty comprou um guarda-roupa inteiramente novo.

Um sonho iluminou esse momento crítico da terapia:

> Sonhei que os pintores iriam pintar o vigamento externo de minha casa. Em poucos instantes eles estavam por toda parte. Havia um homem em cada janela com uma pistola de spray. Eu me vesti rapidamente e tentei detê-los. Eles estavam pintando todo o exterior da casa. Havia pequenas colunas de fumaça por toda a casa, que saíam das frestas por entre as tábuas do assoalho. Eu vi um pintor com uma meia cobrindo o rosto, passando spray dentro da casa. Eu disse a ele que queria apenas o vigamento pintado. Ele disse que tinha ordens para pintar tudo, por dentro e por fora. "O que é essa fumaça?", eu perguntei. Ele disse que eram bactérias, e acrescentou que eles haviam estado na cozinha preparando uma cultura de bactérias mortíferas. Eu me apavorei e fiquei repetindo: "Eu quero apenas o vigamento pintado".

No início da terapia, Betty na verdade queria apenas o vigamento pintado, mas havia sido arrastada inexoravelmente ao trabalho restaurador no profundo interior de sua casa. Além do mais, o terapeuta-pintor havia lançado o spray da morte – da morte de seu pai, de sua própria morte – no interior da casa. Agora ela estava dizendo que tinha ido suficientemente longe; era hora de parar.

Conforme nos aproximávamos de nossa sessão final, eu sentia um imenso alívio e alegria – como se tivesse escapado impune de alguma coisa. Um dos axiomas da psicoterapia é que os sentimentos importantes que um tem pelo outro *sempre* são comunicados por algum canal – se não verbalmente, então de forma não verbal. Desde sempre, tenho ensinado aos meus alunos que, se alguma coisa importante em um relacionamento não é falada (tanto pelo paciente como pelo terapeuta), nada mais de importante será discutido.

Todavia, eu começara a terapia com intensos sentimentos negativos em relação a Betty – sentimentos que eu jamais discutira com ela e que ela jamais reconhecera. No entanto, sem dúvida, nós tínhamos discutido questões importantes. Sem dúvida, nós fizéramos progressos na terapia. Teria eu desmentido o catecismo? Não existem "absolutos" em terapia?

Nossas três horas finais foram dedicadas a trabalhar a angústia de Betty pela nossa separação iminente. Aquilo que ela temera no início do tratamento estava acontecendo: ela se permitira sentimentos profundos em relação a mim e agora iria me perder. Qual era o sentido de haver confiado em mim? Era como ela dissera no início: "Nenhum envolvimento, nenhuma separação."

Eu não desanimei com o retorno desses antigos sentimentos. Primeiro, conforme o término se aproxima, os pacientes com certeza regridem temporariamente. (*Existe* um absoluto.) Segundo, as questões jamais são resolvidas completamente na terapia. Pelo contrário, terapeuta e paciente inevitavelmente retornam muitas vezes para adaptar e reforçar a aprendizagem – na verdade, por essa exata razão, a psicoterapia foi muitas vezes apelidada de "cicloterapia".

Tentei tratar do desespero de Betty e de sua convicção de que todo o nosso trabalho seria reduzido a zero quando ela me deixasse, lembrando-a de que seu crescimento não residia nem em mim nem em um objeto externo, e sim era parte dela, uma parte que levaria com ela. Se, por exemplo, ela fora capaz de confiar e se revelar a mim mais do que a qualquer outra pessoa anteriormente, ela abrigava dentro de si essa experiência, assim como a capacidade de repeti-la. Para que meu ponto de vista fosse compreendido, eu tentei, na nossa sessão final, usar a mim mesmo como exemplo.

– Acontece o mesmo comigo, Betty. Eu vou sentir falta de nossos encontros. Mas estou mudado por ter conhecido você...

Ela estava chorando, com os olhos baixos, mas com as minhas palavras parou de soluçar e olhou para mim, expectante.

– E, ainda que não nos encontremos novamente, eu continuarei preservando essa mudança.

– Que mudança?

– Bem, como havia mencionado, eu não tive grande experiência profissional com... hã...com o problema da obesidade... – Notei que os olhos de Betty baixaram, desapontados, e silenciosamente eu me repreendi por ser tão impessoal.

– Bem, o que quero dizer é que não tinha trabalhado antes com pacientes acima do peso, e passei a ter uma nova apreciação em relação aos problemas de... – Eu via, pela sua expressão, que ela mergulhava cada vez mais profundamente no desapontamento. – O que eu quero dizer é que a minha atitude em relação à obesidade mudou muito. Quando nós começamos, eu não me sentia à vontade com pessoas obesas...

Em termos de uma belicosidade incomum, Betty me interrompeu.

– Rá, rá, rá! "Não me sentia à vontade". Isso é simplificar muito a coisa. Você sabe que nos primeiros seis meses você quase nunca olhou para mim? E que em um ano e meio jamais, nem uma vez, tocou em mim? Nem mesmo para um aperto de mão?

Meu coração se contraiu. Meu Deus, ela está certa! Eu *realmente* nunca tocara nela. Eu simplesmente não tinha percebido isso. E imagino que também não olhava para ela com muita freqüência. Eu não esperava que ela tivesse percebido!

Gaguejei:

– Você sabe, os psiquiatras normalmente não tocam em seus pacientes...

– Deixe-me interrompê-lo antes que você conte mais lorotas e seu nariz fique mais e mais comprido, como o do Pinóquio. – Betty parecia estar se divertindo com o meu sofrimento. – Vou lhe dar uma chance. Lembre-se, estou no mesmo grupo de Carlos e nós muitas vezes conversamos sobre você depois dos encontros.

Ah, agora eu estava encurralado. Não tinha previsto isso. Carlos, com seu câncer incurável, estava tão isolado e se sentia tão desprezado que eu decidira apoiá-lo mudando meu jeito e tocando-o. Eu apertava a sua mão antes e depois de cada sessão, e geralmente punha minha mão em seu ombro quando ele estava saindo do consultório. Uma vez, quando ele ficara sabendo que seu câncer atingira o cérebro, eu o segurei em meus braços enquanto ele chorava.

Eu não sabia o que dizer. Não podia dizer a Betty que Carlos era um caso especial, que ele precisava daquilo. Deus sabe que ela também precisava. Eu senti que corava. Vi que não tinha outra saída a não ser reconhecer.

– Bem, você está apontando um dos meus pontos fracos! É verdade, a melhor, era verdade, que, quando começamos a nos encontrar, eu me senti repelido pelo seu corpo.

– Eu sei. Eu sei. Não foi muito sutil.

– Diga-me, Betty, sabendo disso, percebendo que eu não olhava para você ou que ficava pouco à vontade na sua presença, por que você ficou? Há muitos outros psiquiatras por aí. (Nada como uma pergunta para cair fora de um aperto!)

– Bem, posso pensar em duas razões. Primeiro, lembre-se de que eu estava acostumada com isso. Não esperava outra coisa. Todas as pessoas me tratam dessa maneira. Elas odeiam a minha aparência. Ninguém *jamais* me toca. Foi por isso que eu fiquei surpresa quando meu cabeleireiro massageou meu couro cabeludo, lembra-se? E, mesmo que você não olhasse para mim, pelo menos parecia interessado naquilo que eu tinha a dizer – não, não, não é isso –, você estava interessado naquilo que eu *podia* ou *poderia* dizer se parasse de ser tão engraçada. Na verdade, isso ajudou. Outra coisa: você não dormiu. Isso foi um avanço em relação ao dr. Farber.

– Você disse que havia duas razões.

– A segunda razão é que eu podia entender como você se sentia. Você e eu somos muito parecidos. De certa maneira, pelo menos. Lembra-se de quando você insistia comigo para que eu procurasse os Comedores Anônimos? Para encontrar outras pessoas obesas, fazer alguns amigos, marcar alguns encontros?

– Sim, eu lembro. Você disse que odiava grupos.

– Bem, isso é verdade. Eu realmente odeio grupos. Mas não é toda a verdade. O motivo *real* é que eu não suporto as pessoas gordas. Elas fazem meu estômago revirar. Eu não gosto de ser vista com elas. Assim, como posso acusá-lo por sentir a mesma coisa?

Nós estávamos ambos na ponta de nossas cadeiras quando o relógio avisou que tínhamos de terminar. Nosso diálogo havia dificultado a minha respiração e eu detestei acabar. Eu não queria parar de ver Betty. Queria continuar a falar com ela, continuar a conhecê-la.

Nós nos levantamos e ofereci a ela a minha mão, ambas as mãos.

– Oh, não! Oh, não, eu quero um abraço! É a única maneira de você se redimir.

Quando nos abraçamos, fiquei surpreso por descobrir que podia envolvê-la completamente em meus braços.

CAPÍTULO 4

"Morreu o filho errado"

Há alguns anos, enquanto preparava uma proposta de pesquisa sobre o luto, publiquei um pequeno artigo num jornal local que acabava com a seguinte mensagem:

> No primeiro estágio de planejamento dessa pesquisa, o dr. Yalom deseja entrevistar indivíduos que foram incapazes de superar sua tristeza. Os voluntários dispostos a serem entrevistados devem telefonar, por favor, para 555-6352.

Das 35 pessoas que telefonaram para marcar hora, Penny foi a primeira. Ela disse à minha secretária que tinha 38 anos de idade, era divorciada, perdera sua filha havia quatro anos e precisava ser atendida imediatamente. Embora trabalhasse sessenta horas por semana como motorista de táxi, enfatizou que poderia vir para uma entrevista a qualquer hora do dia ou da noite.

Vinte e quatro horas mais tarde ela estava sentada diante de mim. Uma mulher robusta, musculosa: envelhecida, esgotada, orgulhosa – e trêmula. Via-se que ela passara por maus bocados. Ela me lembrava Marjorie Main, a estrela de cinema durona da década de 1930, havia muito falecida.

O fato de Penny estar em crise, ou dizer que estava, criou-me um dilema. Não era possível que eu a tratasse; eu não tinha horas livres para assumir um novo paciente. Cada minuto do meu tempo era dedicado a terminar uma proposta de pesquisa, e o prazo final para o requerimento de subvenção se aproximava rapidamente. Na época, esta era a prioridade máxima da minha vida; era a razão para eu ter colocado o anúncio pedindo voluntários. Além disso, uma vez que eu partiria em viagem sabática em três meses, o tempo seria insuficiente para um período decente de psicoterapia.

Para evitar qualquer mal-entendido, decidi que seria melhor esclarecer imediatamente a questão da terapia – antes que eu fosse muito fundo com Penny, antes mesmo de perguntar por que, quatro anos depois da morte da filha, ela precisava ser atendida imediatamente.

Assim, comecei lhe agradecendo por ter se apresentado como voluntária para conversar comigo durante duas horas sobre seu luto. Informei-a de que era importante ela saber, antes de concordar em prosseguir, que aquelas seriam entrevistas de pesquisa, não entrevistas terapêuticas. Eu inclusive acrescentei que, embora houvesse uma possibilidade de que as conversas pudessem ajudar, também era possível que elas fossem temporariamente perturbadoras. Se, todavia, eu julgasse que a terapia *era* necessária, de bom grado a ajudaria a escolher um terapeuta.

Fiz uma pausa e olhei para Penny. Eu estava inteiramente satisfeito com as minhas palavras: havia me resguardado e fora suficientemente claro para impedir qualquer mal-entendido.

Penny assentiu com a cabeça. Levantou-se da cadeira. Por um instante, fiquei alarmado, pois pensei que ela iria embora. Mas ela simplesmente alisou sua longa saia de brim, sentou-se novamente e perguntou se podia fumar. Quando lhe estendi um cinzeiro, acendeu um cigarro e, numa voz profunda e grave, começou:

– Eu preciso falar, sim, mas não posso pagar uma terapia. Estou dura. Consultei dois terapeutas baratos, um ainda era estudante, na clínica municipal. Mas eles ficaram com medo de mim. Ninguém quer falar sobre a morte de uma criança. Quando eu tinha 18 anos de idade, procurei uma conselheira numa clínica para alcoólatras, uma ex-alcoólatra, ela era boa, fazia as perguntas certas. Talvez eu precise de um psiquiatra que tenha perdido um filho! Talvez eu precise de um verdadeiro especialista. Tenho um grande respeito pela Universidade de Stanford. Foi por isso que corri quando vi a história no jornal. Eu sempre pensei que minha filha iria para Stanford, se ela tivesse vivido.

Ela olhava direto para mim e falava francamente. Eu gosto de mulheres firmes e apreciei seu estilo. Percebi que comecei a falar um pouco mais forte.

– Eu a ajudarei a falar. E poderei fazer perguntas duras. Mas não estarei por perto para juntar os pedaços.

– Eu ouvi o que você disse. Você apenas me ajudará a começar. Eu me cuidarei. Eu ficava sozinha em casa desde que tinha 10 anos de idade.

– Tudo bem, comece com a razão de querer me ver imediatamente. Minha secretária disse que você parecia desesperada. O que aconteceu?

– Há poucos dias, eu ia para casa depois do trabalho, por volta de uma da manhã, e tive uma perda de consciência. Acordei e estava dirigindo do lado errado da rua e urrando como um animal ferido! Se houvesse tráfego no sentido oposto, eu não estaria aqui hoje.

Foi assim que começamos. Fiquei desalentado com a imagem daquela mulher urrando como um animal ferido demorei alguns instantes para tirá-la de minha cabeça. Em seguida, comecei a fazer perguntas. A filha de Penny, Chrissie, desenvolvera uma forma rara de leucemia quando tinha 9 anos de idade, e morrera quatro anos mais tarde, um dia antes de seu 13º aniversário. Durante aqueles quatro anos, Chrissie tentara continuar na escola, mas ficara de cama quase metade do tempo e hospitalizada a cada três ou quatro meses.

O câncer e o tratamento foram extremamente dolorosos. Durante os quatro anos de sua doença, várias sessões de quimioterapia haviam prolongado a sua vida, mas deixavam-na a cada vez com menos cabelos e terrivelmente fraca. Chrissie se submetera a inúmeras punções de medula óssea e a tantas flebotomias que finalmente não havia mais veias a serem encontradas. Durante seu último ano de vida, os médicos haviam instalado um cateter intravenoso permanente que permitia o acesso à sua corrente sangüínea.

Sua morte, disse Penny, fora terrível – eu não poderia imaginar quão terrível. Nesse momento, ela começou a soluçar. Fiel à minha promessa de fazer perguntas duras, pedi que ela me contasse quão terrível fora a morte de Chrissie.

Penny quisera que eu a fizesse começar; e, por puro acaso, a minha primeira pergunta desencadeou uma torrente de sentimentos. (Mais tarde eu aprenderia que, onde quer que sondasse, encontraria uma dor profunda em Penny.) Chrissie morrera, por fim, de pneumonia: seu coração e pulmões entraram em falência; ela não conseguia respirar e, no final, afogou-se em seus próprios fluidos.

O pior de tudo, contou Penny entre soluços, era que não conseguia se lembrar da morte da filha: ela apagara as horas finais de Chrissie. Só conseguia se lembrar de ter se deitado naquela noite ao lado da filha – durante as hospitalizações de Chrissie, Penny dormia em uma cama armada ao lado do leito dela – e, muito mais tarde, de ter se sentado na cama de Chrissie com os braços em torno da filha morta.

Penny começou a falar sobre culpa. Ela estava obcecada pela forma como se comportara durante a morte de Chrissie. Não conseguia se perdoar. Sua voz se tornou mais alta, o tom, mais auto-recriminador. Ela parecia um advogado de acusação que tentava me convencer da sua negligência.

– Você pode acreditar – disse ela – que eu nem sequer me lembro de *quando*, de *como* fiquei sabendo que minha Chrissie tinha morrido?

Ela estava certa, e logo me convenceu de que estava certa, de que a culpa em relação ao seu vergonhoso comportamento era *a razão* pela qual ela não conseguia deixar Chrissie partir, *a* razão pela qual sua tristeza estava congelada havia quatro anos.

Eu estava determinado a prosseguir com meus planos de pesquisa: aprender o máximo possível a respeito do luto crônico e desenvolver um protocolo de entrevista estruturada. Não obstante, possivelmente porque havia tanta terapia a ser feita, eu me surpreendi esquecendo a pesquisa e, pouco a pouco, escorregando para uma atitude terapêutica. Uma vez que a culpa parecia ser o problema primário, eu decidi, pelo restante da entrevista de duas horas, aprender o máximo possível sobre a culpa de Penny.

– Culpa de quê? – perguntei. – Quais são as acusações?

A principal acusação que ela tinha contra si mesma era a de que não estivera realmente presente com Chrissie. Conforme disse, mergulhara em uma série de jogos de fantasia. Ela jamais se permitira acreditar que Chrissie iria morrer. Mesmo quando o médico dissera que ela estava vivendo quando já era para estar morta, que ninguém nunca se recuperara dessa doença, mesmo quando ele dissera, sem rodeios, quando entrou pela última vez no hospital, que ela não viveria muito mais, Penny se recusara a acreditar que Chrissie não ficaria boa novamente. Ela ficou enfurecida quando o médico se referiu à pneumonia final como uma bênção na qual ninguém deveria interferir.

De fato, ela não aceitara até então, quatro anos depois, que Chrissie estava morta. Havia exatamente uma semana, ela "acordara" na fila do caixa de uma loja, com um presente para Chrissie nas mãos, um bichinho de pano. E, em determinado momento de minha entrevista, ela disse que Chrissie "completará" 17 anos no próximo mês, em vez de "completaria".

– Por acaso isso é um crime? – perguntei. – É um crime manter a esperança? Qual é a mãe que quer acreditar que sua filha tem de morrer?

Penny retrucou que não agira assim por amor a Chrissie, mas que se pusera em primeiro lugar. Como? Ela jamais ajudara Chrissie a falar sobre seus medos e seus sentimentos. Como Chrissie poderia falar sobre morrer com uma mãe que continuava a fingir que isso não estava acontecendo? Conseqüentemente, Chrissie fora forçada a ficar sozinha com seus pensamentos. Que diferença fazia o fato de ela dormir ao lado da filha? Ela, na verdade, não estava lá para ajudar Chrissie. A pior coisa que pode acontecer a alguém é a morte solitária, e fora assim que ela deixara sua filha morrer.

Depois, Penny me contou que tinha uma crença profunda na reencarnação, uma crença que começara quando ela era adolescente, tão miserável e pobre e tão atormentada pela idéia de que fora enganada pela vida, que só encontrara consolo no pensamento de que teria outra chance. Penny sabia que na próxima vez seria mais afortunada – talvez mais rica. Ela também sabia que Chrissie continuaria em uma outra vida, mais sadia, mais feliz.

No entanto, ela não ajudara Chrissie a morrer. Na verdade, Penny estava convencida de que a culpa era *sua* de Chrissie ter demorado tanto a morrer. Por causa da mãe, Chrissie ficara prolongando sua dor, retardando sua libertação. Embora Penny não recordasse as horas finais da vida de Chrissie, ela estava certa de que *não* dissera aquilo que *deveria* ter dito. "Vá! Vá! É hora de você partir. Você não precisa ficar aqui mais tempo por minha causa!"

Um dos meus filhos estava, nessa época, na adolescência, e, conforme ela falava, comecei a pensar nele. Será que eu seria capaz de fazer isso, de largar sua mão, ajudá-lo a morrer, dizer-lhe "Vá! É hora de partir"? Seu rosto bronzeado pairou em minha mente e uma onda de angústia inexprimível me envolveu.

"Não!", eu disse a mim mesmo, sacudindo-me para me livrar daquilo. Ficar tomado pela emoção era provavelmente o que acontecera aos outros, aos terapeutas que não puderam ajudá-la. Eu vi que, para trabalhar com Penny, teria de me acorrentar ao mastro da razão.

– Então, o que eu ouço você dizer é que se sente culpada principalmente por duas coisas. *Primeiro*, porque você não ajudou Chrissie a falar sobre a morte, e *segundo*, porque você não a deixou partir logo.

Penny assentiu com a cabeça, acalmada por meu tom analítico, e seus soluços cessaram.

Nada oferece uma segurança mais falsa na psicoterapia do que um resumo, especialmente um resumo que contenha uma lista. Minhas próprias palavras me reconfortaram: o problema parecia agora subitamente mais claro, muito mais manejável. Embora eu jamais tivesse trabalhado com alguém que houvesse perdido um filho, eu deveria ser capaz de ajudá-la, uma vez que grande parte de sua dor era redutível à culpa. A culpa e eu éramos velhos conhecidos, tanto pessoal quanto profissionalmente.

Antes, Penny me dissera que vivia em freqüente comunhão com Chrissie, visitando-a diariamente no cemitério, passando uma hora por dia arrumando seu túmulo e conversando com ela. Penny dedicara tanta energia e atenção a Chrissie que seu casamento se deteriorara, e seu marido partira para sempre havia cerca de dois anos. Penny mal notara a sua partida.

Como um memorial para Chrissie, Penny mantivera o quarto dela sem nenhuma mudança, com todas as roupas e objetos em seus lugares habituais. Até mesmo sua última lição de casa, não terminada, estava sobre a escrivaninha. Apenas uma coisa fora mudada: Penny levara a cama de Chrissie para o seu próprio quarto e dormia nela todas as noites. Mais tarde, depois de entrevistar outros pais enlutados, eu descobriria como esse comportamento era comum. Mas, naquele momento, em minha ingenuidade, eu o considerei excessivo, não natural, algo que tinha de ser corrigido.

– De modo que você agora lida com a sua culpa se agarrando a Chrissie, e sem prosseguir com a sua própria vida?

– Eu simplesmente não consigo esquecê-la. Não é uma coisa que você possa ligar e desligar, você sabe!

– Deixá-la partir não é o mesmo que esquecê-la, e ninguém está pedindo para você desligar um interruptor. – Eu agora estava convencido de que era importante responder imediatamente a Penny: quando eu exibia firmeza, ela se recuperava mais prontamente.

– Esquecer Chrissie é como dizer que jamais a amei. É como dizer que o seu amor por sua filha foi simplesmente algo temporário, algo que desaparece gradualmente. Eu *não* vou esquecê-la.

– '*Não*' vai esquecê-la. Bem, isso é diferente de ser solicitada a desligar um interruptor. – Ela ignorara minha distinção entre esquecer e deixar partir, mas não insisti. – Antes de você poder deixar Chrissie partir, você precisa *querer*, precisa estar *disposta* a isso. Vamos tentar entender o problema juntos. Por enquanto, imagine que você está agarrada a Chrissie por *escolha* própria. O que isso lhe proporciona?

– Eu não sei do que você está falando.

– Sim, você sabe! Apenas faça o que eu estou pedindo. O que você ganha por se agarrar a Chrissie?

– Eu a abandonei quando ela estava morrendo, quando ela precisava de mim. De jeito nenhum vou abandoná-la novamente.

Embora Penny ainda não tivesse entendido, ela estava presa a uma contradição irreconciliável entre sua determinação de permanecer com Chrissie e suas crenças na reencarnação. A tristeza de Penny estava encravada, aprisionada por grades. Talvez, se ela se confrontasse com essa contradição, poderia começar a se entristecer novamente.

– Penny, você fala com Chrissie todos os dias. Onde está ela? Onde ela existe?

Os olhos de Penny se arregalaram. Ninguém jamais lhe fizera antes perguntas tão abruptas.

– No dia em que ela morreu, eu trouxe seu espírito de volta para casa. Eu podia senti-lo dentro do carro comigo. No início, ela ficava em torno de mim, às vezes em casa, em seu quarto. Depois, mais tarde, eu sempre conseguia fazer contato no cemitério. Ela normalmente sabia o que estava acontecendo na minha vida, mas também queria saber a respeito de seus amigos e de seus irmãos. Mantive contato com todos os seus amigos, para poder contar a ela sobre eles. – Penny fez uma pausa.

– E agora?

– Agora ela está desaparecendo gradualmente. O que é bom. Significa que ela está renascendo em outra vida.

– Ela tem alguma lembrança desta vida?

– Não. Ela está em outra vida. Não acredito nessa besteira de lembrar de vidas passadas.

– Então ela deve ficar livre para prosseguir em sua próxima vida, e, contudo, há uma parte de você que não quer deixá-la ir.

Penny não disse nada. Apenas me olhou fixamente.

– Penny, você é uma juíza muito dura. Você se submete a julgamento pelo crime de não deixar Chrissie partir quando ela estava para morrer, e sentenciou a si a autorecriminação. Acho que você se julga com muita severidade. Mostre-me o pai ou a mãe que poderia ter agido de outra maneira. Vou dizer a você, se um filho meu estivesse morrendo, eu não agiria de outra maneira. Entretanto, pior ainda, a sentença é muito severa, extremamente dura para você. Parece que sua culpa e tristeza já destruíram o seu casamento. E a *duração* da pena! É isso que realmente me espanta. Faz quatro anos agora. Quanto tempo mais? Mais quatro? Dez? Uma pena perpétua?

Organizei os meus pensamentos, tentando decidir como ajudá-la a ver o que fazia consigo mesma. Ela estava sentada, imóvel, um cigarro fumegava no cinzeiro em seu colo; os olhos acinzentados estavam fixos em mim. Ela mal parecia respirar.

Eu continuei:

– Fiquei aqui sentado tentando entendê-la e tive uma idéia. Você não está se punindo por algo que tenha feito no passado, há quatro anos, quando Chrissie estava morrendo. *Você está se punindo por alguma coisa que está fazendo agora*, alguma coisa que continua a fazer neste exato momento. Você está se agarrando a ela, tentando mantê-la nesta vida, quando sabe que ela pertence a outro lugar. Deixá-la partir não seria um sinal de abandono ou de desamor, e sim exatamente o oposto, um sinal de que você realmente a ama. Ama o suficiente *para deixá-la partir* para outra vida.

Penny continuava a me olhar fixamente. Ela não falou, mas parecia mobilizada pelo que eu dissera. Minhas palavras *soavam* poderosas, e eu sabia que seria melhor ficar simplesmente sentado em silêncio diante dela. Mas decidi dizer mais uma coisa. Provavelmente foi um exagero.

– Volte para aquele momento, Penny, o momento em que você deveria ter deixado Chrissie partir, o momento que você apagou da memória. Onde está aquele momento agora?

– O que você quer dizer? Não estou entendendo.

– Bem, onde ele está agora? Onde ele existe?

Penny parecia ansiosa e um pouco irritada por estar sendo pressionada ou questionada. – Não sei aonde você está querendo chegar. É passado. Terminou.

– Existe alguma lembrança dele? Em Chrissie? Você disse que ela esqueceu tudo sobre esta vida.

– Tudo isso acabou. Ela não lembra, eu não lembro. Assim...?

– Assim, você continua a se torturar por causa de um momento que não existe mais, em lugar algum, "um momento fantasma". Se você visse outra pessoa fazendo isso, acho que a chamaria de irracional.

Analisando retrospectivamente esse diálogo, vejo muitos sofismas em minhas palavras. Mas no momento elas soavam imperativas e profundas. Penny, que com seu jeito esperto e desembaraçado sempre tinha resposta para tudo, ficou novamente em silêncio, como se estivesse em choque.

Nossas duas horas estavam chegando ao fim. Embora Penny não tivesse pedido mais tempo, era óbvio que teríamos de nos encontrar novamente. Coisas demais haviam acontecido: teria sido irresponsabilidade profissional não lhe oferecer uma sessão adicional. Ela não pareceu surpresa pela minha oferta e concordou imediatamente em retornar na semana seguinte, no mesmo horário.

Congelada – a metáfora que muitos aplicaram à tristeza crônica – é a palavra adequada. O corpo fica rígido; o rosto, tenso; pensamentos gélidos, repetitivos, obstruem a mente. Penny estava congelada. Será que nossa confrontação quebraria a prisão de gelo? Eu estava otimista e achava que sim. Embora não pudesse imaginar o que seria libertado, eu antecipava grande agitação durante a semana e aguardava a sua visita com muita curiosidade.

Penny começou a sessão caindo pesadamente na cadeira e dizendo:

– Cara, como estou satisfeita por ver você! Foi uma semana e tanto.

Ela continuou, com uma alegria forçada, a me contar que a boa notícia era que, na semana anterior, ela se sentira menos culpada e menos envolvida com Chrissie. A notícia ruim era que ela tivera uma violenta confrontação com Jim, seu filho mais velho, e, em conseqüência, oscilara entre raiva e acessos de choro durante toda a semana.

Penny tinha dois filhos, Brent e Jim. Ambos haviam saído da escola e se encaminhavam para sérios problemas. Brent, de 16 anos, estava em uma casa de detenção juvenil por ter participado de um roubo; Jim, de 19 anos, usava drogas intensamente. A atual briga começara no dia seguinte à nossa última sessão, quando Penny ficara sabendo que Jim, nos últimos três meses, não pagara sua parte no lote do cemitério.

Lote do cemitério? Eu devia ter entendido mal e pedi a ela para repetir o que dissera. "Lote do cemitério" era exatamente o que ela tinha dito. Havia cerca de cinco anos, quando Chrissie ainda estava viva, mas cada vez mais enfraquecida,

Penny assinara um contrato que envolvia um lote dispendioso no cemitério – um lote grande o suficiente, ela salientara (como se isso tornasse as coisas evidentes), "para manter toda a família junta". Todos os membros da família – Penny, seu marido, Jeff, e seus filhos – concordaram, depois de imensa pressão por parte dela, em contribuir com uma parte do custo dos pagamentos a serem feitos durante sete anos.

Todavia, apesar de suas promessas, a carga financeira total do lote estava caindo sobre seus ombros. Jeff partira havia dois anos e não queria ter mais nada a ver com ela, viva ou morta. Seu filho mais jovem, agora encarcerado, via-se obviamente incapaz de cumprir a sua parte (ele contribuíra, anteriormente, com uma pequena parcela do pagamento recebido pelo trabalho que fazia após a escola). E agora ela descobrira que Jim estivera mentindo para ela e que não estava fazendo seus pagamentos.

Eu estava prestes a comentar sobre sua bizarra expectativa de que esses dois jovens, que evidentemente já estavam tendo problemas com a empreitada do crescimento, tivessem de pagar por seu lote funerário, quando Penny continuou com sua narrativa dos angustiantes eventos da semana.

Na noite anterior à briga com Jim, dois homens, visivelmente traficantes de drogas, bateram à porta perguntando por ele. Quando Penny falou que ele não estava em casa, um deles ordenou que ela dissesse a ele que pagasse sua dívida ou que esquecesse a possibilidade de voltar para casa: não haveria mais casa para onde voltar.

Bom, não existia nada, disse Penny, mais importante para ela do que a sua casa. Depois que o pai morrera, quando ela tinha 8 anos de idade, a mãe se mudara com ela e suas irmãs, de um apartamento para outro, no mínimo umas vinte vezes, freqüentemente ficando em cada um deles apenas por dois ou três meses, até elas serem despejadas por não pagarem o aluguel. Ela fizera um voto, à época, de que um dia teria um verdadeiro lar para a sua família – um voto que ela trabalhava furiosamente para cumprir. Os pagamentos da hipoteca mensal eram muito altos, e depois que Jeff partira ela tivera de suportar sozinha toda a carga. Apesar de trabalhar durante muitas horas, ela quase não dava conta.

Assim, os dois homens tinham dito a coisa errada. Depois que eles foram embora, ela ficou atordoada na porta por alguns momentos; em seguida, amaldiçoou Jim por usar seu dinheiro em drogas em vez de pagar o lote; e, depois disso, como ela mesma colocou, "perdeu completamente as estribeiras" e disparou atrás deles. Eles já haviam partido de carro, mas ela pulou na sua grande picape de motor superpotente e os seguiu em alta velocidade pela auto-estrada, tentando jogá-los para fora da rodovia. Ela os tocou algumas vezes, e eles escaparam somente porque dispararam em sua BMW a mais de 160 quilômetros por hora.

Depois, ela notificara a polícia sobre a ameaça (mas não pedira, evidentemente, constante vigilância policial). Jim chegara em casa tarde da noite no dia anterior e, depois de saber o que acontecera, atirara rapidamente algumas roupas em sua mochila e saíra da cidade. Ela não soubera mais dele desde então. Embora Penny não estivesse arrependida por seu comportamento – pelo contrário, ela parecia ter muito prazer ao contar a história –, havia, não obstante, ecos mais profundos. Naquela noite, mais tarde, ela foi ficando cada vez mais agitada, dormiu mal e teve este sonho forte:

> Eu estava dando uma busca nas salas de uma velha instituição. Finalmente, abri uma porta e vi dois meninos pequenos parados em uma plataforma, como se estivessem em uma vitrina. Eles eram parecidos com os meus filhos, mas tinham longos cabelos de menina e usavam vestidos. Só que tudo estava errado: os vestidos estavam sujos, virados do avesso. Os sapatos estavam nos pés errados.

Eu me senti esmagado; com tantos caminhos promissores, não sabia por onde começar. Primeiro, pensei no desesperado desejo de Penny de manter todos juntos, de criar a família estável que jamais tivera quando criança, e como isso estava manifesto na sua feroz resolução de possuir uma casa e um lote no cemitério. E agora estava claro que esse núcleo essencial não poderia *ser* mantido. Seus planos e sua família estavam destruídos: a filha estava morta, o marido partira, um dos filhos estava na cadeia, o outro, havia fugido.

Tudo o que eu podia fazer era compartilhar com ela meus pensamentos e me compadecer dela. Eu queria muito reservar tempo suficiente para trabalhar aquele sonho, especialmente a parte final sobre as duas crianças pequenas. Os primeiros sonhos que o paciente traz à terapia, especialmente os ricos e cheios de detalhes, com freqüência são profundamente esclarecedores.

Pedi-lhe para descrever os principais sentimentos no sonho. Penny disse que acordara chorando, mas não conseguiu apontar a parte triste do sonho.

– E os dois meninos pequenos?

Ela disse que havia algo de patético, talvez triste, na maneira como eles estavam vestidos – os sapatos nos pés errados, as roupas sujas, pelo avesso. E os vestidos? E os longos cabelos e os vestidos? Penny não conseguia entender, disse apenas que talvez fosse um erro ter tido os meninos. Talvez ela quisesse que eles tivessem sido meninas. Chrissie fora uma criança maravilhosa, boa aluna, linda, musicalmente bem-dotada. Chrissie, resumi, era a esperança de Penny para o futuro: era ela quem poderia ter resgatado a família do seu destino de pobreza e crime.

– Sim – continuou Penny tristemente –, o sonho está certo quanto aos meus filhos, vestidos erradamente, calçados erradamente. Tudo neles está errado, sempre foi. Eles nunca foram nada a não ser problemas. Eu tive três filhos: um deles era um anjo, e os outros dois, olhe para eles: um na cadeia e o outro viciado. Eu tive três filhos *e morreu o filho errado.*"

Penny ofegou e tapou a boca com a mão.

– Eu já pensei isso antes, mas nunca falei em voz alta.

– Como isso soa?

Ela baixou a cabeça até quase encostar no colo. As lágrimas corriam por seu rosto e pingavam na saia de brim. – Desumano.

– Não, é o oposto. Eu estou ouvindo apenas sentimentos humanos. Talvez eles não soem bem, mas é assim que nós somos. Dada a sua situação e seus três filhos, que pai ou mãe não sentiria que morreu o filho errado? Eu, com certeza, sentiria!

Eu não sabia como lhe oferecer mais do que isso, mas ela não deu nenhuma indicação de ter me ouvido, de modo que eu repeti.

– Se eu estivesse na sua situação, me sentiria da mesma maneira.

Ela manteve a cabeça baixa, mas assentiu quase imperceptivelmente.

Conforme nossa terceira hora se aproximava do final, não fazia mais sentido fingir que Penny não estava em terapia comigo. Assim, eu reconheci o fato abertamente e sugeri que nos encontrássemos mais seis vezes e tentássemos fazer o máximo que pudéssemos. Enfatizei que não seria possível, em virtude de outros compromissos e planos de viagem, nos encontrarmos por mais do que seis semanas. Penny aceitou a minha oferta, mas disse que o dinheiro era um grande problema para ela. Seria possível parcelarmos os pagamentos durante vários meses? Eu assegurei-a de que não haveria honorários: uma vez que começáramos a nos encontrar como parte de um projeto de pesquisa, eu não poderia, em sã consciência, modificar subitamente o nosso contrato e cobrar honorários.

Na verdade, não havia nenhum problema em atender Penny sem cobrar: eu queria aprender mais sobre o luto, e ela era uma excelente professora. Naquele instante ela me proporcionara um conceito que seria extremamente útil em meu futuro trabalho com as pessoas enlutadas: *se alguém quer aprender a viver com os mortos, precisa primeiro aprender a viver com os vivos.* Parecia haver muito trabalho a ser feito por Penny em seus relacionamentos com os vivos – especialmente com seus filhos e talvez com o marido; e eu imaginei que seria assim que passaríamos nossas seis horas remanescentes.

Morreu o filho errado. Morreu o filho errado. Nossas próximas duas sessões consistiriam em numerosas variações em torno desse duro tema – um procedimento conhecido na área como "elaboração". Penny expressou profunda raiva em relação aos seus dois filhos – raiva não só da maneira pela qual viviam, mas raiva *porque* eles viviam. Somente depois de ter se exaurido, somente depois de ter ousado dizer o que ela vinha sentindo nos últimos oito anos (desde que ficara sabendo que Chrissie sofria de um câncer mortal) – que ela havia desistido de ambos os filhos; que Brent, aos 16 anos, já estava além de qualquer ajuda; que ela rezara durante anos para que o corpo de Jim pudesse ser entregue a Chrissie (Para que ele precisava dele? Ele iria matar logo esse corpo, de qualquer maneira, com drogas, de Aids. Por que ele deveria ter um corpo sadio e Chrissie, que amava seu pequeno corpo, deveria ter o dela consumido pelo câncer?) –, somente depois de dizer todas essas coisas, Penny pôde parar e refletir sobre o que dissera.

Eu podia apenas ficar sentado e escutar, e, de tempos em tempos, assegurá-la de que esses eram sentimentos humanos, e que era apenas humano ela pensar assim. Finalmente, chegara o momento de ajudá-la a se voltar para os seus filhos. Fiz perguntas a princípio gentis e gradualmente mais desafiadoras.

Seus filhos sempre haviam sido difíceis? Nasceram difíceis? O que acontecera na vida deles que poderia tê-los empurrado para as escolhas que fizeram? O que eles experienciaram quando Chrissie estava morrendo? Alguém havia falado com *eles* a respeito da morte? Como eles se sentiram por comprar um lote funerário? Um lote próximo ao de Chrissie? O que eles sentiram pelo abandono do pai?

Penny não gostou das minhas perguntas. A princípio elas a surpreenderam, depois a irritaram. Depois ela começou a perceber que jamais considerara o que acontecera na família do ponto de vista dos filhos. Ela nunca tivera um relacionamento positivo com um homem, e era possível que seus filhos tivessem pagado um preço por isso. Nós consideramos os homens de sua vida: um pai (desaparecido da lembrança pessoal, mas permanentemente insultado pela mãe) que a abandonara, morrendo, quando ela tinha 8 anos de idade; os amantes de sua mãe – uma fileira de repugnantes figuras noturnas que sumiam com a aurora; um primeiro marido que a abandonara um mês depois de seu casamento, quando ela tinha 17 anos de idade; e um segundo marido grosseiro, alcoólatra, que finalmente a abandonara na sua tristeza.

Sem dúvida, ela negligenciara os meninos durante os últimos oito anos. Quando Chrissie estava doente, Penny passava períodos incomuns de tempo com ela. Depois da morte de Chrissie, Penny continuou inacessível para os filhos: a raiva que ela sentia em relação a eles, em grande parte unicamente por estarem vivos em vez de Chrissie, criava um silêncio entre ela e os filhos. Eles haviam crescido duros e distantes, mas, uma vez, antes de selarem seus sentimentos em relação a ela, lhe haviam dito que queriam mais dela: eles queriam as horas que ela passara todos os dias, durante quatro anos, cuidando do túmulo de Chrissie.

O impacto da morte sobre os filhos? Os meninos estavam com 8 e 11 anos de idade quando Chrissie contraíra a enfermidade fatal. Que eles pudessem ter ficado assustados com aquilo que estava acontecendo à sua irmã; que eles também pudessem sentir tristeza; que eles pudessem ter adquirido consciência da própria morte, e temê-la: nenhuma dessas possibilidades jamais fora considerada por Penny.

E havia a questão do quarto dos filhos. A pequena casa de Penny tinha três quartos pequenos, e os meninos sempre haviam dividido um, enquanto Chrissie tinha o seu próprio quarto. Sem dúvida eles se ressentiam com isso quando Chrissie estava viva, sugeri, mas o que dizer da raiva deles agora, quando Penny se recusara a deixar que eles usassem o quarto da irmã depois de sua morte? E o que eles sentiam por ver o testamento de Chrissie no refrigerador durante os últimos quatro anos, preso com um imã de morango?

E pense em como eles devem ter se ressentido pela sua tentativa de manter a memória de Chrissie viva, continuando, por exemplo, a celebrar o aniversário dela todos os anos! E o que ela fizera para o aniversário *deles*? Penny corou e respondeu grosseiramente à minha pergunta, resmungando: "As coisas habituais." Eu sabia que estava avançando.

Talvez o casamento de Penny e Jeff estivesse mesmo destinado a fracassar, mas parecia claro que a dissolução final fora apressada pela tristeza. Penny e Jeff tinham estilos diferentes de sentir tristeza: ela imergia nas lembranças; ele preferia a supressão e a distração. O fato de eles serem ou não compatíveis em outros aspectos parecia irrelevante nesse momento: eles eram imensamente incompatíveis em sua tristeza, cada um escolhendo uma abordagem que interferia na do outro. Como Jeff poderia esquecer, se Penny empapelava as paredes com a fotografia de Chrissie, dormia em sua cama, transformava o quarto dela num memorial? Como Penny poderia superar sua tristeza, se Jeff se recusava até mesmo a falar sobre Chrissie; se (e isso desencadeara uma briga horrorosa) ele se recusara, seis meses após a morte dela, a ir à formatura da turma de Chrissie na escola?

Durante a quinta sessão, o nosso trabalho sobre aprender a viver melhor com os vivos foi interrompido por um tipo diferente de pergunta feito por Penny. Quanto mais ela pensava sobre a sua família, a filha morta e os dois filhos, mais ela começava a pensar: para que eu estou vivendo? Qual é o sentido disso tudo? Toda a sua vida adulta fora orientada por um princípio: dar a seus filhos uma vida melhor do que a que tivera. Entretanto, agora, o que ela tinha para mostrar nos últimos vinte anos? Ela desperdiçara a sua vida? E qual era o sentido de ela continuar a desperdiçar a vida da mesma maneira? Por que se matar para pagar a hipoteca? Que futuro existia em qualquer coisa?

Assim, nós mudamos o nosso foco. Deixamos de lado o relacionamento de Penny com seus filhos e o ex-marido e começamos a considerar outra importante característica do luto parental – a perda do significado da vida. Perder um dos pais ou um amigo antigo geralmente é perder o passado: a pessoa que morreu pode ser a única testemunha viva dos eventos dourados de muito tempo atrás. Mas perder um filho é perder o futuro: o que é perdido não é nada menos que o projeto de vida da pessoa – aquilo pelo que a pessoa vive, a maneira pela qual se projeta no futuro, o modo pelo qual a pessoa pode esperar transcender a morte (na verdade, o filho se torna o projeto de imortalidade). Dessa forma, em linguagem profissional, a perda dos pais é uma "perda de objeto" (o "objeto" sendo a figura que desempenhou um papel instrumental importante na constituição do mundo interno da pessoa), ao passo que a perda do filho é uma "perda de projeto" (a perda do princípio organizador central da vida de alguém, que proporciona não apenas o *porquê* mas também o *como* da vida). Não é difícil entender por que a perda de um filho é, de todas, a mais difícil de suportar, por que muitos pais continuam enlutados passados cinco anos, por que alguns jamais se recuperam.

Mas nós não havíamos progredido muito na nossa exploração do propósito da vida (não que o progresso fosse esperado: a ausência de propósito é um problema da *vida* e não de *uma* vida) quando Penny mudou novamente de curso. A essa altura eu já estava acostumado com o fato de ela trazer uma nova preocupação a quase todas as sessões. Não era, como pensei a princípio, por ela ser volúvel e incapaz de manter um foco. Ao contrário, ela estava corajosamente descobrindo as múltiplas camadas de sua tristeza. Quantas camadas mais ela iria me revelar?

Ela começou uma sessão – nossa sétima, creio – relatando dois eventos: um sonho vívido e uma outra perda de consciência.

A perda de consciência consistiu em ela "acordar" numa loja (a mesma em que "acordara" uma vez, anteriormente, segurando um bichinho de pelúcia) chorando e segurando um certificado de graduação do ensino médio.

Embora o sonho não fosse um pesadelo, ele estava cheio de frustração e angústia:

> Acontecia um casamento. Chrissie estava se casando com um rapaz da vizinhança – um verdadeiro panaca. Eu tinha de trocar as minhas roupas. Eu estava nessa grande casa em formato de ferradura, com inúmeros quartos pequenos, passando de um a outro para encontrar o quarto certo, em que pudesse me trocar. Continuei tentando, mas não consegui encontrá-lo.

E, momentos mais tarde, um fragmento "passageiro":

> Eu estava em um grande trem. Começamos a andar mais rápido e depois subimos em um grande arco no céu. Era muito bonito. Montes de estrelas. Lá, em algum lugar, talvez como um subtítulo (mas não podia ser, pois eu não consigo soletrá-lo), estava a palavra *evolução* – havia um forte sentimento ligado à palavra.

Em um certo nível, o sonho se relacionava a Chrissie. Nós falamos por um instante sobre o mau casamento que ela fizera no sonho. Talvez o noivo fosse a morte: era claramente o casamento que Penny não desejaria para a sua filha.

E a evolução? Penny disse que não se sentia mais conectada a Chrissie nas suas visitas ao cemitério (agora reduzidas a duas ou três por semana). Talvez, sugeri, a evolução significasse que Chrissie realmente partira para outra vida.

Talvez, mas Penny tinha uma explicação melhor para a tristeza tanto na perda de consciência quanto nos sonhos. Quando ela "acordara" da perda de consciência na loja, tivera o forte sentimento de que o certificado de graduação em sua mão não era para Chrissie (que teria se graduado no ensino médio nessa época), mas para ela própria. Penny jamais concluíra os estudos, e Chrissie faria isso para ambas (e também iria para Stanford pelas duas).

O sonho sobre o casamento e a busca de um quarto para se trocar se referia, pensava Penny, a seus próprios maus casamentos e à atual tentativa de mudar a sua vida. Suas associações com o prédio do sonho confirmavam essa visão: ele tinha uma semelhança impressionante com a clínica onde ficava o meu consultório.

E a *evolução* também se referia a ela, não a Chrissie. Penny estava pronta para se transformar em outra coisa. Ela estava ferozmente determinada a evoluir e ser bem-sucedida no mundo das pessoas bem-educadas. Durante anos, nos períodos em que não tinha passageiros em seu táxi, ela escutara fitas cassete de auto-ajuda, de vocabulário, grandes livros de apreciação da arte. Ela se achava talentosa, mas nunca desenvolvera suas aptidões, uma vez que desde os 13 anos de idade fora obrigada a trabalhar e ganhar dinheiro para viver. Se ao menos pudesse parar de trabalhar, fazer alguma coisa por si mesma, acabar o ensino médio, ir à faculdade em tempo integral, estudar "continuamente" e "decolar" daqui (*daqui* era o trem do sonho "decolando" no ar!).

A ênfase de Penny começou a mudar. Em vez de falar a respeito da tragédia de Chrissie, ela passou as duas horas seguintes descrevendo a tragédia de sua própria vida. Conforme nos aproximávamos de nossa nona, e última, sessão, sacrifiquei o restante da minha credibilidade e me ofereci para atender Penny por três horas adicionais, exatamente até o momento de minha partida sabática. Por inúmeras razões, eu achava difícil parar: a simples imensidão de seu sofrimento me obrigava a ficar com ela. Eu estava preocupado com sua condição clínica e me sentia responsável por ela: de semana em semana, à medida que novos assuntos emergiam, ela ficava progressivamente mais deprimida. Eu estava impressionado com o seu uso da terapia: eu jamais tivera um paciente que trabalhasse tão produtivamente. Por último –posso ser honesto –, estava encantado pelo drama que se desenrolava, uma vez que cada semana oferecia um episódio novo, excitante e inteiramente imprevisível.

Penny lembrava-se de sua infância em Atlanta, na Geórgia, como era implacavelmente desolada e empobrecida. Sua mãe, uma mulher amargurada e desconfiada, tivera grande dificuldade para vestir e alimentar Penny e suas duas irmãs. Seu pai ganhava um dinheiro razoável no setor de expedição de uma loja de departamentos, mas, se o relato da mãe era digno de crédito, ele era um homem insensível, sem alegria, que morrera de alcoolismo quando Penny tinha 8 anos de idade. Quando seu pai morreu, tudo mudou. Não havia dinheiro. A mãe trabalhava 12 horas por dia como lavadeira e passava a maioria das noites bebendo e pegando homens em um bar local. Foi nessa época que começaram os dias em que Penny se viu obrigada a se virar sozinha.

A família nunca mais teve um lar estável. Elas se mudavam de um apartamento alugado para outro, freqüentemente despejadas por não pagarem o aluguel. Penny foi trabalhar aos 13 anos, saiu da escola aos 15, era alcoólatra aos 16, casou e se divorciou antes dos 18, casou novamente e fugiu para a Costa Oeste aos 19, onde deu à luz três filhos, comprou uma casa, enterrou a filha, divorciou-se do marido e comprou um grande lote no cemitério.

Eu estava particularmente impressionado com dois temas fortes no relato de Penny sobre a sua vida. Um deles é que ela fora enganada, que as cartas foram armadas contra ela quando estava com 8 anos de idade. Seu maior desejo para a sua próxima vida, tanto para ela quanto para Chrissie, era ser "podre de rica".

Um outro tema era "escapar", não apenas escapar fisicamente de Atlanta, de sua família, do ciclo de pobreza e alcoolismo, mas escapar de seu destino de se tornar uma "pobre velhinha louca" como a mãe, sendo que Penny recentemente ficara sabendo que sua mãe tivera várias hospitalizações psiquiátricas nos últimos anos.

Escapar do destino – do destino de classe social e de seu destino pessoal de "pobre velhinha" louca – era uma motivação maior na vida de Penny. Ela procurara minha ajuda para não ficar louca. Ela podia cuidar, disse, de não ser pobre. Na verdade, era o impulso de escapar a seu destino que alimentava seu *workaholism*,[11] que a mantinha trabalhando por longas e exaustivas horas.

Era irônico, também, que seu impulso para escapar ao destino de pobreza e fracasso tivesse sido interrompido por um destino mais profundo – a finitude inerente à vida. Penny, mais do que a maioria de nós, jamais chegara a um acordo com a inevitabilidade da morte. Ela era uma pessoa essencialmente ativa – eu me lembrei de sua perseguição aos traficantes de droga na auto-estrada –, e uma das coisas mais difíceis de enfrentar durante a morte de Chrissie fora a sua própria impotência.

Apesar de estar acostumado às revelações maiores de Penny, eu não estava preparado para a surpresa estarrecedora que ela me proporcionou na nossa 11ª, a penúltima, sessão. Nós conversávamos sobre o final da terapia, e ela falava de como se acostumara com nossos encontros e como seria difícil a despedida na semana seguinte, como o fato de me perder se tornaria mais uma perda na sua cadeia de perdas, quando ela mencionou, casualmente:

– Eu já lhe disse alguma vez que tive gêmeas aos 16 anos de idade?

Eu senti vontade de gritar: "O quê? Gêmeas? Aos 16 anos? O que você quer dizer com "Já lhe disse alguma vez? Você sabe muito bem que nunca me contou!" Mas, tendo apenas o restante da sessão e a seguinte, fui obrigado a ignorar a maneira como ela fez a revelação e lidar com a novidade propriamente dita.

– Não, você nunca me contou. Conte-me.

– Bem, eu fiquei grávida aos 15 anos. Foi por isso que larguei a escola. Eu não contei a ninguém até ser muito tarde para se fazer alguma coisa, de modo que fui em frente e tive o bebê. Aconteceu que eram gêmeas. – Fazendo uma pausa, Penny se queixou de dor na garganta. Obviamente, aquilo era muito mais difícil do que ela imaginara.

Perguntei o que acontecera às gêmeas.

– A Assistência Social disse que eu era uma mãe sem recursos, eles estavam certos, imagino, mas me recusei a dá-las e tentei tomar conta delas, mas, depois de uns seis meses, eles as levaram embora. Eu as visitei algumas vezes, até que foram adotadas. Jamais soube nada sobre elas desde então. Nunca tentei encontrá-las. Deixei Atlanta sem olhar para trás.

– Você pensa muito nelas?

[11] Dependência do trabalho, numa analogia à dependência do álcool. Refere-se às pessoas que "se viciam" em trabalhar. (N. do T.)

– Não até agora. Elas entraram em minha mente algumas vezes logo depois que Chrissie morreu, mas foi somente nessas últimas semanas que comecei a pensar nelas. Penso em como elas estão, como estão se saindo, se são ricas... Esse foi o único favor que eu pedi à agência de adoção. Eles disseram que tentariam. Sempre leio histórias nos jornais sobre mães pobres que vendem seus bebês para famílias ricas. Mas que diabos eu sabia na época?

Passamos o restante da sessão e parte da nossa sessão final explorando as ramificações desta nova informação. De uma maneira curiosa, sua descoberta nos ajudou a lidar com o fim da terapia, uma vez que fez um círculo completo, de volta ao começo da terapia, de volta àquele, até então, misterioso primeiro sonho, em que seus dois filhos pequenos, vestidos como meninas, estavam em exposição numa instituição. A morte de Chrissie e o profundo desapontamento de Penny em relação aos seus dois filhos devem ter incitado seu arrependimento por ter dado as filhas, devem tê-la feito sentir que não apenas a criança errada morrera, mas que as crianças erradas haviam sido adotadas.

Eu perguntei se ela sentia culpa por ter desistido de suas filhas. Penny respondeu, de modo prático, que fizera o melhor para todas elas. Se ela, aos 16 anos, tivesse ficado com as filhas, teria se encerrado em uma vida igual à da mãe. E teria sido um desastre para as crianças; ela não poderia lhes dar nada como mãe solteira – e foi aqui que entendi melhor por que Penny não me contara antes sobre as gêmeas. Ela tinha vergonha, vergonha de contar que não conhecia a identidade do pai. Ela havia sido muito promíscua em sua adolescência; na verdade, ela fora a "ovelha negra da escola" (termo dela), e o pai poderia ser qualquer um entre dez garotos. Ninguém em sua vida atual, nem mesmo seu marido, sabia sobre seu passado, nem sobre as gêmeas nem sobre sua reputação na escola – da qual ela também havia tentado escapar.

Ela terminou a sessão dizendo:

– Você é a única pessoa que sabe disso.

– Como você se sente ao me contar?

– Confusa. Pensei várias vezes antes de contar a você. Tive muitas conversas com você a semana toda.

– Confusa, como?

– Apavorada, bem, mal, com altos e baixos. – Penny disparou tudo isso mecanicamente. Intolerante para discutir sentimentos mais delicados, ela estava ficando irritada. Ela percebeu e tentou se controlar. – Tenho medo de que você me julgue, imagino. Queria que isso acontecesse na nossa última sessão, na próxima semana, com você ainda sentindo respeito por mim.

– Você acha que eu não sinto?

– Como posso saber? Tudo o que você faz é perguntar.

Ela estava certa. Estávamos chegando ao final de nossa 11ª sessão – não era hora de eu ficar me resguardando.

– Penny, você não deve se preocupar comigo. Quanto mais descubro a seu respeito, mais gosto de você. Tenho imensa admiração por tudo que você superou e pelo que fez na vida.

Penny desatou a chorar. Ela apontou para o seu relógio para me lembrar de que nosso tempo terminara e saiu correndo do consultório com o rosto enterrado num lenço de papel.

Uma semana mais tarde, no nosso último encontro, eu fiquei sabendo que as lágrimas haviam continuado por quase toda a semana. Ao voltar para casa depois da última sessão, ela parou no cemitério, sentou-se ao lado do túmulo de Chrissie e, como freqüentemente fazia, chorou por sua filha. Mas, naquele dia, as lágrimas não tinham fim. Ela se abaixara, abraçara o túmulo de Chrissie e começara a chorar ainda mais intensamente – não apenas por Chrissie, mas, finalmente, por todas as outras, todas as outras perdas.

Ela chorou por seus filhos, pelos anos irrecuperáveis, pela destruição de suas vidas. Chorou pelas duas filhas perdidas, que jamais conheceu. Chorou por seu pai – fosse ele quem fosse. Chorou por seu marido, pelo tempo passado, pela juventude cheia de esperanças que eles haviam compartilhado. Chorou inclusive por sua pobre e velha mãe e pelas irmãs, que cortara de sua vida havia vinte anos. Mas, acima de tudo, ela chorou por si própria, pela vida que havia sonhado e que jamais vivera.

Nosso tempo logo chegou ao fim. Nós nos levantamos, caminhamos para a porta, apertamo-nos as mãos e nos separamos. Eu a observei descer as escadas. Ela me viu olhando, voltou-se e disse:

– Não se preocupe comigo. Eu ficarei bem. Lembre-se – e ela mostrou uma corrente de prata que usava no pescoço – de que eu fui uma *latchkey kid.*[12]

[12] Criança cujos pais raramente estão em casa e que é deixada sozinha freqüentemente. O termo *latchkey* significa chave de trinco. (N. do T.)

Conclusão

Vi Penny mais uma vez, um ano mais tarde, quando voltei de meu ano sabático. Para meu alívio, ela havia melhorado muito. Embora tivesse me assegurado de que ficaria bem, eu ficara extremamente preocupado com ela. Eu jamais tive um paciente que estivesse tão disposto a revelar um assunto tão doloroso em um período de tempo tão curto. Nem algum que chorasse tão alto. (Minha secretária, cuja sala fica imediatamente ao lado da minha, normalmente tirava períodos prolongados para o café durante a hora de terapia de Penny.)

Em nossa primeira sessão, Penny me dissera: "Apenas me faça começar. Eu cuidarei do resto." Com efeito, fora isso o que acontecera. Durante o ano seguinte à nossa terapia, Penny não consultou o terapeuta que eu havia sugerido, mas continuou a fazer progressos sozinha.

Em nossa sessão de manutenção, ficou evidente que sua tristeza, que havia sido tão encarcerada, tornara-se mais fluida. Penny ainda era uma mulher assombrada, mas seus demônios agora habitavam o presente, e não o passado. Ela agora sofria não porque havia esquecido dos acontecimentos que envolviam a morte de Chrissie, e sim pelo modo como negligenciara seus dois filhos.

Na verdade, seu comportamento com os filhos era a mais tangível evidência de mudança. Os dois haviam voltado para casa e, embora o conflito mãe-filho ainda fosse devastador, seu caráter mudara. Penny e eles haviam parado de brigar pelo lote do cemitério e pelas festas de aniversário de Chrissie, mas brigavam porque Brent tinha pegado emprestada a picape e pela incapacidade de Jim de se manter em um emprego.

Além disso, Penny continuara a se separar de Chrissie. Suas visitas ao cemitério eram mais breves e menos freqüentes; ela dera a maioria das roupas e dos brinquedos de Chrissie, e passara seu quarto para Brent; retirara o testamento de Chrissie do refrigerador, parara de telefonar para os amigos dela e parara de imaginar os eventos que Chrissie experienciaria se estivesse viva – por exemplo, seu baile de formatura ou seu ingresso na universidade.

Penny era uma sobrevivente. Acho que eu sabia disso desde o início. Eu me lembrei do nosso primeiro encontro e de como estava determinado a não lhe oferecer terapia. No entanto, ela conseguira o que estava determinada a conseguir: terapia, sem honorários, com um professor de Stanford. Como aquilo acontecera? Será que as coisas simplesmente aconteceram? Ou será que fui habilmente manipulado?

Ou talvez tenha sido eu quem manipulou? Isto realmente não importava. Eu também havia me beneficiado do nosso relacionamento. Queria aprender a respeito do luto, e Penny, em apenas 12 horas, me conduzira, camada por camada, ao núcleo preciso da tristeza.

Primeiro, exploramos a culpa, um estado mental do qual poucos sobreviventes escapam. Penny sentia culpa por sua amnésia, por não ter falado mais sobre a morte com sua filha. Outros sobreviventes sentem culpa por outras coisas: por não terem feito o suficiente, por não terem procurado ajuda médica mais cedo, por não terem cuidado mais, protegido mais. Uma paciente minha, esposa particularmente atenta, quase não se afastou do marido por semanas durante a sua hospitalização final, mas se atormentou durante anos porque ele morrera nos poucos minutos em que ela saíra para comprar um jornal.

O sentimento de que a pessoa "deveria ter feito mais" reflete, me parece, um desejo subjacente de controlar o incontrolável. Afinal de contas, se alguém sente culpa por não ter feito alguma coisa que deveria ter feito, existe, conseqüentemente, algo que *poderia* ter sido feito – um pensamento confortador que nos ilude em relação ao nosso patético desamparo perante a morte. Encerrados numa elaborada ilusão de poder e de progresso ilimitados, cada um de nós se impõe, ao menos até a crise da meia-idade, a crença de que a existência consiste numa eterna espiral ascendente de realizações, que dependem apenas da vontade.

Essa confortadora ilusão pode ser destruída por uma experiência súbita, irreversível, freqüentemente designada pelos filósofos como uma "experiência-limite". De todas as experiências-limite, nenhuma – como na história de Carlos ("Se o estupro fosse legal...") – nos confronta mais potencialmente com a finitude e a contingência (e nenhuma é mais capaz de produzir uma mudança pessoal dramática, imediata) do que a iminência da nossa própria morte.

Uma outra experiência-limite imperativa é a morte de um outro ente significativo – um marido amado, uma esposa ou um amigo – que destrói a ilusão da nossa invulnerabilidade. Para a maioria das pessoas, a pior de todas as perdas é a morte de um filho. Nessa situação, a vida parece atacar em todas as frentes: os pais se sentem culpados e assustados por sua própria incapacidade de agir; ficam zangados pela impotência e aparente insensibilidade dos que prestam cuidados médicos; podem praguejar contra a injustiça de Deus ou do universo (muitos finalmente compreendem que a aparente injustiça é, na realidade, indiferença cósmica). Os pais enlutados são também, por analogia, confrontados com suas próprias mortes: eles não foram capazes de proteger uma criança indefesa, e, como a noite se segue ao dia, eles compreendem a amarga verdade de que eles, por sua vez, não serão protegidos. "E, portanto", como escreveu John Donne, "jamais pergunte por quem os sinos dobram; eles dobram por você."

O medo de Penny de sua própria morte, embora não tivesse emergido explicitamente em nossa terapia, se manifestara de forma indireta. Por exemplo, ela estava muito preocupada com o "tempo que fugia" – muito pouco tempo para se educar, tirar férias, deixar para trás algum legado tangível; e muito pouco tempo para terminarmos o nosso trabalho juntos. Além disso, no início da terapia ela demonstrara considerável evidência de angústia ante a morte em seus sonhos. Em dois sonhos, ela enfrentava a morte por afogamento; no primeiro, ela se agarrava a frágeis pranchas flutuantes, enquanto o nível da água subia inexoravelmente na direção de sua boca; no outro, ela se agarrava aos restos flutuantes de sua casa e pedia ajuda a um médico vestido de branco que, em vez de salvá-la da água, pisava em suas mãos.

Ao trabalhar esses sonhos, não tratei de suas preocupações em relação à morte. Doze horas de terapia é um tempo breve demais para identificar, para expressar e para realizar um trabalho proveitoso em relação à angústia da morte. Pelo contrário, utilizei o material dos sonhos para explorar temas que já haviam emergido em nosso trabalho. Esse uso pragmático dos sonhos é comum em terapia. Os sonhos, como os sintomas, não têm uma explicação única: eles são sobredeterminados e contêm muitos níveis de significado. Ninguém jamais analisa exaustivamente um sonho; em vez disso, a maioria dos terapeutas o aborda examinando oportunamente os temas do sonho que poderão acelerar o trabalho imediato da terapia.

Conseqüentemente, enfoquei a questão da perda de sua casa e de a água levar embora as fundações de sua vida. Também utilizei os sonhos para trabalhar o nosso relacionamento. Mergulhar em águas profundas simboliza, não raro, o ato de mergulhar nas profundezas do próprio inconsciente. E, é claro, eu era o médico vestido de branco que se recusara a ajudá-la e, ao contrário, pisara em seus cinco dedos. Na discussão subseqüente, Penny explorou, pela primeira vez, seu desejo de receber de mim apoio e orientação, e seu ressentimento por meus esforços para considerá-la material de pesquisa em vez de uma paciente.

Utilizei uma abordagem racional em relação à sua culpa e seu tenaz apego à memória da filha. Eu a confrontei com a incongruência entre suas crenças de reencarnação e seu comportamento. Embora esse apelo à razão seja freqüentemente ineficaz, Penny era fundamentalmente uma pessoa bem integrada e cheia de recursos, responsiva à persuasão.

No estágio seguinte da terapia, exploramos a idéia de que "precisamos aprender a viver com os vivos antes de podermos aprender a viver com os mortos". Agora já não me recordo se essas foram palavras de Penny, minhas ou de algum colega, mas estou certo de que foi ela quem me fez perceber a importância desse conceito.

De muitas maneiras, seus filhos foram as vítimas reais da tragédia – como freqüentemente acontece com os irmãos sobreviventes da criança que morre. Algumas vezes, como na família de Penny, as crianças sobreviventes sofrem porque grande parte da energia dos pais continua dirigida à criança morta, que é tanto relembrada quanto idealizada. Alguns filhos sobreviventes ficam cheios de ressentimentos em relação ao irmão morto, pelo tempo e energia que ele demanda dos pais; com freqüência, o ressentimento existe concomitantemente à própria tristeza e à própria compreensão do dilema dos genitores. Tal combinação é uma fórmula perfeita para promover a culpa na criança sobrevivente e um sentimento de desvalorização e maldade.

Outro cenário possível, que felizmente não aconteceu com Penny, consiste em os pais terem imediatamente um outro filho, um filho substituto. Muitas vezes as circunstâncias favorecem esse fato, mas às vezes mais problemas são criados do que resolvidos. Primeiro, isso pode prejudicar o relacionamento com os filhos sobreviventes. Além disso, o filho substituto também sofre, especialmente se a tristeza dos pais continua não resolvida. Crescer carregando as esperanças dos pais de que devemos cumprir os objetivos não realizados de suas vidas já é bastante duro, mas a carga adicional de abrigar o espírito de um irmão morto pode esmagar o delicado processo de formação da identidade.

Outro cenário comum é a superproteção dos pais em relação aos filhos sobreviventes. Percebi, na manutenção, que Penny estava se tornando vítima dessa dinâmica: ela passara a ter medo quando os filhos dirigiam, relutava em lhes emprestar a sua picape e se recusava terminantemente a deixar qualquer um deles comprar uma moto. Além disso, insistia em que eles fizessem exames médicos freqüentes, desnecessários, para descartar um câncer.

Em nossa discussão a respeito de seus filhos, senti que teria de ter cuidado e contentar-me em ajudá-la a avaliar, da perspectiva deles, as conseqüências da morte de Chrissie. Eu não queria que a culpa de Penny, eliminada tão recentemente, "revelasse" como ela negligenciara os filhos e a fizesse se agarrar a esse novo objeto. Eventualmente, meses mais tarde, ela realmente desenvolveu culpa no relacionamento com seus filhos, mas naquele momento estava mais capaz de tolerá-la e manejá-la, modificando o seu comportamento.

O destino do casamento de Penny, infelizmente, é muito comum nas famílias que perderam um filho. As pesquisas demonstram que, contrariamente à expectativa de que a tragédia da morte de uma criança possa unir a família, muitos pais enlutados relatam uma crescente discórdia conjugal. A seqüência de eventos no casamento de Penny é típica: marido e mulher fazem o luto de maneiras diferentes – de fato, diametralmente opostas; marido e mulher são muitas vezes incapazes de compreender e apoiar um ao outro; o luto de um cônjuge interfere ativamente no luto do outro, provocando atrito, alienação e eventual separação.

A terapia tem muito a oferecer aos pais enlutados. O tratamento de casal pode esclarecer as fontes de tensão conjugal e ajudar cada parceiro a reconhecer e a respeitar a forma como o outro sente a tristeza. A terapia individual pode ajudar a alterar o luto disfuncional. Embora eu seja sempre muito cauteloso com generalizações, os estereótipos masculino-feminino muitas vezes são verdadeiros nessa situação. Muitas mulheres, como Penny, precisam ir além da expressão repetitiva de sua perda e voltar a se comprometer com os vivos, com projetos, com tudo que possa trazer significado às suas vidas. Os homens geralmente precisam ser ensinados a experimentar e a compartilhar a sua tristeza (em vez de suprimi-la e fugir dela).

No estágio seguinte do trabalho sobre sua tristeza, Penny deixou que dois sonhos – o trem planador e a evolução, e o casamento e a busca de um quarto para onde pudesse se mudar – a guiassem até a importante descoberta de que seu luto por Chrissie estava mesclado com o luto por si própria e por seus desejos e potenciais não realizados.

O término de nosso relacionamento conduziu Penny à descoberta de uma camada final de tristeza. Ela temia o fim da terapia por várias razões: naturalmente, ela sentiria falta de minha orientação profissional, e sentiria falta de mim, pessoalmente – afinal de contas, ela nunca se dispusera a confiar num homem e aceitar a ajuda dele. Mas, além disso, o simples ato de terminar evocava vívidas lembranças de todas as outras perdas dolorosas que ela sofrera, mas que jamais se permitira sentir e lamentar.

O fato de que grande parte da mudança terapêutica de Penny foi gerada e conduzida por ela mesma contém uma importante lição para os terapeutas, um pensamento consolador que um professor compartilhou comigo no início de minha formação: "Lembre-se, você não pode fazer todo o trabalho. Contente-se em ajudar um paciente a compreender o que deve ser feito e em seguida confie em seu desejo de crescimento e mudança."

CAPÍTULO 5

"Eu jamais pensei que isso aconteceria comigo"

Cumprimentei Elva em minha sala de espera e percorremos juntos a curta distância até o meu consultório. Alguma coisa acontecera. Ela estava diferente e seu caminhar estava penoso, desencorajado, desanimado. Nas últimas semanas houvera vivacidade em seus passos, mas hoje ela novamente se assemelhava à mulher desesperançada, de andar lento e arrastado que eu conhecera havia oito meses. Lembro-me de suas primeiras palavras: "Acho que preciso de ajuda. A vida não parece valer a pena. Faz um ano que meu marido morreu, mas as coisas não estão melhorando. Talvez eu seja uma aluna muito lenta."

Mas ela não fora uma aluna lenta. Na verdade, a terapia progredira notavelmente bem – talvez estivesse funcionando com muita facilidade. O que poderia tê-la feito retroceder daquela maneira?

Sentando-se, Elva suspirou e disse: "Eu jamais pensei que isso aconteceria comigo."

Ela tinha sido roubada. Pela sua descrição, parecia o roubo comum de uma bolsa. O ladrão, sem dúvida, a localizara em um restaurante à beira-mar em Monterey, e a vira pagar a conta em dinheiro para três amigas – todas elas viúvas idosas. Deve tê-la seguido até a área do estacionamento, com os passos abafados pelo rugido das ondas, começara a correr e, sem parar, arrancara a bolsa dela e pulara em seu carro, que estava próximo.

Elva, apesar de suas pernas inchadas, correra para o restaurante para pedir ajuda, mas obviamente era tarde demais. Algumas horas depois, a polícia encontrara sua bolsa vazia, pendurada num arbusto na beira da estrada.

Trezentos dólares significavam muito para ela, e, durante alguns dias, Elva se preocupou com o dinheiro que havia perdido. Essa preocupação se evaporou gradualmente e, em seu lugar, ficou um resíduo amargo – um resíduo expresso pela frase "Eu jamais pensei que isso aconteceria comigo". Juntamente com a bolsa e seus trezentos dólares, uma ilusão fora roubada de Elva – a ilusão de ser uma pessoa especial. Ela sempre vivera num círculo privilegiado, sem os dissabores, as desagradáveis inconveniências que atingiam as pessoas comuns – as massas fervilhantes dos tablóides e noticiários que estão sempre sendo roubadas ou lesadas.

O roubo mudara tudo. Foram-se o conforto, a suavidade de sua vida; fora-se a segurança. Sua casa sempre lhe acenara com suas almofadas, jardins, acolchoados e tapetes macios. Agora ela via fechaduras, portas, alarmes contra ladrões e telefones. Ela sempre levara seu cachorro para passear às seis horas, todas as manhãs. A tranqüilidade da manhã agora parecia ameaçadora. Ela e seu cachorro paravam e escutavam o perigo.

Nada disso é surpreendente. Elva ficara traumatizada e agora sofria de um estresse pós-traumático comum. Depois de um acidente ou de um assalto, a maioria das pessoas tende a se sentir insegura, a ter um limiar de sobressalto mais baixo e a ficar hipervigilante. Eventualmente, o tempo apaga a lembrança do acontecimento e as vítimas gradualmente retornam ao estado anterior, confiantes.

Mas, para Elva, o acontecimento foi mais do que um simples assalto. Sua visão do mundo havia sido abalada. Ela afirmava com freqüência: "Enquanto uma pessoa tiver olhos, ouvidos e uma boca, posso cultivar sua amizade." Porém, não mais. Ela perdera a crença na benevolência, na própria invulnerabilidade. Ela se sentia despida, comum, desprotegida. O verdadeiro impacto daquele roubo foi destruir a ilusão e confirmar, de maneira brutal, a morte de seu marido.

É claro, ela sabia que Albert estava morto. Morto e em seu túmulo, havia mais de um ano e meio. Ela fizera a caminhada ritualística da viúva – por meio do diagnóstico de câncer; da terrível, nauseante, contemporizadora quimioterapia; da última visita a Carmel juntos; da cama de hospital em casa; do funeral; da papelada; dos convites para jantar que aos poucos iam diminuindo; da viúva e dos clubes para viúvas; das longas e solitárias noites. Toda a catástrofe necrótica.

Todavia, apesar disso tudo, Elva conservara o sentimento da existência contínua de Albert e, conseqüentemente, de sua persistente segurança e condição de ser especial. Ela continuara a viver "como se", como se o mundo fosse seguro, como se Albert estivesse lá, na oficina, ao lado da garagem.

Entendam, não estou falando de delírio. Racionalmente, Elva sabia que Albert se fora, mas ainda vivia a sua vida rotineira por trás de um véu de ilusão que amenizava a dor e atenuava a clareza do conhecimento. Havia mais de quarenta anos, ela fizera um contrato com a vida, cuja origem e termos explícitos haviam sido apagados pelo tempo, mas cuja natureza básica era clara: Albert cuidaria de Elva para sempre. A partir dessa premissa inconsciente, Elva construíra seu suposto mundo – um mundo caracterizado pela segurança e pelo paternalismo benevolente.

Albert era um reparador. Ele fora telhador, mecânico, prestador de serviços gerais, empreiteiro; podia consertar qualquer coisa. Atraído por uma fotografia de alguma peça de mobiliário ou de algum dispositivo engenhoso em um jornal ou revista, ele começaria a fazer uma réplica em sua oficina. Eu, que sempre fui completamente inepto em trabalhos manuais, ouvia fascinado. Quarenta e um anos vivendo com um reparador é muito reconfortante. Não era difícil entender por que Elva se agarrava ao sentimento de que Albert ainda estava lá, de volta à oficina, cuidando dela, consertando coisas. Como ela poderia desistir disso? Por que deveria? Essa lembrança, reforçada por 41 anos de experiência, tecera um casulo em torno de Elva, que a protegia da realidade – isto é, até a sua bolsa ser roubada.

No meu primeiro encontro com ela oito meses atrás, não pude encontrar nela muitas coisas a serem amadas. Ela era uma mulher atarracada, pouco atraente, em parte gnomo, em parte duende, em parte sapo, e cada uma das partes era mal-humorada. Fiquei fascinado por sua elasticidade facial: ela piscava, fazia caretas e arregalava os olhos, isoladamente ou em dueto. A testa parecia viva, com grandes sulcos, como um tanque. Sua língua, sempre visível, mudava radicalmente de tamanho conforme saía ou entrava rapidamente, ou circulava pelos lábios úmidos, flexíveis, pulsantes. Eu lembro que me divertia, quase rindo alto, ao imaginar que a apresentava aos pacientes que tomavam havia muito tempo medicação tranqüilizante e que haviam desenvolvido dicinesia tardia (uma anormalidade da musculatura facial induzida por drogas). Os pacientes, em poucos segundos, ficariam profundamente ofendidos, pois acreditariam que Elva estaria zombando deles.

Mas o que eu realmente não gostava nela era a sua raiva. Ela transpirava raiva e, nas nossas primeiras horas juntos, sempre tinha alguma coisa maldosa a dizer sobre todas as pessoas que ela conhecia – salvo, é claro, Albert. Ela detestava os amigos que não a convidavam mais. Detestava os que a convidavam, mas que não a deixavam à vontade. Inclusão ou exclusão, tudo dava no mesmo para ela: ela encontrava algo para detestar em todas as pessoas. Odiava os médicos que lhe haviam dito que Albert estava condenado. Odiava ainda mais os que ofereceram falsas esperanças.

Aquelas sessões foram muito difíceis para mim. Eu passara horas demais na juventude odiando silenciosamente a língua ferina da minha mãe. Lembro-me dos jogos de imaginação que fazia quando criança, tentando inventar a existência de alguém que ela não odiasse: uma tia bondosa? Um avô que lhe contasse histórias? Um companheiro de brincadeiras mais velho que a defendesse? Mas jamais descobri alguém. Salvo, é claro, o meu pai, e ele era realmente parte dela, seu porta-voz, seu ânimo, sua criação, que (de acordo com a primeira lei da robótica de Asimov) não poderia se voltar contra o seu criador – apesar de minhas preces para que alguma vez – apenas uma vez; por favor, papai – exploda com ela.

Tudo o que eu podia fazer com Elva era agüentar firme, escutá-la, de alguma maneira suportar a sessão e usar todo o meu engenho para encontrar algo para dizer que pudesse ajudar logo – geralmente algum comentário insípido sobre como deveria ser difícil para ela carregar tanta raiva. Às vezes, quase maldosamente, eu perguntava sobre as pessoas do seu círculo familiar. Certamente, deveria existir alguém que merecesse respeito. Mas ninguém era poupado. Seu filho? Ela disse que o elevador dele "não chegava ao último andar". Ele era "ausente": mesmo quando estava lá, estava "ausente". E sua nora? Nas palavras de Elva, "uma GAP".[13] Quando vol-tava para casa, seu filho ligava para a mulher do telefone do carro para dizer que queria jantar assim que chegasse. Nenhum problema. Ela podia aprontar. Nove minutos, Elva lembrou-me, era todo o tempo necessário para a GAP cozinhar o jantar – para colocar no forno e "atacar com um microondas" um delicioso e dietético jantar congelado.

Todos tinham um apelido. Sua neta, a "Bela Adormecida" (ela sussurrou o apelido com uma enorme piscadela e um aceno sonolento de cabeça), tinha dois banheiros – dois, entenda. Sua empregada, que contratara para amenizar sua solidão, era "Melodia Maluca", tão burra que tentava esconder que fumava, jogando a fumaça dentro do vaso sanitário. Sua afetada parceira de bridge era "Dame[14] May Whitey" (e Dame May Whitey até que era esperta se comparada com o restante, com todos os

[13] O apelido que Elva dera à nora, "Gap", significa vácuo, vazio, lacuna, uma grande diferença de opinião ou de caráter. As iniciais que formam o apelido correspondem a "gentile" (gentia, não judia), "American" (americana) e "princess" (princesa). (N. do T.)

[14] Título de um membro feminino da Ordem do Império Britânico, título honorífico concedido às viúvas de cavalheiros e baronetes. (N. do T.)

zumbis com Alzheimer e bêbados fracassados que, de acordo com Elva, constituíam a população jogadora de bridge de São Francisco).

Mas, de alguma maneira, apesar de seu rancor, de eu não gostar dela e da evocação de minha mãe, fomos adiante com as sessões. Contive a irritação, aproximei-me um pouco mais, resolvi a minha contratransferência desemaranhando minha mãe de Elva e lentamente, muito lentamente, comecei a me interessar por ela.

Eu acho que o momento crítico aconteceu no dia em que ela se jogou na cadeira com um "Caramba! Estou cansada." Em resposta às minhas sobrancelhas erguidas, ela explicou que acabara de jogar 18 buracos de golfe com seu sobrinho de 20 anos. (Elva estava com 60 anos, media um metro e meio e pesava no mínimo uns 72 quilos.)

– Como você se saiu? – perguntei, alegremente, cumprindo a minha parte na conversa.

Ela se inclinou para a frente, tapando a boca com a mão, como para excluir alguma pessoa na sala, mostrou-me um número surpreendente de enormes dentes e disse:

– Eu dei uma surra nele!

Aquilo me pareceu tremendamente engraçado e comecei a rir, e ri até meus olhos se encherem de lágrimas. Elva gostou de eu ter rido. Ela me disse, mais tarde, que foi o primeiro ato espontâneo do Herr Doctor Professor (então, esse era o *meu* apelido!) e riu comigo. Depois disso, nós nos entendemos muito bem. Eu comecei a apreciá-la – seu maravilhoso senso de humor, sua inteligência, sua alegria. Ela tivera uma vida rica, cheia de acontecimentos. Nós éramos parecidos de várias maneiras. Como eu, ela dera o grande salto de gerações. Meus pais haviam chegado aos Estados Unidos com cerca de 20 anos de idade, imigrantes da Rússia, sem um tostão. Seus pais haviam sido imigrantes irlandeses pobres, e ela saltara o hiato entre as moradias irlandesas de South Boston e os torneios de duplas de bridge de Nob Hill, em São Francisco.

No início da terapia, uma hora com Elva significava um trabalho difícil. Eu me arrastava para buscá-la na sala de espera. Mas, depois de alguns meses, tudo aquilo mudou. Eu esperava ansiosamente pelo nosso tempo juntos. Nenhuma de nossas horas se passava sem uma boa risada. Minha secretária dizia que sempre sabia, pelo meu sorriso, que eu atendera Elva naquele dia.

Nós nos encontramos semanalmente durante vários meses e a terapia seguia bem, como normalmente acontece quando o terapeuta e o paciente apreciam um ao outro. Nós falamos a respeito de sua viuvez, de seu papel social modificado, de seu medo de ficar sozinha, de sua tristeza por nunca ser tocada fisicamente. Porém, o mais importante de tudo, falamos sobre a sua raiva – sobre como ela afastara a família e os amigos. Gradualmente, ela cedeu; tornou-se mais branda e mais gentil. Suas histórias sobre a Melodia Maluca, a Bela Adormecida, a Dame May Whitey e a brigada de bridge com Alzheimer passaram a ser menos amargas. Ocorreram aproximações; à medida que sua raiva recuava, a família e os amigos reapareciam em sua vida. Ela estava se saindo tão bem que, pouco antes do roubo da bolsa, eu andara considerando a possibilidade de encerrar.

Mas, quando foi roubada, ela sentiu como se estivesse começando tudo de novo. Acima de tudo, o roubo evidenciara o fato de ela ser comum. Sua frase "Eu jamais pensei que isso aconteceria comigo" refletia a perda da crença em sua qualidade de ser especial. É claro que ela ainda era especial no sentido de que tinha qualidades e dons especiais, uma história de vida única, de que ninguém jamais fora como ela. Este é o lado racional da condição de ser especial. Mas nós (e alguns mais do que outros) também temos um sentimento irracional de que somos especiais. É um de nossos principais recursos para negar a morte, e a parte de nossa mente cuja tarefa é apaziguar o terror da morte gera a crença irracional de que somos invulneráveis – de que as coisas desagradáveis como envelhecer e morrer podem ser uma sina alheia, mas não a nossa, de que existimos acima da lei, acima do destino humano e biológico.

Embora Elva respondesse ao roubo da bolsa de uma maneira que *parecia* irracional (por exemplo, proclamando que não tinha condições de viver no mundo, pelo medo de sair de casa), era claro que ela *realmente* sofria por lhe ter sido arrancada a irracionalidade. O sentimento de ser especial, de ser encantada, de ser a exceção, de ser eternamente protegida – todos os auto-enganos que lhe haviam servido tão bem subitamente perderam a sua capacidade de persuasão. Ela viu através das próprias ilusões, e o que a ilusão havia escondido estava agora exposto diante ela, nu e terrível.

Seu ferimento estava completamente exposto. Esse era o momento, pensei, de abri-lo amplamente, desbridá-lo bem e permitir que ele se curasse verdadeiramente.

– Quando você diz que jamais pensou que isso aconteceria com você, eu sei exatamente o que quer dizer – falei. – É muito difícil para mim, também, aceitar que todas essas aflições, o envelhecimento, a perda, a morte, irão acontecer comigo.

Elva assentiu com a cabeça, a testa franzida demonstrando que estava surpresa por eu ter dito alguma coisa pessoal.

– Você deve sentir que, se Albert estivesse vivo, isso jamais lhe teria acontecido. – Eu ignorei sua resposta pretensiosa de que se Albert estivesse vivo ela não teria levado aquelas três galinhas velhas para almoçar. – Assim, o roubo faz você sentir claramente que ele realmente se foi.

Seus olhos se encheram de lágrimas, mas senti que tinha o direito, a autorização, para continuar. – Você sabia disso antes, eu sei. Mas parte de você não sabia. Agora você realmente sabe que ele está morto. Ele não está no quintal. Ele não está lá atrás, na oficina. Ele não está em lugar nenhum. Exceto em suas lembranças.

Elva estava realmente chorando agora, e sua estrutura atarracada se sacudiu soluçante durante vários minutos. Ela jamais fizera isso comigo. Eu fiquei lá sentado, me perguntando: "*Céus*, o que eu faço?" Mas meus instintos felizmente me levaram ao que provou ser uma jogada inspirada. Meus olhos encontraram, por acaso, a sua bolsa – a bolsa arrancada, muito chamativa; e eu disse: – Azar é uma coisa, mas você não estará chamando-o ao carregar uma coisa tão grande? – Elva, ousada como sempre, não deixou de fazer uma observação sobre os meus bolsos estufados e sobre a bagunça na mesa ao lado da minha cadeira. Ela disse que a bolsa era de "tamanho médio".

– Um pouco maior – respondi – e você precisaria de um carrinho de bagagem para carregá-la por aí.

– Além disso – ela falou, ignorando minha zombaria – eu preciso de tudo que está dentro dela.

– Você deve estar brincando! Vamos ver!

Entrando no espírito da coisa, Elva ergueu e pôs a bolsa em cima de minha mesa, escancarou-a e começou a esvaziá-la. Os primeiros itens retirados foram três saquinhos vazios para colocar fezes de cachorro.

– Precisa de dois extras para o caso de uma emergência? – perguntei.

Elva deu uma risadinha e continuou a esvaziar a bolsa. Juntos, nós inspecionamos e discutimos cada item. Elva concordou em que três pacotes de lenços de papel e 12 canetas (mais três tocos de lápis) eram realmente demais, mas se manteve firme quanto aos dois frascos de colônia e às três escovas de cabelo, e descartou, com um gesto imperioso da mão, minha provocação por causa da grande lanterna, dos volumosos blocos de anotações e do imenso maço de fotografias.

Nós discutimos a respeito de tudo. O pacote de 50 moedas de dez centavos. Três pacotes de balas (de baixas calorias, é claro). Ela riu com a minha pergunta "Você acredita, Elva, que quanto mais você comer dessas balas mais magra vai ficar?" Um saco plástico com cascas velhas de laranja ("Você nunca sabe, Elva, quando poderá precisar disso"). Um maço de agulhas de tricô ("Seis agulhas em busca de um suéter", pensei). Um pacote de fermento para massa. Metade da brochura de um romance de Stephen King (Elva jogava fora seções do livro conforme as lia: "Não vale a pena guardá-las", ela explicou). Um pequeno grampeador ("Elva, isso é loucura!"). Três óculos escuros. E, nos cantinhos mais escondidos, uma miscelânea de moedas, clipes de papel, grampos, pedaços de lixa e uma substância suspeita que parecia algodão.

Quando a grande bolsa finalmente revelou tudo, Elva e eu olhamos maravilhados os conteúdos espalhados em fileiras sobre a minha mesa. Lamentamos que a bolsa estivesse vazia e que não houvesse mais nada para tirar. Ela se virou e sorriu, e nós olhamos ternamente um para o outro. Foi um momento extraordinariamente íntimo. Como nenhum paciente jamais fizera antes, ela tinha me mostrado tudo. Eu havia aceitado tudo e pedido ainda mais. Eu a seguira em cada recanto e fresta, maravilhado com o fato de que a bolsa de uma velha senhora pudesse servir como um veículo tanto de isolamento como de intimidade: o isolamento absoluto, que é parte integral da existência, e a intimidade que afasta o terror, se não o fato do isolamento.

Aquela foi uma hora de transformação. Nosso momento de intimidade – chamem-no de amor, chamem-no de namoro – foi redentor. Naquela hora, Elva passou da posição de desamparo para a de confiança. Ela se encheu de vida e se convenceu, mais uma vez, da sua capacidade de ser íntima.

Acho que foi a melhor sessão de terapia que conduzi.

CAPÍTULO 6

"Não seja gentil"

Eu não sabia como responder. Nunca antes um paciente me pedira para ser o guardião de suas cartas de amor. Dave apresentou francamente suas razões. Homens de 69 anos de idade podem morrer subitamente. Nesse caso, sua mulher encontraria as cartas e sofreria ao lê-las. Não havia ninguém mais a quem ele pudesse pedir para guardá-las, nenhum amigo a quem ele tivesse coragem de contar sobre seu caso. Sua amante, Soraya? Morta havia trinta anos. Morrera ao dar à luz. Não a um filho dele, Dave se apressou em acrescentar. Só Deus sabe o que aconteceu às cartas que ele escrevera para ela!

– O que você quer que eu faça com elas? – perguntei.

– Nada. Não faça absolutamente nada. Apenas as guarde.

– Quando foi a última vez que você as leu?

– Eu não as leio no mínimo há uns vinte anos.

– Elas parecem uma batata quente – arrisquei. – Por que guardá-las?

Dave me olhou incrédulo. Acho que um arrepio de dúvida passou por ele. Eu seria eu realmente tão burro? Será que ele cometera um erro ao pensar que eu seria suficientemente sensível para ajudá-lo? Depois de alguns segundos, ele disse:

– Eu jamais destruirei essas cartas.

As palavras foram cortantes, os primeiros sinais de tensão no relacionamento que vínhamos construindo havia mais de seis meses. Meu comentário fora um erro grave, e recuei para uma linha de questionamento mais conciliatória, mais aberta.

– Dave, conte-me mais sobre as cartas e o que elas significam para você.

Dave começou a falar sobre Soraya, e em poucos minutos a tensão desapareceu e sua autoconfiança voltou. Ele a conhecera enquanto gerenciava um ramo de uma companhia americana em Beirute. Ela fora a mulher mais linda que ele já conquistara. *Conquistar* foi a palavra que usou. Dave sempre me surpreendia com tais declarações, em parte ingênuas, em parte cínicas. Como ele podia dizer *conquistar*?

Será que ele era ainda menos autoconsciente do que eu pensara? Ou seria possível que ele estivesse muito à minha frente e zombasse de si próprio – e também de mim – com sutil ironia?

Ele amara Soraya – ou, ao menos, ela fora a única amante (e tinha havido uma legião) a quem ele dissera: "Eu te amo." Ele e Soraya haviam tido um caso deliciosamente clandestino durante quatro anos. Não delicioso *e* clandestino, mas *deliciosamente clandestino*, uma vez que o segredo – e eu falarei mais a respeito disso em breve – era o eixo da personalidade de Dave em torno do qual giravam todas as outras coisas. Ele ficava excitado com o segredo, era compelido por ele, e muitas vezes o cortejava a um custo pessoal muito grande. Muitos relacionamentos, especialmente os com suas duas ex-esposas e com a sua esposa atual, haviam se tornado emaranhados e sido destruídos por ele não querer ser aberto e franco sobre nada.

Depois de quatro anos, a companhia de Dave o transferiu para outra parte do mundo, e nos seis anos seguintes, até a morte de Soraya, ela e Dave haviam se encontrado somente quatro vezes. Mas se correspondiam quase diariamente. Ele guardara as cartas dela (centenas) bem escondidas. Às vezes ele as colocava em um arquivo, em categorias ardilosas (em C de culpa, ou D de depressão, isto é, para serem lidas quando estivesse profundamente deprimido).

– Agora estou ficando cada vez mais nervoso em relação às cartas de Soraya, e fiquei me perguntando se você as guardaria. É simplesmente isso.

Nós dois olhamos para a sua grande maleta cheia de palavras de amor de Soraya – a Soraya havia muito morta, a querida Soraya cujo cérebro e mente haviam desaparecido, cujas moléculas de DNA espalhadas haviam escoado de volta para o seio da Terra, e que, durante trinta anos, não pensara em Dave nem em nada mais.

Eu me perguntei se Dave poderia voltar atrás e se tornar testemunha de si próprio. Para ver como ele era ridículo, patético, idólatra – um homem velho, caminhando sem firmeza em direção à morte, confortado apenas por um maço de cartas, um estandarte proclamando que ele amara e havia sido amado outrora, há trinta anos. Dave se beneficiaria de ver essa imagem? Eu poderia ajudá-lo a assumir a postura de "testemunha de si mesmo" sem fazê-lo sentir que eu o estaria humilhando, e às cartas?

A meu ver, a "boa" terapia (que eu igualo à terapia profunda, ou penetrante, e não à terapia eficiente ou regular, útil, sinto dizer) conduzida com um "bom" paciente é, no fundo, uma aventura em busca da verdade. O meu alvo, quando iniciei, era a verdade do passado, era traçar todas as coordenadas de uma vida e, por meio delas, localizar e explicar a vida, a patologia, a motivação e as ações presentes de uma pessoa.

Eu era tão seguro. Que arrogância! E *agora*, que tipo de verdade eu estava perseguindo? Acho que o meu alvo é a ilusão. Eu luto contra o encantamento. Creio que, embora a ilusão seja muitas vezes alegre e confortadora, ela essencialmente sempre enfraquece e constringe o espírito.

Mas existe o momento certo e o julgamento adequado. Jamais tire qualquer coisa se você não tiver nada melhor para oferecer em troca. Tome cuidado ao desnudar um paciente que não pode suportar o frio da realidade. E não se canse combatendo o encantamento religioso: você não é páreo para ele. A sede pela religião é forte demais, suas raízes profundas demais, seu reforço cultural poderoso demais.

No entanto, eu não deixo de ter fé, minha Ave-Maria é a invocação socrática: "A vida não examinada não vale a pena ser vivida." Mas essa não era a fé de Dave. De modo que eu refreei a minha curiosidade. Dave raramente se perguntava sobre o significado fundamental de seu monte de cartas, e, agora, fechado e irritadiço, ele não seria receptivo a uma inquirição dessas. Nem ela seria útil – nem agora nem, provavelmente, nunca.

Além disso, minhas perguntas tinham um som oco. Eu via muito de mim mesmo em Dave, e há limites para a minha hipocrisia. Eu também tinha meu saco de cartas de um amor há muito tempo perdido. Eu também as escondi com cuidado (no meu sistema, em B de *Bleak House*, meu romance favorito de Dickens, para serem lidas quando a vida estivesse em seu momento mais desolador). Eu também jamais reli as cartas. Sempre que tentei, elas me trouxeram sofrimento, e não conforto. Estavam intocadas havia quinze anos, e eu também não consegui destruí-las.

Se eu fosse o meu próprio paciente (ou o meu próprio terapeuta), eu diria: "Imagine que as cartas se foram, destruídas ou perdidas. O que você sentiria? Mergulhe nesse sentimento, explore-o." Mas eu não conseguia. Muitas vezes pensei em queimá-las, mas isso sempre evocava uma dor inexprimível. Meu maior interesse em Dave, minha onda de curiosidade e fascinação, eu sabia de onde vinha: eu estava pedindo a Dave que fizesse meu trabalho por mim. Ou o *nosso* trabalho por *nós*.

Desde o início, eu me senti atraído por Dave. Em nossa primeira sessão, seis meses antes, eu lhe perguntei, depois de algumas amenidades: "O que incomoda você?"

Ele respondeu: "Eu não consigo levantá-lo mais!"

Eu fiquei pasmo. Lembro-me de que olhei para ele – para seu corpo alto, magro, atlético, para seus abundantes cabelos negros sedosos, e para os olhos travessos e vivos desmentindo seus 69 anos – e pensei: "Tiro o meu chapéu!" Meu pai teve seu primeiro ataque cardíaco aos 49 anos. Eu esperava que quando chegasse aos 69 anos tivesse energia e vitalidade suficientes para me preocupar com 'levantá-lo'.

Dave e eu tínhamos propensão a sexualizar bastante o nosso meio ambiente. Eu refreava isso melhor do que ele, e havia muito tempo aprendera a evitar que o assunto dominasse a minha vida. Eu também não partilhava da paixão de Dave pelo segredo, e tinha muitos amigos, incluindo minha mulher, com quem compartilhava todas as coisas.

Voltemos às cartas. O que eu deveria fazer? Guardar as cartas de Dave? Bem, por que não? Afinal de contas, o pedido não *era* um sinal auspicioso de que ele estava inclinado a confiar em mim? Ele jamais fora capaz de confiar em ninguém e certamente não em alguém do sexo masculino. Embora a impotência tivesse sido a sua razão explícita para ele me procurar, eu sentia que a tarefa real da terapia era melhorar a maneira como ele se relacionava com os outros. Um relacionamento de confiança *é* pré-requisito para qualquer terapia e, em Dave, poderia ser o instrumento para modificar sua necessidade patológica de segredo. Guardar as cartas forjaria um elo de confiança entre nós.

Talvez as cartas pudessem constituir uma vantagem adicional para mim. Eu jamais sentira que Dave estava seguramente instalado na terapia. Havíamos trabalhado bem a sua impotência. A minha tática fora enfocar a discórdia conjugal, e sugerir que a impotência era algo esperado num relacionamento com tanta raiva e desconfiança mútuas. Dave, que se casara recentemente (pela quarta vez), descrevera seu atual casamento da mesma maneira como descrevera os anteriores: ele se sentia numa prisão e sua mulher era o carcereiro, que escutava suas conversas telefônicas, lia sua correspondência e seus papéis pessoais. Eu o ajudara a compreender que, se ele estava numa prisão, essa prisão fora construída por ele próprio. *Claro*, sua mulher tentava obter informações sobre ele. *E, claro*, ela ficava curiosa em relação às suas atitudes e à sua correspondência. Mas fora ele quem aguçara a curiosidade dela, recusando-se a compartilhar até mesmo inocentes migalhas de informação sobre a sua vida.

Dave respondera bem a essa abordagem e fizera tentativas reais de compartilhar com sua mulher uma parte maior da sua vida e da sua experiência interior. Sua ação quebrara o círculo vicioso, sua mulher se abrandara, sua própria raiva diminuíra e seu desempenho sexual melhorara.

Eu me voltara agora, no tratamento, para uma consideração da motivação inconsciente. O que Dave ganha acreditando estar aprisionado a uma mulher? O que alimentava a sua paixão pelo segredo? O que impedira que ele estabelecesse pelo menos um único relacionamento íntimo não sexualizado com um homem ou uma mulher? O que acontecera com seus anseios de proximidade? Poderiam esses anseios, mesmo agora aos 69 anos, ser escavados, reanimados e realizados?

Mas esse parecia mais um projeto *meu* do que de Dave. Eu desconfiava que, em parte, ele concordara em examinar sua motivação inconsciente simplesmente para me agradar. Ele gostava de conversar comigo, mas acredito que a atração principal era a oportunidade de relembrar, de manter vivos os dias felizes de glória sexual. A minha ligação com ele parecia hesitante. Eu sempre sentia que, se sondasse muito fundo, se me aproximasse demais de sua angústia, ele simplesmente desapareceria – não compareceria à sessão seguinte e eu jamais conseguiria entrar em contato com ele novamente.

Se eu guardasse as cartas, elas poderiam servir como uma corda: ele não poderia simplesmente bater as asas e desaparecer. No mínimo, ele teria de ser claro em relação ao término: teria de me enfrentar e pedir as cartas de volta.

Além disso, eu sentia que *tinha* de aceitar as cartas. Dave era tão sensível... Como poderia rejeitar as cartas sem que ele sentisse que eu também o rejeitava? Ele também era altamente crítico. Um erro seria fatal: ele raramente dava às pessoas uma segunda chance.

Todavia, eu ficara pouco à vontade com seu pedido. Comecei a pensar em boas razões para *não* aceitar as cartas. Eu estaria fazendo um pacto com a sua sombra – uma aliança com a patologia. Havia algo de conspiratório na sua solicitação. Nós estaríamos nos relacionando como dois garotinhos maus. Eu poderia construir um relacionamento terapêutico sólido sobre fundações tão frágeis?

Minha idéia de que guardando as cartas tornaria mais difícil para Dave terminar a terapia era, percebi rapidamente, absurda. Descartei esse ponto de vista como exatamente isso – um ponto de vista, um de meus planos idiotas, desatinados, manipuladores, que sempre se voltavam contra mim. Pontos de vista ou truques não ajudariam Dave a se relacionar com os outros de modo direto e autêntico: eu tinha de modelar um comportamento franco, honesto.

Além disso, se ele quisesse parar a terapia, encontraria uma maneira de recuperar as cartas. Eu me lembro de uma paciente que atendi há vinte anos, cuja terapia foi marcada pela duplicidade. Ela era um caso de personalidade múltipla cujas duas *personas* (que eu chamei de Rubor e Atrevida) travavam uma guerra enganosa entre si. A pessoa que eu tratei foi Rubor, uma coisinha tímida, pudica; enquanto Atrevida, que eu raramente encontrava, se referia a si própria como "um supermercado sexual" e saía com o rei da pornografia da Califórnia. Rubor muitas vezes "acordava" surpresa por descobrir que Atrevida limpara sua conta bancária e comprara vestidos *sexy*, roupas íntimas de renda vermelha e passagens aéreas para Tijuana ou Las Vegas. Um dia, Rubor ficou alarmada ao descobrir uma passagem aérea de volta ao mundo em seu armário, e pensou que poderia impedir a viagem trancando todas as roupas *sexy* de Atrevida em meu consultório. Um tanto confuso e disposto a tentar tudo pelo menos uma vez, concordei e guardei suas roupas na minha escrivaninha. Uma semana mais tarde, eu cheguei para trabalhar e encontrei minha porta arrombada, meu consultório revirado e as roupas haviam desaparecido. A minha paciente também desapareceu. Jamais vi Rubor (ou Atrevida) novamente.

Suponhamos que Dave morra. Embora sua saúde fosse boa, ele *tinha* 69 anos de idade. As pessoas *morrem* aos 69 anos. O que eu faria com as cartas? Além disso, onde diabo eu iria escondê-las? Aquelas cartas deveriam pesar quase cinco quilos. Imaginei, por um momento, guardá-las junto com as minhas. Se descobertas, elas poderiam me proporcionar certa cobertura.

Mas o problema realmente maior em guardar as cartas tinha a ver com a terapia de grupo. Várias semanas antes, eu sugerira que Dave entrasse em uma terapia de grupo, e nas últimas três sessões nós havíamos discutido o assunto em profundidade. Sua propensão ao encobrimento, sua sexualização de todas as transações com mulheres, seu medo e desconfiança de todos os homens – todos esses traços, parecia-me, eram excelentes questões para trabalhar numa terapia de grupo. Relutante, ele concordara em começar em meu grupo de terapia, e a nossa sessão daquele dia seria o nosso último encontro individual.

O pedido de Dave de que eu guardasse as cartas tinha de ser visto nesse contexto. Primeiro, era inteiramente possível que a iminente transferência para o grupo fosse o fator responsável pelo seu pedido. Sem dúvida, ele lamentava perder seu relacionamento exclusivo comigo e se ressentia com a idéia de me dividir com os membros do grupo. Pedir para que eu guardasse as cartas poderia, assim, ser uma maneira de perpetuar nosso relacionamento especial e privado.

Eu tentei muito, muito delicadamente, expressar essa idéia, de modo a não provocar a notável sensibilidade de Dave. Tomei cuidado para não menosprezar as cartas, sugerindo que ele as estivesse utilizando como um meio para atingir algum fim. Também tomei muito cuidado para não parecer que estivesse examinando minuciosamente o nosso relacionamento: este era um momento de estimular seu crescimento.

Dave, sendo uma pessoa que precisara de um longo tempo na terapia simplesmente para aprender a utilizá-la, zombou da minha interpretação, em vez de refletir se ela continha alguma verdade. Repetiu que me pedira para guardar as cartas unicamente por essa razão: sua mulher estava fazendo uma grande faxina na casa nesse momento, e dirigia-se firme e decidida para o seu escritório, onde as cartas estavam escondidas.

Não engoli a resposta, mas o momento não pedia confrontação, e sim paciência. Eu deixei passar. Estava ainda mais preocupado com a possibilidade de que, se guardasse as cartas, acabaria sabotando seu trabalho na terapia de grupo. Para Dave, eu sabia, a terapia de grupo era uma aventura que envolvia altos ganhos, mas também altos riscos, e queria facilitar sua entrada nela.

Os benefícios poderiam ser grandes. O grupo poderia oferecer a Dave uma comunidade segura, na qual ele poderia identificar seus problemas interpessoais e experimentar um novo comportamento. Por exemplo, ele poderia revelar mais sobre si próprio, aproximar-se de outros homens, relacionar-se com as mulheres como seres humanos em vez de parceiras sexuais. Dave inconscientemente acreditava que cada um desses atos resultaria em algum acontecimento calamitoso: o grupo era a arena ideal para desmentir tais suposições.

De todos os riscos, eu temia um em particular. Imaginava que Dave não apenas se recusaria a compartilhar informações importantes (ou triviais) sobre si mesmo, como também o faria de uma maneira tímida ou provocadora. Os outros membros do grupo passariam a pedir e depois a exigir mais. Dave responderia compartilhando ainda menos. O grupo ficaria com raiva e o acusaria de estar fazendo um jogo. Dave se sentiria ofendido e preso numa armadilha. Suas suspeitas e medos em relação aos membros do grupo seriam confirmados e ele cairia fora, mais isolado e desencorajado do que quando começara.

Parecia-me que, se eu guardasse as cartas, estaria me aliando, de maneira antiterapêutica, à sua propensão ao segredo. Antes mesmo de começar no grupo, ele teria entrado numa conspiração comigo que excluiria os outros membros.

Pesando todas essas considerações, finalmente escolhi a minha resposta.

– Eu compreendo por que as cartas são importantes para você, Dave, e também fico satisfeito por ser eu a pessoa a quem você estaria disposto a confiá-las. No entanto, a minha experiência é a de que a terapia de grupo funciona melhor quando todos no grupo, e isso inclui o coordenador, são abertos o máximo possível. Realmente quero que o grupo seja proveitoso para você, e acho melhor fazermos da seguinte maneira: guardarei com prazer as cartas em um lugar seguro, trancado, por tanto tempo quanto você quiser, uma vez que você concorde em contar ao grupo sobre nosso trato.

Dave pareceu surpreso. Ele não antecipara isso. Será que aceitaria? Ele refletiu durante alguns minutos:

– Não sei. Terei de pensar sobre isso. Eu falo com você mais tarde.

Ele saiu do consultório, com sua maleta e as cartas a reboque.

Dave jamais voltou a falar comigo sobre as cartas – pelo menos da maneira como eu esperava. Mas entrou no grupo e participou dos primeiros encontros conscienciosamente. Na verdade, fiquei espantado com o seu entusiasmo: mais ou menos no quarto encontro, ele nos disse que o grupo era o ponto alto da sua semana, e que ele contava os dias que faltavam para a próxima sessão. A razão por trás de seu entusiasmo não era, infelizmente, a atração da autodescoberta, e sim o quarteto de mulheres atraentes que fazia parte do grupo. Ele se centrava unicamente nelas, e, ficamos sabendo mais tarde, tentara marcar um encontro com duas delas fora do grupo.

Como eu havia antecipado, Dave se manteve bem escondido no grupo, e, na verdade, foi reforçado nesse comportamento por uma outra integrante reservada, uma bela e orgulhosa mulher que, como ele, parecia décadas mais jovem do que de fato era. Em um dos encontros, o grupo pediu a ela e a Dave para dizerem a idade. Ambos se recusaram, utilizando o hábil artifício de não quererem ser tipificados pela idade. Há muito tempo (quando os genitais eram designados como "partes íntimas"), os grupos de terapia relutavam em falar sobre sexo. Nas últimas duas décadas, contudo, os grupos têm falado sobre sexo com relativa facilidade e o dinheiro tornou-se assunto privado. Em milhares de encontros de grupo, cujos integrantes supostamente se abrem por completo, eu ainda não vi ninguém revelar seus rendimentos. Mas, no grupo de Dave, o segredo importante era a idade. Ele brincava, fazia piadas a respeito, mas se recusava terminantemente a declarar a sua idade: não prejudicaria suas chances de marcar pontos com alguma das mulheres do grupo. Em um dos encontros, quando uma das mulheres o pressionou a contar a sua idade, Dave propôs uma troca: seu segredo, sua idade, em troca do número do telefone dela.

Fui ficando preocupado com o grau de resistência do grupo. Dave, além de não estar trabalhando seriamente na terapia, trouxera todo o discurso do grupo a um nível superficial, por meio de seus gracejos e flertes.

Em um dos encontros, todavia, o tom se tornou profundamente sério. Uma das mulheres anunciou que seu namorado acabara de descobrir que estava com câncer. Ela estava convencida de que ele iria morrer logo, embora os médicos afirmassem que seu prognóstico não era desesperador, apesar de suas condições físicas debilitadas e de sua idade avançada (ele estava com 63 anos de idade).

Estremeci por Dave: aquele homem, com a "avançada" idade de 63 anos, era ainda seis anos mais jovem do que ele. Mas ele nem piscou e, na verdade, começou a falar de forma mais honesta.

– Talvez isso seja uma coisa que eu deva falar aqui no grupo. Sou muito fóbico em relação à doença e à morte. Eu me recuso a procurar um médico, um médico *de verdade* – fazendo um gesto travesso em minha direção. – Meu último exame físico foi há quinze anos.

Outro membro do grupo:

– Você parece estar em grande forma, Dave, seja qual for a sua idade.

– Obrigado. Eu me esforço. Entre natação, tênis e caminhadas, eu me exercito no mínimo duas horas por dia. Theresa, eu sinto por você e seu namorado, mas não sei como ajudar. Penso muito sobre o envelhecimento e a morte, mas meus pensamentos são muito mórbidos para serem contados. Para ser honesto, eu nem gosto de visitar pessoas doentes ou de ouvir conversas sobre doenças. O doutor – novamente, apontando para mim – sempre diz que eu brinco muito no grupo. Talvez seja por isso!

– Por isso o quê? – perguntei.

– Bem, se eu começar a ser sério aqui, vou falar sobre como odeio envelhecer, como tenho medo da morte. Algum dia contarei a vocês sobre os meus pesadelos. Talvez.

– Você não é o único que tem esses medos, Dave. Talvez fosse bom descobrir que todos estão no mesmo barco.

– Não, você está sozinho em seu próprio barco. É a parte mais terrível sobre morrer; você precisa fazer isso sozinho.

Outro membro:

– Mesmo assim, mesmo que você esteja sozinho em seu próprio barco, sempre é confortador ver as luzes dos outros barcos balançando por perto.

Quando acabamos a sessão, eu estava extremamente esperançoso. Pareceu uma sessão em que rompemos as linhas inimigas. Dave estava falando sobre algo importante, estava comovido, tornara-se real, e os outros membros do grupo responderam na mesma moeda.

No encontro seguinte, Dave relatou um sonho forte que tivera na noite seguinte à sessão anterior. O sonho (registrado literalmente por um aluno):

> A morte me cerca completamente. Posso cheirá-la. Tenho um pacote com um envelope dentro dele, e o envelope contém alguma coisa que é imune à morte, à decomposição ou à deterioração. Eu o mantenho em segredo. Vou pegá-lo e senti-lo, e subitamente vejo que ele está vazio. Fico muito angustiado com isso e percebo que ele foi aberto. Mais tarde, descubro na rua aquilo que pensava estar dentro do envelope, um sapato velho e sujo com a sola caindo.

O sonho me deixou mudo. Eu pensara muitas vezes sobre as suas cartas de amor, e me perguntara se algum dia teria uma nova chance de explorar seu significado com Dave.

Embora eu adore trabalhar com terapia de grupo, seu formato tem uma importante desvantagem para mim: muitas vezes não permite a exploração de questões existenciais mais profundas. Repetidas vezes, num grupo, eu vejo, cobiçosamente, uma linda trilha que me conduziria ao interior de uma pessoa, mas preciso me contentar com a tarefa prática (e mais útil) de arrancar a vegetação rasteira interpessoal. Todavia, eu não podia negar este sonho; ele era a *via regia* para o coração da floresta. Raramente encontrei um sonho que trouxesse com tanta transparência a resposta para um mistério inconsciente.

Nem Dave nem o grupo sabiam o que fazer com o sonho. Eles se debateram por alguns minutos, e então ofereci uma direção perguntando casualmente a Dave se ele tinha alguma associação com a imagem, no sonho, de um envelope que ele estivesse mantendo em segredo.

Eu sabia que estava assumindo um risco. Seria um erro, provavelmente um erro fatal, forçar Dave a revelar fora de hora, ou a revelar uma informação que ele me confiara em nosso trabalho individual, antes de começar no grupo. Achei que minha pergunta se situava dentro das margens de segurança: eu me ative, concretamente, ao material do sonho, e Dave poderia facilmente objetar, deixando de fazer associações pertinentes.

Ele prosseguiu, resoluto, mas sem sua gaiatice habitual. Declarou que talvez o sonho se referisse a algumas cartas que ele mantinha em segredo – cartas de um "certo relacionamento". Os outros membros, com a curiosidade despertada, questionaram Dave até que ele relatou algumas coisas sobre o seu caso com Soraya e o problema de encontrar um lugar adequado para as cartas descansarem em paz. Ele não disse que o caso terminara havia trinta anos. Nem mencionou suas negociações comigo e minha oferta de guardar as cartas, desde que ele concordasse em compartilhar tudo com o grupo.

O grupo se centrou na questão do segredo – não a que mais me fascinava agora, embora fosse, apesar de tudo, uma questão terapêutica relevante. Os membros se perguntaram sobre o encobrimento de Dave; alguns podiam entender seu desejo de manter as cartas em segredo da esposa, mas ninguém conseguia entender seu excesso de segredo. Por exemplo, por que se recusava a contar à esposa que estava em terapia? Ninguém engoliu a frágil desculpa de que, se ela soubesse que ele estava em terapia, se sentiria muito ameaçada por achar que ele iria se queixar dela, e também tornaria sua vida insuportável, atormentando-o todas as semanas para saber o que ele falara no grupo.

Se ele realmente estava preocupado com a paz de espírito da esposa, eles salientaram, era muito mais irritante para ela não saber aonde ele ia toda semana. Consideremos as desculpas capengas que ele dava para sair de casa toda semana para ir ao grupo (ele estava aposentado e não tinha nenhum negócio para resolver fora de casa). E veja suas maquinações para esconder o recibo do pagamento da terapia todos os meses. Todos esses mistérios! E para quê? Até mesmo os formulários das companhias de seguro tinham de ser remetidos para o número secreto de sua caixa postal. Os integrantes também se queixaram da forma como Dave mantinha segredo no grupo. Sentiam-se distanciados por sua relutância em confiar neles. Por que ele precisava dizer "cartas de um certo relacionamento", como fizera nesse dia?

Eles o confrontaram diretamente:

– Puxa, Dave, o que custa se abrir e dizer "cartas de amor"?

Os membros do grupo, abençoados sejam, estavam fazendo exatamente aquilo que deveriam fazer. Eles escolheram a parte do sonho – o tema do segredo – que era mais relevante quanto ao modo como Dave se relacionava com eles, e a estavam explorando maravilhosamente. Embora Dave parecesse um pouco ansioso, ele estava envolvido, animado – sem jogos.

Mas eu era ganancioso. Aquele sonho era ouro puro, e eu queria extraí-lo. – Alguém tem algum palpite sobre o restante do sonho? – perguntei. – Sobre, por exemplo, o cheiro da morte e o fato de que o envelope contém alguma coisa que "é imune à morte, à decomposição ou à deterioração"?

O grupo ficou em silêncio por alguns instantes, e então Dave se voltou para mim e disse: – O que *você* acha, doutor? Eu estaria muito interessado em ouvir.

Eu me senti pego. Eu realmente não poderia responder sem revelar parte do material que Dave compartilhara comigo em nossa sessão individual. Por exemplo, ele não contara ao grupo que Soraya estava morta havia trinta anos, que ele tinha 69 anos e se sentia perto da morte, que me pedira para ser o guardião de suas cartas. No entanto, se eu revelasse essas coisas, ele se sentiria traído e provavelmente abandonaria a terapia. Eu estaria caminhando para uma armadilha? A única saída era ser inteiramente honesto.

Eu disse:

– Dave, é realmente difícil para mim responder à sua pergunta. Não posso lhe contar o que penso a respeito do sonho sem revelar informações que você compartilhou comigo antes de entrar no grupo. Sei que você se preocupa muito com a sua privacidade, e não quero trair a sua confiança. Então, o que faço?

Eu me recostei, satisfeito comigo mesmo. Excelente técnica! Exatamente o que digo aos meus alunos. Se você for apanhado num dilema, ou se tiver dois fortes sentimentos contraditórios, a melhor coisa que pode fazer é compartilhar o dilema ou ambos os sentimentos com o paciente.

Dave disse:

– Fale! Vá em frente. Estou pagando pela sua opinião. Não tenho nada a esconder. Tudo que eu lhe contei é um livro aberto. Não mencionei a nossa discussão sobre as cartas porque não queria comprometê-lo. Meu pedido a você e a sua contra-oferta foram um tanto esquisitos.

Agora que tinha a permissão de Dave, passei a fornecer ao grupo, a essa altura confuso com a nossa conversa, os fatos relevantes: a grande importância das cartas para Dave, a morte de Soraya trinta anos atrás, o dilema dele quanto a onde guardar as cartas, seu pedido para que eu as guardasse e minha oferta, que até o momento ele recusara, de guardá-las somente se ele concordasse em informar ao grupo toda a nossa transação. Eu tive o cuidado de respeitar a privacidade de Dave, sem revelar sua idade ou qualquer material desnecessário.

Então, voltei ao sonho. Eu pensava que o sonho respondia à pergunta sobre por que as cartas eram um peso para Dave. E, é claro, por que as minhas cartas eram um peso para mim. Mas sobre as minhas cartas eu não falei: há limites para a minha coragem. Evidentemente, tenho as minhas racionalizações. Os pacientes estão aqui para a terapia *deles*, não para a minha. O tempo é valioso no grupo – oito pacientes e somente 90 minutos –, e não será bem gasto se os pacientes ficarem ouvindo os problemas do terapeuta. Eles precisam acreditar que seus terapeutas enfrentam e resolvem seus problemas pessoais.

Mas, na verdade, essas são racionalizações. A questão real era a falta de coragem. Eu tenho, consistentemente, tendido para uma auto-revelação muito pequena, em vez de muito grande; mas todas as vezes que compartilhei bastante a meu respeito, os pacientes invariavelmente se beneficiaram ao saber que eu, como eles, tenho de lutar com os problemas inerentes ao ser humano.

O sonho, continuei, era um sonho sobre a morte. Ele começava com: "A morte me cerca completamente. Eu posso cheirar a morte." E a imagem central era o envelope, um envelope que continha algo imune à morte e à deterioração. O que poderia ser mais claro? As cartas de amor eram um amuleto, um instrumento de negação da morte. Elas afastavam o envelhecimento e mantinham a paixão de Dave congelada no tempo. Ser verdadeiramente amado, ser lembrado, fundir-se com outra pessoa para sempre é ser imortal e estar protegido da solidão existente no âmago da existência.

Conforme o sonho avançava, Dave via que o envelope fora aberto e estava vazio. Por que aberto e vazio? Será que ele sentia que as cartas perderiam seu poder se ele as compartilhasse com os outros? Havia algo de patente e particularmente irracional em relação à capacidade das cartas de afastar o envelhecimento e a morte – uma magia negra que se evaporava sob a luz fria da racionalidade.

Um membro do grupo perguntou:

– E o sapato velho e sujo com a sola caindo?

Eu não sabia, mas antes que pudesse dar qualquer resposta, um outro membro do grupo falou:

– Isso representa a morte. O sapato está perdendo sua *soul*[15], que se soletra *s-o-u-l*.

É claro, *soul*, não *sola*! Que lindo! Por que eu não pensara nisso? Eu compreendera a primeira metade: sabia que o sapato velho e sujo representava Dave. Em algumas ocasiões (por exemplo, quando ele pedira a uma mulher quarenta anos mais jovem o número do telefone dela), o grupo chegara perto, penso eu, de chamar Dave de "velho sujo". Estremeci por ele e fiquei satisfeito pelo fato de o epíteto não ter sido pronunciado em voz alta. Mas, na discussão do grupo, Dave tomou-o para si próprio.

– Meu Deus! Um velho sujo cuja alma está prestes a abandoná-lo. Esse sou eu, exatamente! – Ele riu da sua própria criação. Amante das palavras (ele falava várias línguas), ele se maravilhou com a transposição de *soul* e *sola*.

Apesar da jocosidade de Dave, era evidente que ele lidava com um material muito doloroso. Um dos membros lhe pediu para falar mais sobre se sentir um velho sujo. Um outro perguntou como se sentia por revelar a existência das cartas ao grupo. Isso mudaria sua atitude para com eles? Um outro lembrou que todo mundo enfrenta a perspectiva do envelhecimento e da morte, e o incentivou a compartilhar mais sobre esse aglomerado de sentimentos.

Mas Dave havia encerrado sua transmissão. Ele fizera todo o trabalho que estava disposto a fazer naquele dia. – Já ganhei meu dia hoje. Preciso de algum tempo para digerir tudo isso. Já ocupei 75% da sessão, e sei que há outros que querem algum tempo hoje.

[15] O som da palavra *sole* (sola, em inglês) é quase igual ao da palavra *soul*, que significa "alma". (N. do T.)

Relutantes, nós deixamos Dave e passamos para outros assuntos no grupo. Não sabíamos, então, que esse seria um adeus permanente. Dave jamais retornou para um outro encontro do grupo. (Nem, como acabou ficando evidente, estava disposto a retomar uma terapia individual comigo ou com qualquer outro terapeuta.)

Todos, ninguém mais do que eu, se questionaram profundamente. O que fizéramos para afastar Dave? Teríamos desnudado demais? Teríamos tentado, com pressa excessiva, transformar um velho tolo num velho sábio? Teríamos caído numa armadilha? Teria sido melhor não falar das cartas e ter deixado de lado o sonho? (A operação interpretativa do sonho foi um sucesso, mas o paciente morreu.)

Talvez pudéssemos ter profetizado sua partida, mas duvido muito. A essa altura, eu estava certo de que o enclausuramento de Dave, sua evitação e negação teriam levado basicamente ao mesmo resultado. Eu suspeitava fortemente, desde o início, que ele provavelmente abandonaria o grupo. (O fato de eu ter sido melhor profeta do que terapeuta, todavia, pouco conforto me proporcionou.)

Mais do que qualquer outra coisa, senti pena. Pena de Dave, por seu isolamento, seu apego à ilusão, sua falta de coragem, sua falta de disposição para enfrentar os fatos nus, duros, da vida.

E então deslizei para um devaneio sobre as minhas próprias cartas. O que aconteceria se (sorri com o meu *se*) eu morresse e elas fossem encontradas? Talvez eu *devesse* dá-las a Mort, ou a Jay, ou a Pete, para que as guardassem para mim. Por que eu fico me preocupando com essas cartas? Por que não acabo com essa preocupação e as queimo? Por que não agora? Nesse momento! Mas dói pensar nisso. Uma facada bem no meu esterno. Mas por quê? Por que tanta dor por causa de umas velhas cartas amareladas? Vou ter de examinar isso – algum dia.

CAPÍTULO 7

Dois sorrisos

Alguns pacientes são fáceis. Eles aparecem em meu consultório prontos para mudar, e a terapia se conduz sozinha. Algumas vezes tão pouco me é solicitado que invento trabalho, fazendo uma pergunta ou oferecendo uma interpretação, simplesmente para assegurar a mim mesmo, e ao paciente, que eu sou uma pessoa necessária nessa transação.

Marie não era um desses fáceis. Cada sessão com ela exigia grande esforço. Quando ela me procurou, há três anos, seu marido já havia morrido quatro anos antes, mas ela continuava congelada na tristeza. Sua expressão facial era congelada, assim como sua imaginação, seu corpo, sua sexualidade – todo o fluxo de sua vida. Por um longo tempo ela permaneceu inerte na terapia, e eu tive de fazer o trabalho de duas pessoas. Mesmo agora, muito depois da sua depressão ter passado, ainda havia uma rigidez no nosso trabalho e uma frieza e distância no nosso relacionamento que eu nunca fui capaz de modificar.

Hoje não haveria terapia. Marie seria entrevistada por um consultor, e eu desfrutaria do luxo de passar uma hora com ela e, no entanto, estar "de folga". Durante semanas eu insistira com ela para que visse um hipnoterapeuta. Embora ela resistisse a quase todas as experiências novas e tivesse um medo especial da hipnose, finalmente consentiu, com a condição de que eu estivesse presente durante toda a sessão. Eu não me importava; na verdade eu gostava da idéia de ficar sentado e deixar que o consultor, Mike C., um amigo e colega, fizesse o trabalho.

Além disso, ser um observador me proporcionaria uma rara oportunidade de reavaliar Marie. Pois era possível, após três anos, que minha visão dela tivesse se tornado fixa e limitada. Talvez ela tivesse mudado significativamente e eu não percebera. Talvez os outros a avaliassem de um modo muito diferente do meu. Era a hora de tentar vê-la com novos olhos.

Marie era descendente de espanhóis e emigrara da cidade do México havia dezoito anos. Seu marido, que ela conhecera enquanto estudava na Universidade do México, era cirurgião e morrera num acidente de carro, enquanto dirigia em alta velocidade, certa noite, para atender a um chamado de emergência do hospital. Uma mulher excepcionalmente bela, Marie era alta como uma estátua, com um nariz nitidamente cinzelado e longos cabelos negros presos num coque na nuca. Que idade? Poderíamos dizer 25: talvez, sem maquiagem, 30. Era impossível pensar que ela estivesse com 40 anos.

Marie era uma presença imponente e a maioria das pessoas se sentia intimidada e distanciada por sua beleza e altivez. Eu, por outro lado, sentia-me fortemente atraído por ela. Emocionava-me com ela, queria confortá-la, imaginava-me abraçando-a e sentindo seu corpo descongelar em meus braços. Fiquei pensando sobre a força dessa atração. Marie me lembrava uma linda tia que usava o cabelo da mesma maneira, e que desempenhara um papel importante nas minhas fantasias sexuais adolescentes. Talvez fosse isso. Talvez eu simplesmente estivesse lisonjeado por ser o único confidente e protetor dessa régia mulher.

Ela escondia bem a sua depressão. Ninguém poderia imaginar que ela sentia que sua vida terminara; que ela estava desesperadamente solitária; que ela chorava todas as noites; que, nos sete anos desde que seu marido morrera, ela não tivera sequer um relacionamento, nem mesmo uma conversa pessoal com um homem.

Nos primeiros quatro anos de luto, Marie fora totalmente inacessível aos homens. Nos últimos dois anos, à medida que sua depressão diminuía, ela chegara à conclusão de que a única salvação possível era estabelecer um novo relacionamento romântico, mas era tão orgulhosa e intimidadora que os homens a consideravam inabordável. Durante muitos meses, eu tentei desafiar sua crença de que a vida, a vida real, somente podia ser vivida se a mulher fosse amada por um homem. Tentei ampliar seus horizontes, desenvolver novos interesses, valorizar relacionamentos com mulheres. Mas sua crença era profundamente preservada. Finalmente, decidi que era inexpugnável, e voltei minha atenção a ajudá-la a aprender a conhecer e a se envolver com homens.

Mas todo o nosso trabalho tinha sido interrompido havia quatro semanas, quando Marie foi arremessada de um táxi em São Francisco e fraturou o maxilar, sofrendo danos extensos, além de profundas lacerações no rosto e no pescoço. Depois de ficar hospitalizada por uma semana, ela começou um tratamento com um cirurgião bucofacial para restaurar os dentes. Marie tinha um baixo limiar para dor, especialmente dor de dente, e tinha horror das freqüentes visitas a esse especialista. Além disso, ela lesara um nervo facial e sofria dores intensas, insuportáveis, num dos lados do rosto. A medicação não ajudava em nada e foi para aliviar a dor que sugeri uma consulta hipnótica.

Em circunstâncias comuns, Marie podia ser uma paciente difícil, mas depois do acidente ela se tornou surpreendentemente resistente e cáustica.

– A hipnose funciona com pessoas burras ou com pessoas com pouca força de vontade. É por isso que você a está sugerindo para mim?

– Marie, como posso convencê-la de que a hipnose não tem nada a ver com força de vontade ou inteligência? A possibilidade de ser hipnotizado é simplesmente uma característica com a qual a pessoa nasce. Qual é o risco? Você me diz que a dor é insuportável. Há uma boa chance de que uma consulta de uma hora possa proporcionar certo alívio.

– Pode parecer besteira para você, mas não quero que me façam de boba. Eu vi a hipnose na TV; as vítimas parecem idiotas. Elas pensam que estão nadando quando estão em um palco seco, ou que estão remando num barco quando estão sentadas em uma cadeira. A língua de uma delas pulou para fora e ela não conseguia colocá-la de volta dentro da boca.

– Se eu pensasse que esse tipo de coisa poderia me acontecer, eu ficaria tão preocupado quanto você. Mas existe toda a diferença do mundo entre a hipnose na TV e a hipnose médica. Eu lhe disse exatamente o que você pode esperar. O principal é que ninguém vai controlá-la. Ao contrário, você aprenderá a se colocar num estado de espírito no qual poderá controlar a sua dor. Parece que você ainda não consegue confiar em mim e em outros médicos.

– Se os médicos merecessem confiança, eles teriam pensado em chamar um neurocirurgião a tempo e meu marido ainda estaria vivo!

– Há tanta coisa acontecendo aqui hoje, tantas questões; sua dor, suas preocupações (e concepções errôneas) sobre a hipnose, seus medos de parecer tola, sua raiva e desconfiança em relação aos médicos, inclusive eu, que não sei a qual devo me dirigir primeiro. Você sente da mesma maneira? Por onde você acha que devemos começar hoje?

– Você é o médico, não eu.

E assim a terapia prosseguiu. Marie estava instável, irritadiça, e, apesar de sua reconhecida gratidão a mim, muitas vezes sarcástica e provocadora. Ela jamais permanecia centrada em uma questão, passava rapidamente para outras preocupações. Ocasionalmente, ela se controlava e se desculpava por ser desagradável, mas invariavelmente, alguns minutos mais tarde, estava novamente irritável e com pena de si mesma. Eu sabia que a coisa mais importante que podia fazer por ela, sobretudo nesse momento de crise, era manter o nosso relacionamento e não permitir que ela me afastasse. Até então eu perseverara, mas minha paciência não era ilimitada, e fiquei aliviado por dividir a carga com Mike.

Eu também queria o apoio de um colega. Essa era a minha razão adicional para a consulta. Queria outra pessoa para testemunhar o que eu vinha passando com Marie, alguém que me dissesse: "Ela é difícil. Você tem feito um trabalho danado de bom com ela." Essa minha parte carente não agia pelos melhores interesses de Marie. Eu não queria que Mike tivesse uma consulta tranqüila e fácil: queria que ele tivesse de lutar, como eu. Sim, eu admito, parte de mim torcia para que Marie fizesse Mike passar por um mau bocado: "Vamos lá, Marie, faça o seu trabalho!"

Mas, para meu assombro, a sessão seguiu bem. Marie era uma pessoa boa para a hipnose, e Mike habilmente a induziu e ensinou a se colocar em transe. Ele então tratou de sua dor utilizando uma técnica anestésica. Ele sugeriu que ela se imaginasse na cadeira do dentista recebendo uma injeção de novocaína.

– Pense em seu maxilar e sua bochecha ficando cada vez mais entorpecidos. Agora a sua bochecha está realmente muito entorpecida. Toque-a com sua mão e veja como ela está entorpecida. Pense em sua mão como um depósito de entorpecimento. Ela fica anestesiada quando você toca em sua bochecha entorpecida, e pode transferir esse entorpecimento para qualquer outra parte de seu corpo.

A partir daí, foi fácil para Marie transferir o entorpecimento para todas as áreas dolorosas de seu rosto e pescoço. Excelente. Eu podia ver a expressão de alívio em seu rosto.

Depois, Mike discutiu a dor com ela. Primeiro, ele descreveu a função da dor: servia como um aviso para informar o quanto ela poderia mexer o seu maxilar e com quanta força ela poderia mastigar. Ela era necessária, a dor funcional, ao contrário da dor desnecessária originada nos nervos sensíveis, machucados, que não tinha utilidade alguma.

O primeiro passo de Marie, sugeriu Mike, seria aprender mais sobre sua dor: diferenciar a dor funcional da dor desnecessária. A melhor maneira de fazer isso era começar a fazer as perguntas certas e discutir a dor, em profundidade, com seu cirurgião bucofacial. Ele era a pessoa que mais sabia sobre o que acontecia em seu rosto e boca.

A afirmação de Mike foi maravilhosamente lúcida, e foi feita com a mescla exata de profissionalismo e paternalismo. Marie e ele trocaram olhares por um momento. Depois ela sorriu e assentiu com a cabeça. Ele compreendeu que ela recebera e registrara a sua mensagem.

Mike, obviamente satisfeito com a resposta de Marie, passou à sua tarefa final. Ela fumava muito e um de seus motivos ao concordar com a consulta era conseguir ajuda para largar o vício. Mike, um especialista nesse campo, começou uma apresentação bem ensaiada e lapidada. Ele enfatizou três pontos principais: que ela queria viver, que precisava de seu corpo para viver e que os cigarros eram um veneno para o seu corpo.

Para ilustrar, Mike sugeriu:

– Pense em seu cachorro, ou, se você não tem um, imagine um cachorro muito amado. Agora imagine latas de comida de cachorro com rótulos que dizem "veneno". Você não alimentaria seu cachorro com comida para cães envenenada, não é?

Mais uma vez, Marie e Mike trocaram olhares; e, mais uma vez, Marie sorriu e assentiu com a cabeça. Embora Mike soubesse que sua paciente havia entendido o conceito, insistiu no ponto:

– Então, por que não tratar seu corpo tão bem quanto você trataria seu cachorro?

No tempo restante, ele reforçou as instruções sobre a auto-hipnose e a ensinou a responder ao desejo de fumar com isso e com uma maior consciência (hiperpercepção, como ele colocou) do fato de que ela precisava de seu corpo para viver e de que o estava envenenando.

Foi uma excelente consulta. Mike fez um trabalho magnífico: estabeleceu um bom entendimento com Marie e atingiu, efetivamente, todos os objetivos de sua consulta. Marie saiu do consultório obviamente satisfeita com ele e com o trabalho que haviam realizado.

Mais tarde, meditei sobre a hora que nós três compartilhamos. Embora a consulta me satisfizesse profissionalmente, não obtive o apoio e a apreciação pessoal que buscava. É claro, Mike não tinha idéia do que eu realmente queria dele. Eu dificilmente poderia admitir minhas necessidades imaturas para um colega bem mais jovem. Além disso, ele não poderia imaginar como Marie era uma paciente difícil e que trabalho hercúleo eu realizara com ela – com ele, ela desempenhara, talvez por pura perversidade, o papel da paciente-modelo.

Esses sentimentos, evidentemente, permaneceram escondidos de Mike e de Marie. Assim, eu comecei a pensar sobre *eles* – os desejos não realizados, as reflexões e opiniões ocultas sobre a consulta. Suponhamos que daqui a um ano, Mike, Marie e eu escrevêssemos nossas lembranças daquela hora. Em que extensão concordaríamos? Eu desconfiava que cada um de nós mal reconheceria a sessão a partir do relato do outro. Mas por que um ano? Suponhamos que a escrevêssemos em uma semana. Ou nesse exato momento. Seríamos capazes de apreender e recordar a história real, definitiva, dessa hora?

Esta não é uma pergunta trivial. Com base nos dados que os pacientes escolhem fornecer sobre eventos acontecidos há muito tempo, os terapeutas rotineiramente acreditam que podem reconstruir uma vida: que eles podem descobrir os eventos cruciais dos primeiros anos do desenvolvimento, a natureza real do relacionamento com cada um dos pais, o relacionamento entre os pais, os irmãos, o sistema familiar, a experiência interna associada aos terrores e feridas do início da vida, a textura das amizades da infância e adolescência.

Contudo, como podem os terapeutas, ou os historiadores, ou os biógrafos, reconstruir uma vida com qualquer grau de exatidão, se a realidade de uma única hora não pode ser capturada? Anos atrás, realizei um experimento no qual uma paciente e eu escrevíamos nossos pontos de vista a respeito de cada uma das nossas horas de terapia. Mais tarde, quando os comparávamos, às vezes era difícil acreditar que descrevíamos a mesma sessão. Até mesmo as nossas opiniões sobre o que fora proveitoso variavam. Minhas elegantes interpretações? Ela nem sequer as escutara! Em vez disso, ela lembrava ou valorizava muito meus comentários casuais, pessoais e de apoio.[16]

Nesses momentos, desejaríamos ter um árbitro de realidade ou um instantâneo oficial da sessão, com uma imagem extremamente nítida. Como é inquietador

[16] Estes diferentes pontos de vista foram publicados mais tarde como *Every Day Gets a Little Closer: A Twice Told Therapy.* (Nova York: Basic Books, 1974).

compreender que a realidade é uma ilusão, no melhor dos casos uma democratização da percepção baseada num consenso participativo.

Se eu fosse escrever meu resumo daquela hora, eu o estruturaria em torno de dois momentos particularmente "reais": as duas vezes em que Marie e Mike trocaram olhares, e em que ela sorriu e assentiu com a cabeça. O primeiro sorriso seguiu-se à recomendação de Mike de que ela discutisse sua dor, em detalhes, com o cirurgião bucofacial; o segundo, quando ele a fez compreender o argumento de que ela não serviria comida envenenada para o seu cachorro.

Mais tarde, tive uma longa conversa com Mike a respeito da sessão. Profissionalmente, ele a considerava uma consulta bem-sucedida. Marie era uma boa paciente hipnótica, e ele atingira todos os seus objetivos na consulta. Além disso, fora uma boa experiência pessoal depois de uma semana ruim, em que ele hospitalizara dois pacientes e tivera um desentendimento com o chefe do departamento. Fora gratificante para ele que eu tivesse testemunhado seu desempenho tão competente e eficaz. Ele era mais jovem do que eu e sempre respeitara o meu trabalho. A minha boa opinião a seu respeito significava muito para ele. Que ironia ele ter recebido de mim aquilo que eu quisera ter recebido dele.

Eu lhe perguntei sobre os dois sorrisos. Ele se lembrava bem deles, e estava convencido de que significavam impacto e conexão. Os sorrisos, aparecendo nos momentos de efeito da sua apresentação, significavam que Marie compreendera e fora afetada por sua mensagem.

Todavia, em resultado de meu longo relacionamento com Marie, eu interpretei os sorrisos de modo muito diferente. Consideremos o primeiro, quando Mike sugeriu que ela buscasse mais informações com o cirurgião bucofacial, o dr. Z. Que história existia por trás do seu relacionamento com ele?

Ela o conhecera havia vinte anos, quando eram colegas de classe na cidade do México. Naquela época, ele tentara insistentemente cortejá-la, mas sem sucesso. Ela perdera o contato com ele até o acidente de carro do marido. O dr. Z., que também viera para os Estados Unidos, trabalhava no hospital para onde seu marido fora levado depois do acidente e havia sido uma fonte importante de informações e apoio médico para Marie durante as duas semanas em que o marido estivera em coma terminal, com um ferimento fatal na cabeça.

Quase imediatamente depois da morte de seu marido, o dr. Z., apesar de ter mulher e cinco filhos, renovou sua corte e começou a fazer propostas sexuais a

Marie. Ela o repeliu enraivecida, mas ele não se intimidou. Ao telefone, na igreja, inclusive no tribunal (ela processara o hospital por negligência na morte de seu marido), ele piscava para ela e a olhava furtivamente. Marie considerava odioso o comportamento dele, e aos poucos se tornou mais ríspida em suas recusas. O dr. Z. só desistiu quando ela lhe disse que ele a enojava, que ele era o último homem do mundo com quem ela teria um caso e que informaria a esposa dele, uma mulher formidável, se ele continuasse a incomodá-la.

Quando Marie caiu do táxi, bateu a cabeça e ficou inconsciente por cerca de uma hora. Ao acordar com uma dor fortíssima, ela se sentiu desesperadamente sozinha: não tinha amigos íntimos, e suas filhas estavam em férias na Europa. Quando a enfermeira da sala de emergência lhe perguntou o nome de seu médico, ela gemeu: "Chame o dr. Z." No consenso geral, ele era o mais talentoso e experiente cirurgião bucofacial na área, e Marie sentiu que muita coisa estava em jogo para que se arriscasse com um cirurgião desconhecido.

O dr. Z. conteve seus sentimentos durante os procedimentos cirúrgicos iniciais maiores (aparentemente, ele fizera um excelente trabalho), mas eles irromperam durante o curso pós-operatório. Ele foi sarcástico, autoritário e, acredito eu, sádico. Tendo se convencido de que Marie reagia excessivamente por histeria, ele se recusou a prescrever medicações adequadas para o alívio ou sedação da dor. Ele a assustou fazendo declarações casuais sobre complicações perigosas ou distorções faciais residuais, e ameaçou abandonar o caso se ela continuasse a se queixar tanto. Quando conversei com ele sobre a necessidade de alívio da dor, ele se tornou agressivo e me lembrou de que sabia muito mais do que eu sobre dor cirúrgica. Talvez, ele sugeriu, eu estivesse cansado de tratamentos à base de conversa e quisesse trocar de especialidade. Fui obrigado a prescrever a Marie sedação confidencialmente.

Escutei Marie, por longas horas, queixando-se de sua dor e do dr. Z. (ela estava convencida de que ele a trataria melhor se ela, inclusive agora, com a boca e o rosto latejando de dor, fosse receptiva a seus avanços sexuais). Suas sessões odontológicas no consultório dele eram humilhantes: sempre que o assistente saía da sala, ele fazia comentários sexualmente sugestivos e freqüentemente dava um jeito de esfregar as mãos nos seios dela.

Sem encontrar nenhuma maneira de ajudar Marie na situação que vivia com o dr. Z., sugeri enfaticamente que ela mudasse de médico. Insisti para que ela, ao menos, consultasse outro cirurgião bucofacial e lhe forneci nomes de excelentes especialistas. Ela odiava o que estava acontecendo e odiava o dr. Z., mas cada uma das minhas sugestões era recebida com "mas" ou "sim, mas". Ela era uma "sim, mas" (também conhecida na área como "queixosa que rejeita ajuda") de considerável perícia. Seus maiores "mas" eram de que, uma vez que o dr. Z. começara o trabalho, ele – e somente ele – sabia realmente o que estava acontecendo na sua boca. Marie tinha um medo terrível de ficar com alguma deformidade facial ou dentária. (Sempre muito preocupada com a aparência física, ela estava ainda mais preocupada agora, que ingressara no mundo dos solteiros.) Nada – nem raiva, nem orgulho, nem a esfregação hostil de seus seios – tinha precedência em relação à sua recuperação funcional e estética.

Havia outra consideração importante. Uma vez que o táxi tinha dado uma guinada, fazendo com que ela caísse quando estava descendo dele, ela iniciara um processo judicial contra a cidade. Em resultado de seus ferimentos, Marie perdera o emprego, e sua situação financeira era precária. Ela contava com uma indenização considerável, e temia antagonizar o dr. Z., cujo importante testemunho quanto à extensão de seus ferimentos e sofrimento seria essencial para que ganhasse a ação.

E, assim, Marie e o dr. Z. estavam paralisados numa dança complexa, cujos passos incluíam um cirurgião desdenhoso, uma ação judicial de um milhão de dólares, um maxilar quebrado, vários dentes fraturados e seios esfregados. Foi nessa extraordinária confusão que Mike – evidentemente desconhecendo tudo isso – fez sua inocente e racional sugestão de que Marie procurasse a ajuda de seu médico para compreender a sua dor. E fora então que Marie sorrira.

A segunda vez que ela sorriu foi em resposta à pergunta igualmente ingênua de Mike: "Você alimentaria o seu cachorro com comida envenenada?"

Havia uma história, também, por trás daquele sorriso. Nove anos antes, Marie e Charles, seu marido, haviam adquirido um cachorro, um desajeitado *daschund* chamado Elmer. Embora na verdade Elmer fosse o cachorro de Charles, e embora Marie tivesse aversão a cães, ela gradualmente se afeiçoara a ele, que durante anos dormiu em sua cama.

Elmer foi ficando velho, alquebrado e artrítico, e, depois da morte de Charles, exigiu tanta atenção de Marie que talvez tenha lhe prestado um serviço – uma ocupação forçada que muitas vezes ajuda a pessoa enlutada e proporciona uma abençoada distração nos estágios iniciais do luto. (Na nossa cultura, a ocupação pode ser proporcionada pelos arranjos para o funeral e a documentação do seguro-saúde, além de benefícios do governo.)

Após cerca de um ano de terapia, a depressão de Marie cedera e ela voltara sua atenção para a reconstrução de sua vida. Ela estava convencida de que só poderia ser feliz estando com alguém. Tudo o mais era um prelúdio; os outros tipos de amizade, todas as outras experiências eram simplesmente uma maneira de passar o tempo até que sua vida começasse mais uma vez com um homem.

Mas Elmer aparecia como uma barreira maior entre Marie e sua nova vida. Ela estava determinada a encontrar um homem; contudo, Elmer aparentemente "pensava" que era suficiente como homem da casa. Ele rosnava e mordia os desconhecidos, especialmente os homens. Ele se tornou perversamente incontinente: recusava-se a urinar na rua e esperava entrar em casa para encharcar o tapete da sala. Nenhum treinamento ou punição foi efetivo. Se Marie o deixava do lado de fora, ele uivava tão incessantemente que os vizinhos, mesmo a várias portas de distância, telefonavam suplicando ou exigindo que ela fizesse alguma coisa. Se ela o punisse de alguma maneira, Elmer se vingava molhando os tapetes dos outros cômodos.

O odor do cachorro estava por toda a casa. Ele atingia o visitante na porta da frente e não havia ar, xampu, desodorante ou perfume que pudesse purificar a casa de Marie. Envergonhada demais para convidar qualquer pessoa a entrar em sua casa, ela tentou a princípio retribuir aos convites recebendo as pessoas em restaurantes. Estava cada vez mais desesperada, achando que jamais teria uma verdadeira vida social.

Eu não sou amante de cachorros, mas esse parecia pior que a maioria. Encontrei Elmer uma vez, quando Marie o trouxe ao meu consultório – uma criatura mal-humorada que rosnou e mordiscou ruidosamente seus genitais durante toda a sessão. Talvez tenha sido naquele momento e lugar que eu resolvi que Elmer teria de partir. Eu me recusava a deixar que ele arruinasse a vida de Marie. Ou a minha.

No entanto havia grandes obstáculos. Não que Marie não pudesse se decidir. Tinha havido um outro poluidor malcheiroso na casa, uma inquilina que, de acordo com Marie, comia peixe em decomposição. Naquela situação, Marie agiu fazendo barulho. Ela seguiu a minha sugestão de uma confrontação direta, e quando a inquilina se recusou a alterar os hábitos culinários, Marie não hesitou em pedir à mulher que se mudasse.

Mas Marie se sentia numa armadilha com Elmer. Ele era o cachorro de Charles, e um pouquinho de Charles ainda vivia em Elmer. Marie e eu discutimos interminavelmente as suas opções. O plano diagnóstico dispendioso e minucioso de incontinência feito pelo veterinário foi de pequena valia. Visitas a um psicólogo e treinador de animais foram igualmente infrutíferas. Lentamente e com tristeza ela compreendeu (auxiliada, evidentemente, por mim) que ela e Elmer precisavam se separar. Ela perguntou a todos os seus amigos se eles queriam Elmer, mas nenhum foi bobo o suficiente para adotar aquele cachorro. Ela pôs um anúncio no jornal, mas nem mesmo a proposta de um cão grátis atraiu algum interessado.

Aos poucos, a inevitável decisão tomou forma. Suas filhas, seus amigos, seu veterinário, todos insistiam com ela para que pusesse Elmer para dormir. E, é claro, por trás dos bastidores, eu sutilmente a guiei para essa decisão. Finalmente, Marie concordou. Ela fez o sinal de negativo com o polegar e numa manhã cinzenta levou Elmer à sua última visita ao veterinário.

Concomitantemente, surgiu um problema em outra frente. O pai de Marie, que vivia no México, chegara a um tal estado de fragilidade que ela estava pensando em convidá-lo para morar com ela. Esta não me pareceu uma boa solução para ela, já que ela não gostava dele e o temia a tal ponto que pouco se comunicara com ele durante anos. Na verdade, seu desejo de escapar à sua tirania fora um fator maior na decisão acertada de emigrar para os Estados Unidos. A idéia de convidá-lo para morar com ela era instigada pela culpa, e não por preocupação ou amor. Mostrando isso a Marie, eu também questionei a conveniência de arrancar de sua cultura um homem de 80 anos de idade, que não falava inglês. Ela acabou concordando e conseguiu uma assistência residencial para seu pai no México.

A visão de Marie da psiquiatria? Ela muitas vezes brincou com os amigos: "Vá procurar um psiquiatra. Eles são maravilhosos. Primeiro, eles lhe dizem para despejar seu inquilino. A seguir, fazem com que você coloque seu pai num asilo. Finalmente, eles fazem você matar o seu cachorro!"

E ela sorriu quando Mike se inclinou sobre ela e perguntou gentilmente: "Você não alimentaria o seu cachorro com comida para cachorro envenenada, não é?"

Assim, da minha perspectiva, os dois sorrisos de Marie não significavam momentos de concordância com Mike, mas, ao contrário, eram sorrisos de ironia, sorrisos que diziam: "Se você soubesse..." Quando Mike lhe sugeriu que tivese uma conversa com seu cirurgião bucofacial, eu imaginei que ela deveria estar pensando:

"Ter uma longa conversa com o dr. Z.! Isso é esplêndido! Pode deixar que eu terei! Quando estiver curada e com a minha ação resolvida, conversarei com a mulher dele e com todas as pessoas que conheço. Apitarei tão alto em seus ouvidos que ele jamais deixarão de reverberar."

E, certamente, o sorriso quanto à comida envenenada de cachorro era igualmente irônico. Ela devia estar pensando: "Ah, eu não lhe daria ração para cães envenenada – a menos que ele ficasse um pouco velho e incômodo. Então eu o liquidaria rapidamente!"

Quando, em nossa sessão individual seguinte, discutimos a consulta, eu lhe perguntei sobre os dois sorrisos. Ela se lembrava muito bem de cada um deles.

– Quando o dr. C. me recomendou que tivesse uma longa conversa com o dr. Z. a respeito de minha dor, subitamente fiquei muito envergonhada. Comecei a me perguntar se por acaso você lhe contara tudo sobre mim e o dr. Z. Eu gostei muito do dr. C. Ele é muito atraente, o tipo de homem que eu gostaria de ter na vida.

– E o sorriso, Marie?

– Bem, obviamente eu estava embaraçada. Será que o dr. C. pensaria que eu era uma mulher indigna? Se eu fosse realmente pensar sobre isso (o que não faço), imagino que tudo seja uma troca: eu faço a vontade do dr. Z. e o deixo ter suas sensaçõezinhas sórdidas em troca de sua ajuda na minha ação judicial.

– Então o sorriso dizia...?

– Meu sorriso dizia... por que você está tão interessado em meu sorriso?

– Continue.

– Acho que meu sorriso dizia: "Por favor, dr. C., mude de assunto. Não me faça mais perguntas sobre o dr. Z., Espero que você não saiba nada sobre o que está acontecendo entre nós."

O segundo sorriso? O segundo sorriso não era, como eu pensara, um sinal irônico quanto aos cuidados com o cachorro, mas algo inteiramente diferente.

– Eu tive uma sensação engraçada quando o dr. C. continuou falando sobre o cachorro e o veneno. Eu sabia que você não lhe contara a respeito de Elmer; de outra forma, ele não teria escolhido um cachorro para ilustrar o que dizia.

– E... ?

– Bem, é difícil falar tudo isso. Mas, mesmo que eu não demonstre muito, não sei dizer muito obrigada, realmente apreciei o que você fez por mim nos últimos meses. Eu não teria conseguido sem você. Contei-lhe a minha piada sobre os psiquiatras (meus amigos a adoram): primeiro seu inquilino, depois seu pai, depois eles o fazem matar seu cachorro!

– E então?

– E então, acho que você excedeu seu papel como médico; eu lhe disse que seria difícil falar sobre isso. Eu pensava que os psiquiatras não devessem dar conselhos. Talvez você tenha deixado que seus sentimentos pessoais sobre cães e pais assumissem o controle!

– E o sorriso dizia...?

– Deus, você é persistente! O sorriso dizia: "Sim, dr. C., eu entendo. Agora, passemos rapidamente a outro assunto. Não me pergunte mais sobre o meu cachorro. Eu não quero que o dr. Yalom pareça malvado."

Experimentei sentimentos confusos ante a resposta. Ela estaria certa? Eu deixara que meus sentimentos se colocassem no caminho? Quanto mais eu pensava nisso, mais me convencia de que isso não combinava. Eu sempre tive sentimentos afetuosos em relação ao meu pai e teria gostado da oportunidade de convidá-lo para morar em minha casa. E cachorros? É verdade que eu não simpatizara com Elmer, mas conhecia minha falta de interesse por cachorros e me controlara muito. Todas as pessoas que conheciam a situação aconselharam-na a se livrar de Elmer. Sim, eu estava certo de que agira com seus melhores interesses em mente. Portanto, não me sentia bem aceitando que Marie protegesse meu profissionalismo. Parecia uma conspiração – como se eu reconhecesse que tinha algo a esconder. Todavia, também estava consciente de que ela expressara gratidão em relação a mim, e *isso* me fez bem.

Nossa discussão sobre os sorrisos fez surgir um material tão rico para a terapia que eu deixei de lado minhas reflexões a respeito das diferentes visões da realidade e ajudei Marie a explorar seu autodesprezo pela maneira como estava se comprometendo com o dr. Z. Ela também examinou seus sentimentos em relação a mim com mais honestidade do que antes: seus medos de dependência, sua gratidão, sua raiva.

A hipnose a ajudou a tolerar a dor até que, depois de três meses, seu maxilar fraturado estava curado, seu trabalho odontológico fora completado e a dor facial cessara. Sua depressão melhorou e sua raiva diminuiu; contudo, apesar desses progressos, jamais fui capaz de transformar Marie da maneira como gostaria. Ela continuou orgulhosa, um tanto condenatória e resistente a novas idéias. Continuamos a nos encontrar, mas parecia que tínhamos cada vez menos assunto; e, finalmente, vários meses depois, concordamos que nosso trabalho chegara ao fim. Marie me procurou, nos quatro anos seguintes, a cada poucos meses, em virtude de alguma crise menor; e, depois disso, nossas vidas nunca mais se cruzaram.

A ação judicial se arrastou por três anos, e ela recebeu uma quantia desapontadora. A essa altura, sua raiva em relação ao dr. Z. enfraquecera, e ela esqueceu a resolução de erguer a voz contra ele. Acabou se casando com um homem doce e bem mais velho do que ela. Não estou certo de que ela foi verdadeiramente feliz novamente. Mas ela nunca mais fumou um cigarro sequer.

Conclusão

A sessão de Marie com o especialista é uma comprovação dos limites do conhecimento. Embora ela, Mike e eu compartilhássemos a sessão, cada um de nós teve uma experiência amplamente diferente e imprevisível. A hora foi um tríptico, cada painel refletindo a perspectiva, as nuanças, as preocupações de seu criador. Talvez, se eu tivesse dado a Mike mais informações sobre Marie, seu painel se assemelhasse mais ao meu. Mas, da minha centena de horas com ela, o que eu deveria ter partilhado? Minha irritação? Minha impaciência? Minha autopiedade por estar preso a Marie? Meu prazer com o seu progresso? Minha excitação sexual? Minha curiosidade intelectual? Meu desejo de modificar a visão de Marie, de ensiná-la a olhar para dentro de si mesma, a sonhar, a fantasiar, a ampliar seus horizontes?

Contudo, mesmo que eu tivesse passado horas com Mike e compartilhado todas essas informações, ainda não teria conseguido transmitir adequadamente minha experiência com ela. Minhas impressões sobre ela, meu prazer, minha impaciência, não são exatamente iguais a outros sentimentos semelhantes que experienciei. Eu busco palavras, metáforas, analogias, mas elas não funcionam verdadeiramente; elas são, no melhor dos casos, tênues aproximações das ricas imagens que uma vez cruzaram minha mente.

Uma série de prismas deformadores bloqueiam o conhecimento do outro. Antes da invenção do estetoscópio, o médico escutava os sinais de vida com um ouvido pressionado contra a caixa torácica do paciente. Imaginem duas mentes pressionadas fortemente uma contra a outra e, como paramécios trocando micronúcleos, transferindo diretamente imagens do pensamento: seria uma união incomparável.

Talvez em algum milênio tal união seja possível – o supremo antídoto para o isolamento, o supremo flagelo para a privacidade. Por hora, existem grandes barreiras para essa união de mentes.

Primeiro, existe a barreira entre a imagem e a linguagem. A mente pensa em imagens, mas para se comunicar com outra deve transformar a imagem em pensamento e depois o pensamento em linguagem. Essa marcha, da imagem para o pensamento e para a linguagem, é traiçoeira. Acidentes acontecem: a rica e macia textura da imagem, sua extraordinária plasticidade e flexibilidade, suas nuanças emocionais nostálgicas, privadas – todas são perdidas quando a imagem é transformada à força em palavras.

Os grandes artistas tentaram comunicar a imagem diretamente por meio da sugestão, da metáfora, de façanhas lingüísticas que pretendiam evocar uma imagem similar no leitor. Mas eles acabaram compreendendo a inadequação de seus instrumentos para a tarefa. Ouçam o lamento de Flaubert, em *Madame Bovary*:

> Enquanto a verdade é a plenitude da alma que pode às vezes transbordar na pura insipidez da linguagem, pois nenhum de nós pode jamais expressar a exata medida de suas necessidades ou de seus pensamentos ou de suas tristezas, e a fala humana é como um tambor rachado em que tamborilamos ritmos ásperos para os ursos dançarem, desejaríamos compor uma música que derretesse as estrelas.

Outra razão pela qual jamais poderemos conhecer alguém completamente é que somos seletivos em relação ao que escolhemos revelar. Marie procurou a assistência de Mike para objetivos impessoais, para controlar a dor e parar de fumar, e decidiu lhe revelar muito pouco sobre si própria. Eu sabia mais sobre Marie e sobre seus sorrisos. Mas também entendi mal o seu significado: o que eu sabia dela era apenas um pequeno fragmento daquilo que ela queria e podia dizer a mim ou a si mesma.

Uma vez, trabalhei em um grupo com um paciente que durante dois anos de terapia raras vezes se dirigiu diretamente a mim. Um dia, Jay surpreendeu a mim e aos outros membros anunciando ("confessando" foi a palavra utilizada por ele) que tudo aquilo que ele já dissera no grupo – seu *feedback* para os outros, suas autorevelações, todas as suas palavras de carinho e de raiva –, tudo, realmente, fora dito por minha causa. Jay recapitulou, no grupo, suas experiências de vida em família, na qual ele ansiara pelo amor de seu pai, mas jamais o pedira – nunca pudera. No grupo, ele participou de muitos dramas, mas sempre tendo como horizonte o que poderia obter de mim. Embora ele fingisse falar aos outros membros do grupo, ele falava por intermédio deles para mim, enquanto buscava continuamente minha aprovação e apoio.

Naquele instante de confissão, todo o meu constructo sobre Jay explodiu. Eu pensava que o conhecia bem uma semana, um mês, seis meses antes. Mas jamais conhecera o Jay real, o Jay secreto; e, depois da sua confissão, tive de reconstruir minha imagem dele e atribuir novos significados a experiências passadas. Mas esse novo Jay, esse substituto, quanto tempo ele ficaria por aqui? Quanto tempo antes que novos segredos surgissem? Quanto tempo antes que ele revelasse a sua próxima camada? Eu sabia que, estendendo-se no futuro, haveria um número infinito de Jays. Jamais conseguiria alcançar o "real".

Uma terceira barreira ao conhecimento completo do outro não está naquele que compartilha, e sim no outro, o conhecedor, que deve reverter a seqüência de quem compartilha e traduzir a linguagem novamente em imagem – o roteiro que a mente é capaz de ler. É extremamente improvável que a imagem do recebedor seja igual à imagem mental original de quem a enviou.

O erro de tradução é constituído pelo erro do preconceito. Nós distorcemos os outros ao forçá-los às nossas próprias idéias e *gestalts* preferidas, um processo que Proust descreve maravilhosamente:

> Nós envolvemos o contorno físico da criatura que vemos com todas as idéias que já formamos a seu respeito e, nesse retrato completo que criamos em nossa mente, essas idéias certamente têm o papel principal. No final, elas preenchem tão completamente a curva de suas faces, seguem tão exatamente a linha de seu nariz, combinam tão harmoniosamente com o som de sua voz, que não parecem ser nada além de um envólucro transparente, de modo que cada vez que vemos o rosto ou ouvimos a voz são nossas próprias idéias a seu respeito que reconhecemos e que escutamos.

"Cada vez que vemos o rosto... são nossas próprias *idéias* a seu respeito que reconhecemos". Essas palavras oferecem uma chave para o entendimento de muitos relacionamentos fracassados. Dan, um de meus pacientes, participou de um retiro de meditação, no qual praticou *treposa*, um procedimento de meditação em que duas pessoas seguram as mãos uma da outra por vários minutos, trocam olhares, meditam profundamente uma sobre a outra e depois repetem o processo com novos parceiros. Depois de muitas dessas interações, Dan podia discriminar claramente os parceiros: com alguns ele sentia pouca conexão, enquanto que com outros sentia um forte elo, um elo tão poderoso, tão imperativo, que ele se convencia de que entrara em união espiritual com uma outra alma afim.

Sempre que Dan discutia essas experiências, eu precisava refrear meu ceticismo e racionalismo: "Ora, união espiritual! O que temos aqui, Dan, é um relacionamento autista. Você não conhece essa pessoa. De um modo proustiano, você envolveu essa criatura nos atributos que deseja para ela. Você se apaixonou por sua própria criação."

Evidentemente, jamais expressei claramente esses sentimentos. Acho que Dan não iria querer trabalhar com alguém tão cético. Todavia, estou certo de que externei meu ponto de vista de muitas maneiras indiretas: um olhar zombeteiro, o momento dos comentários ou perguntas, minha fascinação por certos tópicos e indiferença em relação a outros.

Dan percebeu essas insinuações e, em sua defesa, citou Nietzsche, que disse em algum lugar que, quando você encontra alguém pela primeira vez, já fica sabendo de tudo a respeito dessa pessoa; em encontros subseqüentes, você se torna cego à sua própria sabedoria. Nietzsche tem uma importância muito grande para mim, e a citação me fez parar. Talvez, em um primeiro encontro, a guarda *esteja* baixa; talvez ainda não tenhamos determinado qual *persona* vestir. Talvez as primeiras impressões *sejam* mais acuradas do que as segundas ou terceiras impressões. Mas isso está muito longe de uma comunhão espiritual com o outro. Além disso, embora Nietzsche fosse um profeta em muitos domínios, não era um guia para os relacionamentos interpessoais – será que já existiu algum homem mais solitário, mais isolado?

Será que Dan estava certo? Teria ele, por meio de um canal místico, descoberto algo vital e real sobre a outra pessoa? Ou teria simplesmente envolvido algum perfil humano com as suas próprias idéias e desejos – um perfil que achava atraente somente porque despertava associações aconchegantes, amorosas, alimentadoras?

Nós jamais pudemos testar a situação *treposa*, pois tais estados de meditação normalmente seguem a regra do "nobre silêncio": não se permite falar absolutamente nada. Mas, em várias ocasiões, ele encontrou socialmente uma mulher, trocou olhares com ela e experienciou uma fusão espiritual. Com raras exceções, ele acabava percebendo que aquela união espiritual era uma miragem. A mulher geralmente ficava intrigada ou assustada com sua suposição de que havia um vínculo profundo entre eles. Freqüentemente, Dan levava muito tempo para enxergar isso. Algumas vezes eu me sentia cruel quando o confrontava com a minha visão da realidade:

"Dan, essa intensa proximidade que você sente em relação a Diane – talvez ela tenha aludido à possibilidade de um relacionamento em algum momento futuro, mas observe os fatos. Ela não telefona de volta para você, ela vivia com um homem e agora, que está se separando, está combinando de morar com uma outra pessoa. Escute o que ela está lhe dizendo."

Ocasionalmente, a mulher cujos olhos Dan fixava experimentava a mesma união espiritual profunda, e eles eram arrastados para o amor – mas um amor que, invariavelmente, passava rapidamente. Algumas vezes, ele simplesmente definhava dolorosamente; outras vezes, transformava-se em violentas acusações de ciúme. Geralmente, Dan, sua amada, ou ambos, acabavam deprimidos. Fosse qual fosse a rota tomada por esse amor fugaz, o resultado final era o mesmo: nenhum deles conseguia o que queria do outro.

Estou convencido de que nesses primeiros encontros de louca paixão, Dan e a mulher se enganavam em relação àquilo que viam no outro. Cada um deles via o reflexo de seu próprio olhar suplicante, ferido, e o tomavam, equivocadamente, como desejo e plenitude. Ambos eram avezinhas com asas quebradas que buscavam voar agarrando-se a um outro pássaro com asas quebradas. As pessoas que se sentem vazias jamais se curam fundindo-se com outra pessoa incompleta. Pelo contrário, dois pássaros com asas quebradas, unidos em um, voam desajeitadamente. Paciência nenhuma os ajudará a voar; e, ao final, cada um deverá se separar do outro, e os ferimentos, imobilizados com talas separadas.

A incognoscibilidade do outro é inerente não apenas aos problemas que descrevi – as profundas estruturas da imagem e da linguagem, a decisão intencional ou involuntária do indivíduo de esconder alguma coisa, a cegueira do observador –, mas também à imensa riqueza e complexidade de cada ser individual. Enquanto muitos programas de pesquisa procuram decifrar a atividade elétrica e bioquímica do cérebro, o fluxo de experiências de cada pessoa é tão complexo que se distanciará sempre da mais recente tecnologia de escuta.

Julian Barnes, em *Flaubert's Parrot*, ilustrou, bela e caprichosamente, a inesgotável complexidade de uma pessoa. O autor está decidido a descobrir o Flaubert real, o homem de carne e osso por trás da imagem pública. Frustrado pelos métodos tradicionais de biografia, Barnes tentou apanhar desprevenida a essência de Flaubert, utilizando meios indiretos: por exemplo, pelo seu interesse por trens, os animais pelos quais ele sentia afinidade, ou por diferentes métodos (e cores) que ele utilizou para descrever os olhos de Emma Bovary.

Barnes, evidentemente, jamais capturou a quintessência do homem Flaubert e acabou estabelecendo uma tarefa mais modesta para si mesmo. Em visitas aos dois museus de Flaubert – um deles a casa em que o escritor viveu na infância e o outro a casa em que viveu quando adulto –, Barnes vê, em ambos, um papagaio empalhado, que cada um dos museus afirma ser o modelo que Flaubert usou para Lulu, o notável papagaio de seu livro *A Simple Soul.* Essa situação desperta em Barnes instintos investigativos: por Deus, embora ele não possa localizar Flaubert, ele irá, ao menos, discriminar o papagaio verdadeiro do falso.

A aparência física dos dois papagaios não ajuda muito: eles se parecem demais; e, além disso, ambos satisfazem a descrição feita por Flaubert a respeito de Lulu. Então, em um dos museus, um velho vigia oferece a prova de que seu papagaio é o verdadeiro. O poleiro do seu papagaio tem um selo que diz "Museu de Rouen", e ele depois mostra a Barnes uma fotocópia de um recibo indicando que Flaubert, havia mais de cem anos, alugara (e mais tarde devolvera) o papagaio do museu municipal. Exultante por estar próximo de uma solução, o autor corre para o outro museu, apenas para descobrir que o papagaio rival possui um selo idêntico em seu poleiro. Mais tarde, ele conversa com o mais velho sobrevivente da Sociedade dos Amigos de Flaubert, que lhe conta a verdadeira história dos papagaios. Quando os dois museus estavam sendo construídos (muito depois da morte de Flaubert), cada um dos curadores procurou, separadamente, o museu municipal com uma cópia do recibo em mãos e pediu o papagaio de Flaubert para o seu museu. Cada curador foi conduzido a uma grande sala com animais empalhados, contendo no mínimo 50 papagaios quase idênticos! "Escolha um", disseram a cada um deles.

A impossibilidade de descobrir o papagaio autêntico terminou com a crença de Barnes de que o Flaubert "real", ou qualquer pessoa "real", pudesse ser capturado. Mas muitas pessoas jamais descobrem a insensatez de tal busca e continuam a acreditar que, de posse de informações suficientes, elas podem definir e explicar uma pessoa. Sempre houve controvérsias entre os psicólogos e psiquiatras a respeito da validade do diagnóstico de personalidade. Alguns acreditam nos méritos do empreendimento e dedicam suas carreiras a uma precisão nosológica cada vez maior. Outros, e entre eles eu, se surpreendem com que alguém possa levar a sério um diagnóstico, que ele possa ser considerado algo mais do que um simples aglomerado de sintomas e traços comportamentais. Apesar disso, encontramo-nos sob crescente pressão (de hospitais, companhias de seguro, agências governamentais) para resumir uma pessoa com uma frase diagnóstica e uma categoria numérica.

Mesmo o mais liberal sistema de nomenclatura psiquiátrica comete uma violência contra a essência da pessoa. Se nos relacionamos com as pessoas acreditando que podemos categorizá-las, não iremos nem identificar nem cuidar das partes vitais do outro que transcendem a categoria. O relacionamento possível sempre supõe que o outro jamais pode ser inteiramente conhecido. Se eu fosse forçado a atribuir um rótulo diagnóstico oficial a Marie, eu seguiria a fórmula prescrita no *DSM-IIIR* (manual diagnóstico e estatístico psiquiátrico) e chegaria a um diagnóstico preciso e com um tom oficial, composto de seis categorias. Contudo, sei que ele teria pouco a ver com a Marie de carne e osso, a Marie que sempre me surpreendeu e escapou ao meu alcance, a Marie dos dois sorrisos.

CAPÍTULO 8

Três cartas fechadas

– A primeira chegou numa segunda-feira. O dia começou como qualquer outro. Passei a manhã trabalhando em um artigo, e por volta do meio-dia caminhei até o portão para pegar a correspondência eu normalmente a leio enquanto almoço. Por alguma razão, não sei bem por que, tive uma premonição de que esse dia não seria comum. Cheguei à caixa de correspondência e... e...

Saul não conseguiu continuar. Sua voz falhou. Ele baixou a cabeça e tentou se recompor. Eu jamais o vira em pior estado. Seu rosto estava impregnado de desespero, fazendo com que ele parecesse muito mais velho do que seus 63 anos; seus olhos inchados, contritos, estavam congestionados; sua pele, manchada, brilhava com a transpiração.

Depois de alguns minutos, tentou continuar. – Eu vi que ela chegara com a correspondência... eu... eu não posso continuar, não sei o que fazer...

Nos três ou quatro minutos desde que chegara a meu consultório, Saul entrou num estado de profunda agitação. Começou a respirar rápida e superficialmente, a intervalos curtos, em *staccato*. Colocou a cabeça entre os joelhos e prendeu a respiração, porém, inutilmente. Depois, ele se ergueu da cadeira e começou a caminhar pelo consultório, engolindo ar em grandes sorvos. Um pouco mais dessa hiperventilação e Saul acabaria desmaiando. Eu gostaria de ter comigo um saco de papel pardo para que ele respirasse dentro dele, mas sem esse remédio caseiro (tão bom quanto qualquer outro para combater a hiperventilação), eu tentei conversar com ele para acalmá-lo.

– Saul, nada vai lhe acontecer. Você me procurou para ser ajudado e é exatamente para isso que eu fui treinado. Nós conseguiremos resolver o problema juntos. Eis o que quero que você faça. Comece deitando-se aqui no divã e concentre-se na sua respiração. Primeiro respire rápida e profundamente; depois, comece a respirar mais devagar. Quero que você se concentre apenas numa coisa, em nada mais. Você está me ouvindo? Observe apenas que o ar que entra em suas narinas sempre é mais fresco do que o ar que sai delas. Medite sobre isso. Logo você vai notar que à medida que respira mais lentamente, o ar que você exala será ainda mais morno.

Minha sugestão foi mais efetiva do que eu previra. Em poucos minutos Saul tinha relaxado, sua respiração se tornou mais lenta, seu olhar de pânico desapareceu.

– Agora que você parece melhor, Saul, voltemos ao trabalho. Lembre-se, preciso ser informado; não o vejo há três anos. O que exatamente lhe aconteceu? Conte-me tudo, quero saber todos os detalhes.

Detalhes são maravilhosos. São informativos, calmantes e penetram na angústia do isolamento: o paciente sente que, uma vez que você tenha os detalhes, terá entrado na vida dele.

Saul decidiu não me dar nenhuma informação, e continuou com a descrição dos eventos recentes, retomando sua história no ponto em que a interrompera.

– Eu peguei minha correspondência e caminhei de volta para casa, passando rapidamente pelo monte de lixo habitual – propagandas, pedidos de donativos. Então eu o vi – um envelope grande, pardo, formal, do Instituto de Pesquisas de Estocolmo. Ele chegara, finalmente! Durante semanas temi receber aquela carta, e agora, quando ela finalmente chegou, eu não consegui abri-la. – Ele fez uma pausa.

– O que aconteceu depois? Não pule nada.

– Acho que simplesmente desabei numa cadeira da cozinha e fiquei lá sentado. Em seguida, peguei a carta e a coloquei no bolso de trás da calça. Comecei a almoçar. – Outra pausa.

– Continue. Não deixe nada de fora.

– Cozinhei dois ovos e fiz uma salada com eles. É engraçado, mas sanduíches com salada de ovo sempre foram calmantes. Eu só os como quando estou preocupado. Nada de alface, tomate, aipo ou cebolas cortadas. Apenas ovos amassados, sal, pimenta e maionese, acompanhados por um pão branco e muito macio.

– Funcionou? Os sanduíches acalmaram você?

– Eu custei a comê-los. Primeiro, estava sendo distraído pelo envelope; suas bordas estavam pinicando a minha bunda. Tirei a carta do bolso e comecei a brincar com ela. Você sabe, segurei-a contra a luz, senti seu peso, tentei descobrir quantas páginas ela tinha. Não que fosse fazer alguma diferença. Eu sabia que sua mensagem seria breve e brutal.

Apesar da minha curiosidade, resolvi deixar que Saul contasse a história à sua maneira e no seu próprio ritmo.

– Continue.

– Bem, comi os sanduíches. Inclusive os comi como costumava fazer quando era criança: chupando o recheio de salada de ovo. Mas isso não ajudou. Eu precisava de algo mais forte. Essa carta era devastadora demais. Finalmente, eu a coloquei numa gaveta, no meu escitório.

– Ainda sem abri-la?

– Sim, sem abri-la. E ainda está fechada. Por que devo abri-la? Eu sei o que há nela. Ler as palavras exatas apenas abriria o ferimento ainda mais.

Eu não sabia sobre o que Saul estava falando. Inclusive não sabia de sua ligação com o Instituto de Estocolmo. A essa altura, eu sentia uma coceira louca de curiosidade, mas senti um perverso prazer em não me coçar. Meus filhos sempre caçoaram de mim pela maneira como rasgo o papel de um presente tão logo ele me é entregue. Certamente a minha paciência naquele dia era um sinal de que eu atingira um certo grau de maturidade. Por que a pressa? Saul logo me daria as informações.

A segunda carta chegou oito dias depois. O envelope era idêntico ao primeiro. Eu o coloquei, também sem abrir, em cima do outro, na mesma gaveta da escrivaninha. Mas escondê-los não adiantou nada. Não conseguia parar de pensar neles, e, contudo, não suportava pensar neles. Se ao menos eu jamais tivesse ido ao Instituto Estocolmo! – Ele suspirou.

– Continue.

– Eu passei grande parte das últimas semanas perdido em devaneios. Você tem certeza de que quer ouvir essa história?

– Tenho certeza. Conte-me sobre os devaneios.

– Bem, às vezes eu pensava estar num julgamento. Eu apareceria perante os membros do Instituto; eles estariam de peruca e toga. Eu seria brilhante. Eu recusaria um advogado e deslumbraria todos pela maneira como responderia a cada acusação. Logo ficaria claro que eu não tinha nada a esconder. Os juízes ficariam perturbados. Um por um, eles abandonariam sua dignidade e correriam para mim, para serem os primeiros a me cumprimentar e pedir meu perdão. Esse é um dos devaneios. Fazia com que eu me sentisse melhor por alguns minutos. Os outros não eram tão bons, eram muito mórbidos.

– Conte-me sobre eles.

– Às vezes eu sentia esse aperto no peito e pensava que estava tendo um infarto, um infarto silencioso. São estes os sintomas: nenhuma dor, apenas dificuldade para respirar, e um aperto no peito. Eu tentava sentir meu pulso, mas nunca conseguia achar o maldito quando queria. Quando finalmente sentia uma batida, começava a me perguntar se ela vinha de minha artéria radial ou dos minúsculos vasos em meus dedos comprimindo meu pulso.

"Eu obtinha uma pulsação de cerca de 26 em 15 segundos. Vinte e seis vezes quatro é 104 por minuto. Então eu me perguntava se 104 seria bom ou ruim. Eu não sabia se um infarto silencioso era acompanhado por um pulso lento ou rápido. Eu soube que a pulsação de Bjorn Börg é 50.

"Eu imaginava cortar aquela artéria, aliviar a pressão e deixar o sangue fluir. Com uma pulsação de 104 por minuto, quanto tempo levaria para mergulhar na escuridão? Daí eu pensava em acelerar meu pulso para permitir que o sangue fluísse mais rápido. Eu podia pedalar na minha bicicleta ergométrica! Em poucos minutos, elevaria a pulsação para 120.

"Algumas vezes, eu imaginava o sangue enchendo um copo descartável. Eu podia escutar cada esguicho batendo contra as paredes enceradas do copo. Talvez 100 esguichos enchessem o copo; seriam apenas 50 segundos. Então eu pensava em como poderia cortar meus pulsos. A faca de cozinha? Aquela pequena e afiada, com o cabo preto? Ou uma lâmina de barbear? Mas não existem mais lâminas de barbear cortantes; somente aquelas lâminas injetadas, que são seguras. Eu nunca havia percebido o desaparecimento da lâmina de barbear. Acho que é assim que eu, também, desaparecerei. Sem estardalhaço. Talvez alguém vá pensar em mim em algum momento de fantasia, exatamente como pensei na extinta lâmina de barbear.

"Contudo, a lâmina não está extinta. Graças aos meus pensamentos, ela ainda vive. Sabe, não existe mais nenhuma pessoa viva, agora, que era adulta quando eu era criança. De modo que eu, como criança, estou morto. Em algum dia próximo, talvez em quarenta anos, não existirá mais ninguém vivo que tenha *algum dia* me conhecido. É quando estarei *verdadeiramente* morto, quando não existir na memória de ninguém. Eu pensei muito sobre uma pessoa muito velha, o último indivíduo vivo que conheceu alguém ou um grupo de pessoas. Quando essa pessoa velha morre, todo o grupo morre também, desaparece da memória viva. Eu gostaria de saber quem será essa pessoa para mim. A morte de quem me tornará verdadeiramente morto?"

Nos últimos minutos, Saul falara com os olhos fechados. Ele os abriu subitamente e conferiu comigo:

– Você pediu. Quer que eu continue? Essa coisa é muito mórbida.

– Tudo, Saul. Quero saber exatamente pelo que você tem passado.

– Uma das piores coisas era não ter ninguém com quem conversar, nenhum lugar para ir, nenhum confidente, nenhum amigo confiável com quem pudesse conversar sobre esse negócio.

– Que tal eu?

– Não sei se você lembra, mas levei quinze anos para tomar a decisão de procurá-lo, naquela primeira vez. Eu simplesmente não conseguia tolerar a desgraça de voltar a vê-lo. Nós nos saímos tão bem juntos, não conseguia lidar com a vergonha de voltar derrotado.

Eu compreendi o que Saul quis dizer. Nós trabalháramos juntos, muito produtivamente, durante um ano e meio. Três anos atrás, quando terminamos a terapia, Saul e eu estávamos muito orgulhosos por suas mudanças. Nossa sessão final foi uma formatura magnífica – faltou apenas uma banda para acompanhar sua marcha triunfante para o mundo.

– Então, tentei resolver as coisas sozinho. Sabia o que aquelas cartas significavam: elas eram meu julgamento final, meu apocalipse pessoal. Acho que consegui escapar delas por 63 anos. Agora, talvez porque esteja mais lento, minha idade, meu peso, meu enfisema, elas me alcançaram. Eu sempre encontrei maneiras de adiar o julgamento. Você se lembra delas?

Eu assenti com a cabeça. – De algumas delas.

– Eu me desculpava profusamente, prostrava-me, fazia insinuações de que tinha um câncer avançado (isso jamais falhou). E, caso nada mais funcionasse, sempre havia o pagamento em dinheiro. Eu imagino que 50 mil dólares solucionarão essa catástrofe toda do Instituto de Estocolmo.

– O que o fez mudar de idéia? Por que você resolveu me telefonar?

– Foi a terceira carta. Chegou uns dez dias depois da segunda. Acabou com tudo, com todo o meu planejamento, com qualquer esperança de escapar. Imagino que acabou também com o meu orgulho. Alguns minutos depois de recebê-la, eu estava ao telefone com a sua secretária.

O resto eu sabia. Minha secretária me contara a respeito de seu telefonema: "Qualquer hora em que o doutor possa me ver. Eu sei como ele é ocupado. Sim, uma semana depois de terça-feira estaria bem. Nenhuma emergência."

Quando minha secretária me falou de seu segundo telefonema algumas horas mais tarde ("Eu odeio incomodar o doutor, mas gostaria de saber se ele poderia me encaixar, ainda que fossem só alguns minutos, um *pouquinho* antes"), reconheci o sinal de Saul de grande desespero e telefonei de volta para ele combinando uma consulta imediata.

Ele, então, passou a resumir os acontecimentos de sua vida desde que nos encontramos pela última vez. Logo depois do término da terapia, há cerca de três anos, Saul, um excelente neurobiólogo, recebera uma recompensa importante – uma bolsa de seis meses no Instituto de Pesquisas de Estocolmo, na Suécia. Os termos do prêmio eram generosos: uma remuneração de 50 mil dólares, nenhum vínculo, e ele estaria livre para realizar sua própria pesquisa e dar aulas ou colaborar quanto quisesse.

Quando ele chegou ao Instituto de Estocolmo, foi recebido pelo dr. K., um renomado biólogo celular. O dr. K. era uma grande figura: falando num impecável dialeto de Oxford, recusava-se a se curvar sob o peso de sete décadas e meia e empregava cada um de seus 180 centímetros na construção de uma das maiores posturas do mundo. O pobre Saul esticou o queixo e pescoço para chegar a 165 centímetros. Embora as pessoas costumassem apreciar seu sotaque antiquado do Brooklyn, Saul se encolheu com o som de sua própria voz. Embora o dr. K. jamais tivesse ganhado um Prêmio Nobel (apesar de ter sido indicado, como era bem sabido, em duas ocasiões), ele inquestionavelmente era feito do material que origina láureas. Durante trinta anos Saul o admirara de longe, e agora, em sua presença, mal tinha coragem de olhar nos olhos do grande homem.

Quando Saul tinha 7 anos de idade, seus pais morreram num acidente de automóvel, e ele foi criado pelos tios. Desde então, o fio condutor de sua vida foi a incessante busca de um lar, afeição e aprovação. O fracasso sempre lhe infligia terríveis ferimentos, que saravam devagar e intensificavam profundamente seu sentimento de insignificância e solidão; o sucesso oferecia uma exultação extraordinária, mas evanescente.

Mas no momento em que Saul chegou ao Instituto de Pesquisas de Estocolmo, no momento em que foi saudado pelo dr. K., ele se viu estranhamente convencido de que seu objetivo seria alcançado, de que havia esperança de uma paz final. No momento em que apertou a vigorosa mão do dr. K., Saul teve uma visão, redentora e beatífica, de ambos trabalhando lado a lado como plenos colaboradores.

Dentro de poucas horas, e com insuficiente planejamento, Saul propôs que ele e o dr. K. colaborassem em uma revisão da literatura mundial a respeito da diferenciação das células musculares. Saul sugeriu que oferecessem uma síntese criativa e identificassem as direções mais promissoras para futuras pesquisas. O dr. K. ouviu, concordou cautelosamente e combinou encontrar-se duas vezes por semana com Saul, que faria a pesquisa bibliográfica. Saul atirou-se apaixonadamente ao projeto apressadamente concebido e apreciava muito suas horas de consulta com o dr. K., nas quais eles revisavam o progresso de Saul e buscavam padrões significativos na discrepante literatura de pesquisa básica.

Saul tanto se aqueceu no calor do relacionamento colaborativo que não percebeu que a pesquisa bibliográfica não estava sendo produtiva. Conseqüentemente, ele ficou chocado quando, dois meses mais tarde, o dr. K. expressou seu desapontamento quanto ao trabalho e recomendou que ele fosse abandonado. Jamais em sua vida Saul deixara de completar um projeto, e sua primeira reação foi sugerir que continuaria sozinho. O dr. K. respondeu: "Não posso impedi-lo, é claro, mas não acho aconselhável. De qualquer maneira, gostaria de me dissociar do trabalho."

Saul rapidamente concluiu que outra publicação (aumentando sua bibliografia de 261 para 262 artigos) seria bem menos gratificante do que uma colaboração contínua com o grande doutor e, depois de alguns dias de consideração, sugeriu outro projeto. Mais uma vez, Saul se propôs a fazer 95% do trabalho. Mais uma vez, o dr. K. concordou cautelosamente. Em seus meses restantes no Instituto de Estocolmo, Saul trabalhou como um demônio. Já tendo estabelecido um horário sobrecarregado com aulas e consultas para colegas mais jovens, ele foi forçado a trabalhar grande parte das noites, preparando suas sessões com o dr. K.

Ao final de seus seis meses, o projeto ainda estava inacabado, mas Saul assegurou ao dr. K. que o finalizaria e providenciaria sua publicação em um periódico importante. Saul tinha em mente um periódico editado por um antigo aluno, que sempre lhe solicitava artigos. Três meses mais tarde, Saul completou o artigo e, depois de obter a aprovação do dr. K., enviou-o ao periódico, apenas para ser informado, depois de 11 meses, que o editor estava gravemente enfermo, com uma doença crônica, e que os editores haviam decidido, infelizmente, não continuar a publicação do periódico e estavam, portanto, devolvendo todos os artigos.

Saul, a essa altura alarmado, despachou imediatamente o artigo para outra publicação. Seis meses mais tarde, ele recebeu uma carta de recusa – a primeira em vinte e cinco anos – que explicava, com deferência, considerando a importância dos autores, por que o jornal não podia publicar o artigo: nos últimos 18 meses, haviam sido publicadas três outras competentes revisões da mesma literatura, e, além disso, relatórios de pesquisa preliminares publicados nos últimos meses não apoiavam as conclusões alcançadas por Saul e pelo dr. K. a respeito de direções promissoras no campo. Todavia, o jornal teria muito prazer em reconsiderar o artigo se ele fosse atualizado, o tom básico, alterado, e as conclusões e recomendações, reformuladas.

Saul não sabia o que fazer. Ele não podia, não iria, passar pela vergonha de dizer ao dr. K. que agora, 18 meses mais tarde, o artigo deles ainda não fora aceito para publicação. O dr. K., Saul tinha certeza, jamais tivera um artigo rejeitado – não até associar-se a esse pequeno e importuno enganador de Nova York. Artigos de revisão, Saul sabia, se desatualizam rapidamente, sobretudo em campos onde ocorrem rápidas mudanças, como é o caso da biologia celular. Ele possuía experiência suficiente com conselhos editoriais para perceber que os editores do jornal estavam apenas sendo educados: não havia salvação para o artigo, a menos que ele e o dr. K. gastassem um tempo enorme em sua revisão. Além disso, seria difícil completar uma revisão por meio de correspondência internacional: era necessária uma colaboração face a face. O dr. K. trabalhava em questões de prioridade muito maior, e Saul estava certo de que ele preferiria simplesmente lavar as mãos em relação a toda aquela pestilência.

E esse era o impasse: para tomar qualquer decisão, Saul teria de contar ao dr. K. o que acontecera – e isso Saul não conseguia fazer. Então, como costumava fazer em tais situações, Saul nada fez.

Para piorar as coisas, ele escrevera um importante artigo a respeito de um assunto relacionado, que fora imediatamente aceito para publicação. Nesse artigo, ele creditava ao dr. K. algumas das idéias expressadas e citara seu agora não publicado artigo. A revista informara a Saul que sua nova política não permitia que ele creditasse algo a alguém sem o consentimento por escrito daquela pessoa (para impedir a utilização espúria de nomes famosos). Nem, pela mesma razão, permitia citações de artigos não publicados sem o consentimento por escrito dos co-autores.

Saul ficou paralisado. Ele não podia – sem mencionar o destino da aventura colaborativa deles – escrever ao dr. K. a fim de obter sua aprovação para lhe atribuir créditos. Novamente, Saul nada fez.

Vários meses mais tarde, seu artigo (sem nenhuma menção ao dr. K. e nenhuma menção ao trabalho colaborativo) apareceu como o artigo principal de um destacado periódico de neurobiologia.

– E isso – disse-me Saul com um grande suspiro – nos traz ao momento atual. Eu temia muito a publicação desse artigo. Sabia que o dr. K. o leria. Sabia o que ele sentiria e pensaria a meu respeito. Eu sabia que aos seus olhos e aos olhos de toda a comunidade do Instituto de Estocolmo eu seria uma fraude, um ladrão, pior que um ladrão. Eu esperava receber alguma coisa dele, e recebi a primeira carta exatamente quatro semanas depois da publicação, tempo suficiente para o jornal chegar à Escandinávia, para o dr. K. lê-lo, para fazer o julgamento, para entregar a sentença. O tempo exato para que sua carta chegasse a mim na Califórnia.

Saul parou aqui. Seus olhos suplicavam:

"Eu não consigo continuar. Livre-me disso tudo. Leve embora essa dor."

Embora eu jamais tivesse visto Saul tão abjeto, estava convencido de que eu seria capaz de prestar ajuda rapidamente. Conseqüentemente, empreguei meu tom de eficiência, orientado para a tarefa, e perguntei que planos ele fizera, que passos dera. Ele hesitou e então disse que resolvera devolver os 50 mil dólares ao Instituto de Estocolmo! Sabendo, a partir de nosso trabalho anterior, que eu desaprovava sua tendência a comprar sua saída em situações difíceis, Saul não me deu tempo para responder, mas continuou a falar rapidamente, dizendo que ele tinha que decidir qual era o melhor método. Ele estava pensando em uma carta, declarando que devolvia o dinheiro deles porque não utilizara produtivamente o período de sua bolsa no Instituto. Outra possibilidade era fazer um donativo direto ao Instituto de Estocolmo; um donativo que pareceria não estar relacionado a qualquer outra coisa. Tal donativo poderia ser uma hábil jogada, pensava ele, uma política segura para impedir qualquer possível censura ao seu comportamento.

Eu percebia o desconforto de Saul enquanto ele me revelava esses planos. Ele sabia que eu discordaria. Ele detestava desagradar os outros e queria a minha aprovação quase tanto quanto queria a do dr. K. Fiquei aliviado por ele estar disposto a compartilhar tanto comigo – o único ponto luminoso que eu via na sessão até o momento.

Por um breve intervalo, ficamos em silêncio. Saul estava esgotado e se recostou, exausto. Eu também me recostei em minha cadeira e avaliei a situação. Toda a história era um pesadelo cômico – a saga de um bebê preso em piche que, a cada passo, era colado mais firmemente a essa provação impossível pela inépcia social de Saul.

Mas nada havia de engraçado na aparência de Saul. Ele parecia péssimo. Ele sempre minimizou sua dor – sempre com medo de me "aborrecer". Se eu multiplicasse cada sinal de angústia por dez, eu chegaria lá: a disposição a pagar 50 mil dólares; as ruminações mórbidas, suicidas (ele fizera uma séria tentativa de suicídio havia cinco anos); a anorexia; a insônia; o pedido para me ver mais cedo. Sua pressão sangüínea (ele já me falara) subira para 19 por 12; e, seis anos antes, num período de estresse, ele tivera um infarto severo, quase fatal.

Assim, era claro que eu não deveria subestimar a gravidade da situação: Saul estava *in extremis*, e eu precisava oferecer ajuda imediata. Sua reação extremada era, pensei eu, totalmente irracional. Só Deus sabe o que havia naquelas cartas – provavelmente alguma propaganda irrelevante, de um encontro científico ou de um novo periódico. Mas eu estava certo de uma coisa: aquelas cartas, apesar do momento em que chegaram, *não* eram cartas de censura, fosse do dr. K. ou do Instituto de Estocolmo; e, sem dúvida, assim que ele as lesse, sua angústia se evaporaria.

Antes de prosseguir, considerei alternativas: eu estaria sendo apressado demais, ativo demais? E a minha contratransferência? Era verdade que eu ficava impaciente com Saul. "Tudo isso é ridículo", uma parte de mim queria dizer. "Vá para casa e leia as malditas cartas!" Talvez eu estivesse chateado porque minha terapia anterior com ele mostrava sinais de desgaste. Será que minha vaidade ferida estava me levando a ser impaciente com Saul?

Embora seja verdade que naquele dia eu o considerei tolo, sempre gostei muito dele. Gostei dele desde o momento em que o conheci. Uma das coisas que ele disse no nosso primeiro encontro o tornou benquisto por mim: "Eu logo farei 59 anos, e algum dia eu gostaria de poder passear pela Union Street e passar a tarde olhando as vitrinas."

Sempre me sinto atraído pelos pacientes que se debatem com as mesmas questões com as quais eu me debato. Eu sei tudo sobre o desejo de passear ao meio-dia. Quantas vezes eu ansiei pelo luxo de um passeio por São Francisco numa tarde livre de quarta-feira? Todavia, como Saul, continuei a trabalhar compulsivamente e a me impor um horário profissional que tornava impossível esse passeio. Eu sabia que ambos éramos perseguidos pelo mesmo homem com um rifle.

Quanto mais olhava para dentro de mim, mais me certificava de que meus sentimentos positivos em relação a Saul ainda estavam intactos. Apesar de sua aparência física desagradável, eu sentia muito afeto em relação a ele. Eu me imaginei embalando-o em meus braços e achei a idéia agradável. Estava certo de que, mesmo em minha impaciência, agiria em favor de Saul.

Eu também percebia que havia certas desvantagens em ser enérgico demais. O terapeuta superativo muitas vezes infantiliza o paciente: ele, nos termos de Martin Buber, não orienta ou ajuda o outro a "descobrir", e sim, pelo contrário, impõe-se ao outro. Não obstante, eu estava convencido de que poderia resolver toda aquela crise em uma ou duas sessões. À luz dessa crença, os perigos da superatividade pareciam pequenos.

Também (como só fui capaz de avaliar mais tarde, com uma visão mais objetiva de mim mesmo) era um azar para Saul ter vindo me consultar num momento de minha carreira profissional em que eu estava impaciente e diretivo, e insistia em que os pacientes, pronta e completamente, enfrentassem seus sentimentos em relação a tudo, incluindo a morte (mesmo que isso os matasse). Saul me telefonou aproximadamente na mesma época em que eu estava tentando dinamitar a obsessão amorosa de Thelma (veja "O carrasco do amor"). Foi também na época em que eu estava tentando obrigar Martin a reconhecer que a sua preocupação sexual era na verdade a angústia da morte desviada (veja Em busca do sonhador), e insensatamente forçando Dave ao entendimento de que seu apego a antigas cartas de amor era uma tentativa vã de negar o declínio físico e o envelhecimento (Não seja gentil).

E assim, para o melhor ou para o pior, decidi centrar-me firmemente nas cartas e fazer com que fossem abertas em uma, ou, no máximo, duas sessões. Durante aqueles anos, muitas vezes realizei grupos terapêuticos com pacientes hospitalizados, cuja permanência no hospital geralmente era breve. Uma vez que eu os tinha por apenas algumas sessões, havia me especializado em ajudar os pacientes a formular uma agenda adequada e realista de seus objetivos terapêuticos e a se concentrar na realização eficiente dessa agenda. Eu me vali dessas técnicas na minha sessão com Saul.

– Saul, como você acha que posso ajudá-lo hoje? O que você mais gostaria que eu fizesse?

– Eu sei que estarei bem em poucos dias. Só não estou conseguindo pensar com clareza. Deveria ter escrito imediatamente ao dr. K. Estou escrevendo agora uma carta para que ele revise, passo a passo, cada detalhe do que aconteceu.

– Você planeja mandar essa carta antes de abrir as outras três? – Eu odiava a idéia de Saul arruinar a carreira por meio de alguma ação tola. Eu até podia imaginar a perplexidade no rosto do dr. K. ao ler a longa carta em que Saul se defendia de acusações que ele, dr. K., jamais fizera.

– Quando penso sobre o que fazer, freqüentemente ouço a sua voz fazendo perguntas racionais. Afinal de contas, o que esse homem pode fazer contra mim? Alguém como o dr. K. por acaso iria escrever uma carta ao jornal me depreciando? Ele jamais chegaria a isso. Ele prejudicaria a si próprio tanto quanto a mim. Sim, posso ouvir o tipo de pergunta que você faria. Mas você deve lembrar que eu não estou raciocinando de maneira completamente lógica.

Havia uma reprovação velada, mas inconfundível, nessas palavras. Saul sempre procurara agradar, e grande parte de nossa terapia anterior se centrara no entendimento e correção dessa característica. De modo que fiquei satisfeito por ele ser capaz de assumir uma posição mais firme em relação a mim. Mas também fiquei mortificado por ele ter de me lembrar de que as pessoas angustiadas não pensam, necessariamente, de modo lógico.

– Tudo bem, então me conte a respeito de seu cenário ilógico.

Droga!, pensei, não era isso! Havia uma condescendência em minhas palavras que eu não sentia de maneira nenhuma. Mas, antes que tivesse tempo de modificar minha resposta, Saul, obedientemente, passou a responder. Normalmente, na terapia, eu com certeza teria voltado e analisado essa curta seqüência, mas nesse dia não havia tempo para sutilezas.

– Talvez eu desista da ciência. Há alguns anos tive uma forte dor de cabeça e o neurologista pediu um raio X, dizendo que, sem dúvida, era uma enxaqueca, mas que havia uma leve possibilidade de ser um tumor. Minha reação, na época, foi de que minha tia estava certa: *existe* alguma coisa basicamente errada em mim. Eu senti, quando tinha 8 anos de idade, que ela perdera a confiança em mim e que não se importaria se alguma coisa ruim me acontecesse.

Eu sabia, em função de nossos três anos de trabalho anterior, que a tia que o criara após a morte dos pais era uma mulher amarga, vingativa.

– Se fosse verdade – perguntei – que ela pensava tão mal de você, teria pressionado tanto para que se casasse com a filha dela?

– Isso só aconteceu quando sua filha completou 30 anos. Nenhum destino, nem mesmo me ter como genro, seria pior do que ter uma filha solteirona.

Acorde! O que estou fazendo? Saul fez o que pedi e compartilhou seu cenário ilógico, e aqui estou eu, tonto o suficiente para me perder nele. Mantenha o foco!

– Saul, o que você planeja? Imagine-se no futuro. Daqui a um mês: você terá aberto as três cartas?

– Sim, sem dúvida, elas serão abertas dentro de um mês.

Bem, pensei, isso já era *alguma coisa*! Mais do que eu havia esperado. Tentei conseguir mais.

– Você abrirá as cartas antes de enviar a carta ao dr. K.? Como você diz, estou sendo racional, porque um de nós tem de tentar permanecer racional. – Saul sequer sorriu. Seu senso de humor se fora completamente. Eu tinha que parar de gracejar, não estava conseguindo contato daquela maneira. – Parece que seria racional lê-las antes.

– Não tenho certeza. Eu realmente não sei. O que sei é que durante os seis meses inteiros que passei no Instituto de Estocolmo, tirei apenas três dias de folga. Eu trabalhava aos sábados e aos domingos. Em muitas ocasiões, recusei convites sociais, alguns inclusive do dr. K., porque não queria deixar a biblioteca.

Ele está tentando desviar a minha atenção, pensei. Ele fica me tentando com petiscos sedutores. Mantenha o foco!

– O que você acha, abrirá as cartas antes de devolver os 50 mil dólares?

– Não tenho certeza se as abrirei ou não.

Havia uma possibilidade razoável, pensei, de que ele já tivesse mandado o dinheiro e, se era assim, ele acabaria preso num emaranhado de mentiras que realmente prejudicaria nosso trabalho. Eu precisava descobrir a verdade.

– Saul, nós temos que começar com a mesma relação de confiança que tínhamos antes. Por favor, diga-me, você já enviou esse dinheiro?

– Ainda não. Mas serei honesto com você, isso faz muito sentido e eu provavelmente enviarei. Preciso vender algumas ações para juntar todo esse dinheiro.

– Bem, o que eu penso é o seguinte: parece claro que a razão pela qual você me procurou é conseguir ajuda para abrir aquelas cartas. – Eu estava sendo um pouco manipulador aqui, ele não dissera exatamente isso. – Nós dois sabemos que, certamente, no próximo mês – mais manipulação: eu queria transformar a vaga intenção de Saul em um firme comprometimento – você as abrirá. Nós dois também sabemos, e estou me dirigindo à parte racional que existe em você, que não é sensato dar passos importantes, irreversíveis, antes de abri-las. Parece que as perguntas verdadeiras são *quando*, quando você as abrirá? E *como*; qual é a melhor maneira de eu ajudá-lo?

– Eu deveria fazer exatamente isso. Mas não tenho certeza. Eu realmente não sei.

– Será que você não quer trazê-las aqui e abri-las em meu consultório? – Eu estaria agindo em benefício de Saul, agora, ou meramente sendo um *voyeur* (como se visse a caixa-forte de Al Capone ou o cofre do *Titanic* sendo abertos na TV)?

– Eu poderia trazê-las e abri-las aqui, com você para cuidar de mim se eu tiver um colapso. Mas não quero. Quero resolver isso de maneira adulta.

Touché! Difícil contestar isso. A assertividade de Saul hoje era impressionante. Eu não havia previsto tal tenacidade. Eu só esperava que não estivesse a serviço de defender essa loucura a respeito das cartas. Saul estava realmente determinado, mas, embora eu tivesse começado a questionar minha escolha de uma abordagem direta, persisti.

– Ou você quer que eu o visite em sua casa e o ajude a abri-las lá? – Eu desconfiava que teria motivos para lamentar essa pressão rude, mas não consegui me controlar. – Ou alguma outra maneira? Se você pudesse planejar nosso tempo juntos, qual seria a melhor maneira de eu ajudá-lo?

Saul nem se mexeu. – Eu absolutamente não sei.

Uma vez que já avançáramos 15 minutos além da nossa hora e que eu tinha outro paciente também em crise esperando, relutantemente encerrei a sessão. Fiquei tão preocupado com Saul (e com a escolha da minha estratégia) que quis vê-lo novamente no dia seguinte. No entanto, não havia mais nenhum horário livre, e nós combinamos outra sessão em dois dias.

Durante meu encontro com o paciente seguinte, foi difícil tirar Saul de minha mente. Eu ficara assombrado com sua resistência. Eu batera repetidamente contra uma parede de concreto. Completamente diferente do Saul que eu conhecera, que sempre fora tão patologicamente conciliador que muitas pessoas o haviam explorado. Duas esposas anteriores haviam obtido acordos de divórcio imensamente generosos e não contestados. (Saul sentia-se tão indefeso em face das exigências dos outros que resolvera permanecer solteiro nos últimos vinte anos.) Os alunos habitualmente conseguiam dele favores extravagantes. Ele freqüentemente cobrava menos do que o devido por seus serviços profissionais de consultoria (e era freqüentemente mal pago).

Em certo sentido, eu também explorara esse traço de Saul (mas para o seu próprio bem, disse a mim mesmo): para me agradar, ele começara a cobrar um preço justo por seus serviços e a recusar muitas solicitações que não queria atender. A mudança no seu comportamento (mesmo que originada de um desejo neurótico de obter e manter o meu amor) iniciou uma espiral adaptativa e produziu muitas outras mudanças salutares. Tentei a mesma abordagem com as cartas, esperando que Saul, a meu pedido, as abrisse imediatamente. Mas, obviamente, eu calculara mal. Em algum lugar, Saul encontrara o poder de assumir uma posição contra mim. Eu poderia ter me alegrado com essa nova força, não fosse a causa à qual ela servia, tão autodestrutiva.

Saul não compareceu à sessão seguinte. Cerca de 30 minutos antes da hora, ele telefonou à minha secretária para informar que dera um mau jeito nas costas e que não conseguia se levantar da cama. Retornei a ligação imediatamente, mas fui atendido pela secretária eletrônica. Deixei uma mensagem pedindo que ele me telefonasse, mas várias horas se passaram sem uma palavra dele. Liguei novamente e deixei uma mensagem irresistível para os pacientes: para que me telefonasse, pois eu tinha algo muito importante a lhe dizer.

Quando Saul retornou, mais no final da tarde, fiquei alarmado pelo timbre melancólico e distante da sua voz. Eu sabia que ele não machucara as costas (ele freqüentemente evitava confrontações desagradáveis simulando doenças), e ele sabia que eu sabia disso; mas o tom seco de sua voz assinalava indubitavelmente que eu não tinha mais o direito de falar disso. O que fazer? Eu estava alarmado. Fiquei preocupado em relação a decisões precipitadas. Preocupei-me com suicídio. Não, eu não permitiria que ele chegasse ao fim. Prepararia uma armadilha para ele ter de me ver. Detestava esse papel – mas não via outro caminho.

– Saul, acho que não avaliei bem quanta dor você estava sentindo e o pressionei demais para que abrisse as cartas. Tenho uma idéia melhor sobre como devemos trabalhar. Mas, uma coisa é certa, este não é o momento de perdermos sessões. Proponho que até você estar bem o suficiente para sair, eu o visite em casa.

Saul se opôs, evidentemente, e colocou muitas objeções – objeções previsíveis: ele não era o meu único paciente; eu era ocupado demais; ele já estava se sentindo melhor; não era nenhuma emergência; ele logo estaria bem para ir ao meu consultório. Mas eu fui tão persistente quanto ele, e me recusei a ser dissuadido. Finalmente, ele concordou em me receber na manhã seguinte, bem cedo.

A caminho da casa de Saul no dia seguinte, eu me sentia alegre. Estava de volta a um papel quase esquecido. Havia muito tempo eu não fazia visitas domiciliares. Pensei em meus tempos de estudante de Medicina, nas visitas domiciliares em South Boston, nos rostos de pacientes havia muito desaparecidos, nos cheiros das habitações irlandesas – o repolho, a velhice, a cerveja do dia anterior, os urinóis, a carne envelhecida. Pensei em um velho paciente que eu costumava atender nas minhas rondas, um diabético que tivera ambas as pernas amputadas. Ele sempre me apresentava um enigma tirado do jornal da manhã: "Qual é o vegetal que tem o maior teor de açúcar? Cebolas! Você sabia disso? O que eles estão ensinando a você na escola de Medicina atualmente?"

Eu estava pensando se as cebolas *realmente* continham muito açúcar quando cheguei à casa de Saul. A porta da frente estava entreaberta, como ele me dissera que estaria. Não perguntei quem a deixaria aberta, já que ele estava confinado à cama. Uma vez que era melhor que Saul mentisse para mim o menos possível, eu fiz poucas perguntas a respeito de suas costas ou sobre como ele estava sendo cuidado. Sabendo que ele tinha uma filha casada morando na vizinhança, eu insinuei, de passagem, que supunha que ela estivesse atendendo às suas necessidades.

O quarto de Saul era espartano – paredes nuas de estuque e assoalho de tábuas, nenhum toque decorativo, nenhuma fotografia de família, nenhum traço de senso estético (ou da presença de uma mulher). Ele jazia imóvel, de costas. Manifestou pouca curiosidade sobre o novo plano de tratamento que eu mencionara ao telefone. Na verdade, ele parecia tão distante que decidi que a primeira coisa que tinha de fazer era zelar pelo nosso relacionamento.

– Saul, na terça-feira eu me senti, em relação às cartas, da maneira como acho que um cirurgião se sente em relação a um grande e perigoso abscesso. – Saul, no passado, fora sensível a analogias cirúrgicas, estando familiarizado com elas por causa da escola de Medicina (que ele cursara antes de se estabelecer numa carreira de pesquisas); além do mais, seu filho era cirurgião.

– Eu estava convencido de que o abscesso tinha de ser aberto e drenado, que eu precisava convencê-lo a me dar permissão para isso. Talvez tenha me precipitado, talvez o abscesso ainda não tenha amadurecido. Talvez possamos tentar o equivalente psiquiátrico do calor e dos antibióticos sistêmicos. Por hora, vamos deixar de lado a discussão sobre a abertura das cartas; é evidente que você as abrirá quando estiver pronto. – Eu fiz uma pausa, resistindo à tentação de fazer uma referência ao período de um mês, como se ele tivesse se comprometido formalmente; esse não era o momento para manipulações. Saul perceberia qualquer artimanha.

Em vez de me responder, ele continuou imóvel, sem olhar para mim.

– De acordo? – eu sugeri.

Um aceno superficial.

Continuei:

– Estive pensando em você nos dois últimos dias. – Agora eu estava indo fundo em meu repertório de artifícios sedutores! Um comentário do terapeuta afirmando que estivera pensando no paciente fora do horário da sessão jamais, em minha experiência, deixou de conquistá-lo.

Porém, nem um brilho sequer de interesse nos olhos de Saul. Agora eu estava realmente preocupado, mas, novamente, decidi não comentar o seu distanciamento. Em vez disso, busquei uma maneira de me conectar a ele.

– Nós dois concordamos que sua reação ao dr. K. foi excessiva. Ela me lembra do forte sentimento, que você freqüentemente expressou, de não pertencer a lugar nenhum. Eu penso na sua tia, lembrando com tanta freqüência que você teve sorte de ela ter concordado em tomar conta de você, em vez de deixar que fosse para um orfanato.

– Eu já lhe contei que ela jamais me adotou? – Saul, subitamente, estava de novo comigo.

– Não, não realmente:

– Nós agora estávamos falando juntos, mas em paralelo, não face a face.

– Quando as duas filhas dela estavam doentes, o médico da família as visitava em casa. Quando eu ficava doente, ela me levava ao hospital municipal e gritava: "Este órfão precisa de assistência médica!"

Eu fiquei me perguntando se Saul percebera que, finalmente, aos 63 anos de idade, ele era visitado em casa pelo médico.

– Assim, você nunca pertenceu realmente a lugar nenhum, nunca esteve verdadeiramente "em casa". Penso naquilo que você me contou a respeito da cama que tinha na casa de sua tia; o sofá que você abria todas as noites na sala de estar.

– O último a dormir, o primeiro a levantar. Eu não podia abrir minha cama até que todos saíssem da sala de estar à noite, e de manhã precisava levantar e fechar a cama antes que qualquer pessoa levantasse.

Eu me conscientizei mais do seu quarto, tão despojado quanto um quarto de hotel mexicano de segunda classe, e pensei, também, numa descrição que lera a respeito do cubículo branco e nu de Wittgenstein, em Cambridge. Era como se Saul ainda não tivesse um quarto, nenhum aposento que ele tivesse tornado seu, que fosse inconfundivelmente seu.

– Eu me pergunto se o dr. K. e o Instituto de Estocolmo não representam um verdadeiro refúgio. Finalmente você encontrou o lugar a que pertence, o lar, e talvez o pai que sempre procurou.

– Talvez você esteja certo, doutor. – Não era importante o fato de eu estar ou não certo. Nem era importante o fato de Saul estar sendo respeitoso. Nós estávamos conversando; isso era o importante. Eu fiquei mais calmo, estávamos navegando em águas familiares.

Saul continuou:

– Há algumas semanas eu vi um livro numa livraria sobre o "complexo de impostor". Ajusta-se bem a mim. Eu sempre dei uma falsa impressão de mim, sempre me senti como uma fraude, sempre temi ser desmascarado.

Isso era coisa de rotina, víramos esse material muitas vezes, e não me preocupei em contestar suas auto-acusações. Não faria sentido. Eu fizera isso muitas vezes no passado e ele sempre tinha uma resposta pronta para tudo. ("Você teve uma carreira acadêmica de grande sucesso." "Em uma universidade de segunda categoria, num departamento de terceira categoria." "Duzentas e sessenta e três publicações?" "Faz quarenta e dois anos que publico, ou seja, apenas seis por ano. Além disso, a maioria tem menos de três páginas. Eu freqüentemente escrevo o mesmo artigo de cinco maneiras diferentes. E este número também inclui resumos, revisões de livros e capítulos, ou seja, quase nenhum material original.")

Ao contrário, eu disse (e podia dizê-lo com um tom de autoridade, uma vez que estava falando a respeito de mim mesmo tanto quanto dele):

– Foi isso o que você quis dizer quando falou que essas cartas o perseguiram por toda a vida! Não interessa o que você realizou, não interessa que você tenha trabalhado por três, você sempre teme estar na iminência de ser julgado e desmascarado. Como posso anular esse veneno? Como posso ajudá-lo a ver que essa é uma culpa sem crime?

– Meu crime consiste em dar uma falsa impressão de mim mesmo. Não fiz nada de importante no campo. Eu sei disso, o dr. K. agora sabe disso, e se você soubesse alguma coisa sobre neurobiologia, também saberia. Ninguém está numa posição melhor do que mim para fazer um julgamento mais exato do meu trabalho.

Imediatamente pensei: não é "do que *mim*"; é "do que *eu*". Seu único crime real é utilizar a forma errada do pronome da primeira pessoa.

Então, percebi como me tornava crítico sempre que Saul ficava belicoso. Felizmente, guardei tudo isso para mim mesmo – o que eu deveria ter feito com o meu comentário seguinte.

– Saul, se você é tão mau, como afirma, se, como insiste, carece de todas as virtudes e de todas as faculdades mentais de discriminação, por que acha que seu julgamento, especialmente a respeito de si próprio, é impecável e irrepreensível?

Nenhuma resposta. No passado, os olhos de Saul teriam sorrido e buscado os meus, mas hoje ele claramente não estava a fim de jogos de palavras.

Acabei a sessão estabelecendo um contrato. Eu concordava em ajudar de todas as formas que estivessem ao meu alcance, atendê-lo durante a crise, visitá-lo em casa por tanto tempo quanto fosse necessário. Eu pedia, em troca, que ele concordasse em não tomar decisões irreversíveis. Extraí dele, explicitamente, a promessa de não machucar a si próprio, de não escrever (sem me consultar previamente) ao dr. K. e de não devolver o dinheiro ao Instituto de Estocolmo.

O contrato de não-suicídio (um contrato verbal ou por escrito, no qual o paciente promete telefonar ao terapeuta quando estiver se sentindo perigosamente autodestrutivo, e o terapeuta ameaça terminar a terapia se o paciente violar o contrato fazendo uma tentativa de suicídio) sempre me pareceu cômico ("Se você se matar, jamais o tratarei novamente"). No entanto, ele pode ser surpreendentemente efetivo, e eu me senti bem mais tranqüilo por haver estabelecido um com Saul. As visitas domiciliares também tinham sua utilidade: apesar de inconvenientes para mim, colocavam Saul em débito comigo e aumentavam a força do contrato.

A sessão seguinte, dois dias depois, continuou numa linha semelhante. Saul estava fortemente tentado a enviar o donativo de 50 mil dólares, continuei firme na minha oposição a esse plano e explorei a história da sua tendência a comprar a saída dos problemas.

Ele me fez uma descrição deprimente do seu primeiro contato com dinheiro. Dos 10 aos 17 anos de idade, vendeu jornais no Brooklyn. Seu tio, um homem grosseiro, intempestivo, que Saul raramente mencionava, conseguiu para ele um ponto próximo da entrada do metrô, e o deixava lá às cinco e meia da manhã, todos os dias, e o buscava três horas mais tarde para levá-lo à escola – não interessava que Saul sempre se atrasasse 10 ou 15 minutos e começasse todos os dias de escola com uma repreensão.

Ainda que Saul, durante sete anos, sempre tivesse dado cada tostão de seus rendimentos para a tia, ele jamais sentiu que contribuía com dinheiro suficiente, e começou a estabelecer objetivos, inalcançáveis, de quanto deveria ganhar a cada dia. Ele punia qualquer fracasso em relação a esses objetivos negando a si próprio seu jantar ou parte do jantar. Para esse fim, ele aprendeu a mastigar lentamente, a "bochechar" a comida, ou a rearranjá-la no prato de modo que ela parecesse ter diminuído. Se fosse forçado a engolir pelo olhar da tia ou do tio (não que ele acreditasse que eles estavam preocupados com a sua nutrição), ele vomitava silenciosamente no banheiro depois das refeições. Exatamente como no passado, quando tentou comprar seu ingresso na família, ele agora buscava comprar um lugar seguro à mesa do dr. K. e do Instituto de Estocolmo.

– Meus filhos não precisam de dinheiro. Meu filho ganha 2 mil dólares por uma ponte de safena, e, muitas vezes, faz duas por dia. E o marido da minha filha tem um salário de seis dígitos. Prefiro entregá-lo agora ao Instituto de Estocolmo do que vê-lo arrancado mais tarde por uma das minhas ex-esposas. Eu me decidi por um donativo de 50 mil dólares. Por que não? Eu posso pagar. Meu seguro social e minha pensão da universidade me pagam muito mais do que eu preciso para sobreviver. Eu o farei anonimamente. Posso guardar o recibo da ordem de pagamento e, se o pior acontecer, sempre poderei oferecer a prova de que devolvi o dinheiro. Se nada disso for necessário, então tudo ainda estará bem. É por uma boa causa, a melhor que conheço.

– Não é a decisão, e sim como e quando você faz algo que é importante. Existe uma diferença entre *querer* fazer alguma coisa e *ter* de fazê-la (para evitar algum perigo). Acredito que você esteja operando nesse momento no modo "ter de". Se doar 50 mil dólares é uma boa idéia, ela ainda será uma boa idéia daqui a um mês. Confie em mim, Saul, é melhor não tomar decisões irreversíveis quando você está muito estressado e sem funcionar (como você mesmo percebeu) de modo inteiramente racional. Só estou pedindo um tempo, Saul. Apenas adie a doação, por enquanto, até que a crise tenha passado, até que as cartas tenham sido abertas.

Mais uma vez ele balançou a cabeça concordando. Mais uma vez desconfiei que ele já mandara os 50 mil dólares e não estava disposto a me contar. Isso não seria atípico dele. No passado, ele tinha tanta dificuldade em compartilhar coisas potencialmente embaraçosas que eu instituí, nos últimos 15 minutos de cada sessão, um momento destinado aos "segredos", em que lhe pedia explicitamente para que se abrisse e contasse os segredos que ocultara na parte inicial da hora de terapia.

Saul e eu prosseguimos assim por várias sessões. Eu chegava a sua casa de manhã cedo, entrava pela porta misteriosamente aberta e conduzia a terapia sentado ao lado da sua cama, onde ele jazia em virtude de uma indisposição que ambos sabíamos ser fictícia. Mas o trabalho parecia caminhar bem. Embora eu estivesse menos envolvido com ele do que no passado, fazia o que os terapeutas tradicionalmente devem fazer: esclarecia padrões e significados, ajudava Saul a compreender por que as cartas lhe pareciam tão perigosas, como elas não representavam apenas um infortúnio profissional presente, mas também simbolizavam uma busca vitalícia de aceitação e aprovação. Sua busca era tão frenética, sua necessidade tão intensa, que ele derrotava a si mesmo. Nesse caso, por exemplo, se ele não estivesse desesperado pela aprovação do dr. K., teria evitado todo o problema fazendo o que qualquer colaborador faz - simplesmente manteria o co-autor informado sobre todos os progressos em seu trabalho conjunto.

Nós traçamos os desenvolvimentos anteriores desses padrões. Certas cenas (a criança que era sempre "a última a dormir, a primeira a levantar"; o adolescente que não comeria seu jantar se não tivesse vendido um número suficiente de jornais; a tia gritando: "Este órfão precisa de assistência médica!") eram imagens condensadas - *episthèmes*, Foucault as chamou - que representavam de forma cristalina os padrões de uma vida inteira.

Mas Saul, deixando de responder à terapia convencionalmente correta, mergulhava, a cada hora, num desespero mais profundo. Seu tom emocional se atenuou, seu rosto ficou mais rígido, ele dava cada vez menos informações - e perdeu todo o humor e senso de proporção. Sua autodepreciação assumiu dimensões gigantescas. Por exemplo, durante uma sessão em que eu o lembrava do quanto ele ensinara gratuitamente no Instituto de Estocolmo, aos colegas e na faculdade, ele declarou que, em resultado do que fizera àqueles brilhantes jovens, provocara um retrocesso de vinte anos no campo! Eu estava contemplando as minhas unhas enquanto ele falava e sorri quando ergui a cabeça, esperando ver uma expressão irônica e brincalhona em seu rosto. Mas fiquei gelado ao ver que ele não estava brincando: Saul estava mortalmente sério.

Com freqüência crescente, ele divagava interminavelmente sobre as idéias de pesquisa que roubara, as vidas que arruinara, os casamentos destruídos, os alunos injustamente reprovados (ou aprovados). O alcance e a amplitude de sua maldade eram, evidentemente, evidências de uma grandiosidade agourenta que, por sua vez, encobria um senso mais profundo de desvalia e insignificância. Durante essa discussão, lembrei-me de um dos primeiros pacientes que atendi quando era residente – um fazendeiro de rosto vermelho, cabelos cor de areia, psicótico, que insistia em que dera início à Terceira Guerra Mundial. Eu não pensava nesse fazendeiro, cujo nome eu esqueci – havia mais de trinta anos. Que o comportamento de Saul o trouxesse à minha mente era um sinal diagnóstico agourento.

Saul teve uma severa anorexia; começou a perder peso rapidamente, seu sono era profundamente entrecortado e sua mente era assolada por incessantes fantasias autodestrutivas. Ele agora cruzava a fronteira crítica que separa a pessoa perturbada, sofredora, ansiosa, do psicótico. Os sinais agourentos se multiplicavam rapidamente em nosso relacionamento: ele estava perdendo suas qualidades humanas; Saul e eu não mais nos relacionávamos como amigos ou aliados; paramos de sorrir juntos ou de tocar um no outro – seja psicológica ou fisicamente.

Eu comecei a objetificá-lo: Saul não era mais uma pessoa que estava deprimida, e sim, em vez disso, uma "depressão" – especificamente, nos termos do *Diagnostic and Statistical Manual of Mental Disorders*, uma depressão "maior" do tipo severo, recorrente, melancólico, com apatia, lentidão psicomotora, perda de energia e apetite, perturbação do sono, idéias de referência e ideação paranóide e suicida (*DSM-III,* código 296.33). Comecei a pensar em qual medicação deveria tentar, e se deveria hospitalizá-lo.

Eu nunca gostei de trabalhar com os que cruzam a fronteira para a psicose. Mais do que qualquer outra coisa, valorizo imensamente a presença e o envolvimento do terapeuta no processo de terapia, mas agora percebia que nosso relacionamento estava cheio de encobrimentos – não menos meus do que dele. Eu me associara a ele por causa do seu problema fictício. Se, na verdade, ele estava confinado à cama, quem o estava ajudando? Quem o alimentava? Mas nunca perguntei, já que sabia que as perguntas o afastariam ainda mais. Parecia melhor agir sem consultá-lo e informar aos filhos sobre seu estado. Eu me perguntei que posição deveria tomar em relação aos 50 mil dólares. Se Saul já tivesse enviado o dinheiro ao Instituto de Estocolmo, eu não deveria aconselhá-los a devolver o donativo? Ou, pelo menos, suspendê-lo temporariamente? Eu teria o direito de fazer isso? Ou a responsabilidade? Seria malversação *não* fazer isso?

Eu ainda pensava freqüentemente nas cartas (embora a condição de Saul tivesse piorado tanto que eu tinha menos confiança na minha analogia de "drenar o abscesso"). Enquanto caminhava pela casa dele em direção ao seu quarto, olhei ao redor tentando localizar a escrivaninha em que elas estavam guardadas. Deveria tirar meus sapatos e andar nas pontas dos pés – todos os psiquiatras têm algo de detetive – até encontrá-las, abrir os envelopes e devolver a Saul a sanidade com seus conteúdos?

Pensei em como, quando tinha 8 ou 9 anos de idade, eu desenvolvi um grande cisto em meu pulso. O bondoso médico da família segurou gentilmente minha mão enquanto a examinava – em seguida, subitamente, com um pesado livro que escondia na outra mão, ele bateu em meu pulso, estourando o cisto. Em um momento cegante de dor, o tratamento terminou e se evitou com isso um extenso procedimento cirúrgico. Será que existe um lugar na psiquiatria para um despotismo benevolente assim? Os resultados foram excelentes e meu cisto foi curado. Mas se passaram muitos anos antes de eu estar disposto a apertar a mão de qualquer médico novamente!

Meu velho professor John Whitehorn me ensinou que podemos diagnosticar a "psicose" pelo caráter do relacionamento terapêutico: o paciente, ele sugeriu, deveria ser considerado "psicótico" se o terapeuta não mais tivesse o sentimento de que ele e o paciente eram aliados, trabalhando juntos para melhorar a saúde mental deste último. Por esse critério, Saul estava psicótico. Minha tarefa não era mais ajudá-lo a abrir as três cartas seladas, ou a ser mais assertivo, ou a proporcionar a si mesmo um passeio ao meio-dia: em vez disso, era a de mantê-lo fora do hospital e impedir que destruísse a si próprio.

Tal era meu dilema quando o inesperado aconteceu. Na tarde anterior a uma de minhas visitas, recebi uma mensagem de Saul dizendo que suas costas haviam melhorado, que ele agora conseguia caminhar e que viria ao meu consultório em nosso horário combinado. Segundos depois que entrou, antes de ele dizer uma palavra sequer, percebi que havia mudado profundamente: o antigo Saul estava subitamente de volta comigo. Fora-se o homem mergulhado em desespero, despido de sua humanidade, de seu riso e autoconsciência. Durante semanas, ele estivera encerrado em uma psicose, em cujas janelas e paredes eu batia freneticamente. Agora, inesperadamente, ele irrompia e, informalmente, se reunia a mim.

Somente uma coisa poderia ter provocado isso, eu pensei. As cartas!

Saul não manteve o suspense por muito tempo. No dia anterior, ele recebera o telefonema de um colega pedindo-lhe para examinar um pedido de subvenção. Durante a conversa, o amigo perguntara, *en passant*, se ele soubera das notícias sobre o dr. K. Apreensivo, Saul respondeu que estivera confinado à cama e sem contato com ninguém durante as últimas semanas. Seu colega então contou que o dr. K. morrera subitamente de embolia pulmonar, e passou a descrever as circunstâncias de sua morte. Saul mal conseguiu se conter para não interrompê-lo e exclamar: "Eu não quero saber quem estava com ele, como ele morreu, onde foi enterrado, quem falou no serviço fúnebre! Não quero saber de nada disso! Apenas me diga *quando* ele morreu!" Finalmente, Saul obteve a exata data da morte e, depois de um rápido cálculo, constatou que o dr. K. certamente morrera antes de a publicação chegar a ele, e assim, não podia ter lido o artigo de Saul. Ele não fora descoberto! As cartas instantaneamente deixaram de aterrorizá-lo, e ele as pegou na escrivaninha e as abriu.

A primeira era de um colega de pós-doutorado do Instituto de Estocolmo, pedindo que Saul escrevesse uma carta apoiando sua solicitação de um cargo na faculdade de uma universidade americana.

A segunda era um simples aviso sobre a morte do dr. K. e dos horários dos serviços fúnebres. Este aviso fora enviado a todos os membros, antigos e atuais, do Instituto de Pesquisas de Estocolmo.

A terceira era uma curta nota da viúva do dr. K., dizendo que imaginava que a essa altura Saul já deveria saber da morte dele. O dr. K. sempre falara muito bem de Saul, e ela sabia que ele gostaria que ela enviasse essa carta não terminada que encontrara na sua escrivaninha. Saul me estendeu a breve nota manuscrita pelo falecido dr. K.:

> Prezado Professor C.
> Estou planejando uma viagem aos Estados Unidos, a primeira em doze anos. Gostaria de incluir a Califórnia em meu itinerário, caso você esteja aí nessa época e inclinado a me ver. Sinto muita falta das nossas conversas. Como sempre, sinto-me isolado aqui; a amizade entre os profissionais é

> rara no Instituto de Estocolmo. Ambos sabemos que nossa aventura conjunta pode não ter sido nosso maior sucesso, mas, para mim, o importante foi ela ter me proporcionado a oportunidade de encontrá-lo pessoalmente depois de ter conhecido e respeitado seu trabalho durante trinta anos. Um outro pedido...

Aqui a carta se interrompia. Talvez eu tivesse lido coisas demais nela, mas imaginava que o dr. K. estivesse procurando algo em Saul, algo tão crucial para ele quanto a afirmação que Saul buscava nele. Mas, ainda que deixasse de lado essa conjectura, uma coisa era certa: todos os pressentimentos apocalípticos de Saul foram negados; o tom da carta era inconfundivelmente acolhedor, até mesmo afetivo e respeitoso.

Saul não deixou de registrar isso, e o efeito salutar da carta foi imediato e profundo. Sua depressão, com todos os agourentos sinais "biológicos", desapareceram em poucos minutos, e ele passou a considerar seu pensamento e comportamento das últimas semanas como estranho ao ego e bizarro. Além disso, ele rapidamente restabeleceu nosso antigo relacionamento: ele novamente se sentia afetivo em relação a mim, agradeceu-me por ter ficado junto dele e manifestou arrependimento por ter me feito passar por momentos tão difíceis nas últimas semanas.

Com a saúde recuperada, Saul estava pronto para encerrar a terapia imediatamente, mas concordou em vir mais duas vezes – na semana seguinte e dentro de um mês. Durante essas sessões, tentamos entender o que havia acontecido, e planejamos uma resposta estratégica para um futuro estresse potencial. Explorei todos os aspectos de seu funcionamento que haviam me preocupado – a autodestrutividade, o grandioso sentimento de maldade, a insônia e a anorexia. Sua recuperação dava a impressão de ser notavelmente sólida. Depois disso, não parecia haver mais nenhum trabalho a fazer, e nós nos separamos.

Mais tarde, me ocorreu que se Saul havia interpretado tão mal os sentimentos do dr. K., ele provavelmente também interpretara mal os meus sentimentos. Alguma vez teria percebido o quanto eu me importava com ele, o quanto eu gostaria que ele pudesse esquecer seu trabalho de vez em quando e aproveitasse o lazer de uma caminhada à tarde na Union Street? Alguma vez teria percebido o quanto eu gostaria de me juntar a ele, talvez compartilhar um rápido *cappuccino*?

Mas, para minha tristeza, eu jamais disse essas coisas a ele. Nós não nos encontramos novamente; depois de três anos, soube que ele tinha morrido. Logo depois, numa festa, encontrei um jovem recém-chegado do Instituto de Estocolmo. Durante uma longa conversa sobre sua bolsa de estudos de um ano, mencionei que tivera um amigo, Saul, que também passara um bom período lá. Sim, ele conhecera Saul. Na verdade, de uma maneira curiosa, sua bolsa de estudos devia-se parcialmente à relação de "boa vontade que Saul estabelecera entre a universidade e o Instituto de Estocolmo". Eu desconfiava que em seu testamento Saul deixara ao Instituto de Estocolmo um legado de 50 mil dólares.

CAPÍTULO 9

Monogamia terapêutica

"Eu não sou nada. Um lixo. Um verme. Uma nulidade. Eu me esgueiro em meio a montes de refugo longe dos grupos humanos. Cristo, morrer! Estar morta! Atropelada num pátio de estacionamento e depois ser lavada por uma mangueira de fogo. Para que não reste nada. Nada. Nem mesmo palavras escritas com giz numa calçada, dizendo: 'Esta era a gota um dia chamada Marge White.'"

Mais um dos telefonemas noturnos tardios de Marge! Meu Deus, como eu odiava esses telefonemas! Não era a intrusão em minha vida – aprendera a contar com isso: fazia parte do trabalho. Há um ano, quando aceitei Marge como paciente, sabia que haveria telefonemas; assim que a vi, senti o que me esperava. Não é necessária muita experiência para reconhecer os sinais de profunda angústia. Sua cabeça e ombros caídos diziam "depressão"; sua pupilas gigantescas e as mãos e pés inquietos diziam "angústia". Tudo o mais nela – múltiplas tentativas de suicídio, transtornos de alimentação, abuso sexual precoce por parte do pai, pensamento psicótico episódico, 23 anos de terapia – gritava *borderline*, a palavra que desperta terror no coração do psiquiatra de meia-idade que busca conforto.

Ela me disse que tinha 35 anos de idade, era técnica de laboratório; que fizera terapia por dez anos com um psiquiatra que acabara de se mudar para uma outra cidade; que estava desesperadamente sozinha; e que, mais cedo ou mais tarde, era simplesmente uma questão de tempo, iria se matar.

Ela fumava furiosamente durante a sessão, em geral dando duas ou três tragadas antes de apagar raivosamente o cigarro, para acender outro em poucos minutos. Não conseguiu ficar sentada durante a sessão, levantou-se e andou pela sala três vezes. Por alguns minutos ficava sentada no chão, no canto oposto do consultório, e se enroscava como um personagem dos desenhos de Feiffer.[17]

[17] Jules Feiffer: cartunista norte-americano. (N. do E.)

Meu primeiro impulso foi o de fugir correndo, para muito longe – e não vê-la novamente. Use uma desculpa, qualquer desculpa: meu tempo está completamente preenchido, vou deixar o país por alguns anos, dedicar-me à pesquisa em tempo integral. Mas logo ouvi minha voz oferecendo-lhe outra sessão.

Talvez eu estivesse atraído por sua beleza, por seus cabelos cor de ébano, cortados rentes à testa, emoldurando seu rosto espantosamente branco, de feições perfeitas. Ou era meu senso de obrigação com minha carreira como professor? Eu vinha me perguntando recentemente como, de inteira boa-fé, poderia continuar ensinando os alunos a praticar psicoterapia e ao mesmo tempo me recusar a tratar pacientes difíceis. Acho que aceitei Marge como paciente por muitas razões; porém, mais do que qualquer outra coisa, acredito que foi por vergonha, vergonha de escolher a vida fácil, vergonha de evitar os pacientes que mais precisavam de mim.

Conseqüentemente, eu previ telefonemas desesperados como aquele. Antecipei crises e mais crises. Eu imaginava que teria de hospitalizá-la em algum momento. Graças a Deus consegui evitá-lo – os encontros na madrugada com a equipe do departamento, as prescrições, o reconhecimento público do meu fracasso, a penosa caminhada ao hospital todos os dias. Imensas porções de tempo devoradas.

Não, não era a intrusão ou mesmo a inconveniência dos telefonemas que eu detestava: era *como* falávamos. Primeiro, Marge gaguejava em cada palavra. Ela sempre gaguejava quando ficava perturbada – gaguejava e contraía o rosto. Eu podia imaginá-la com um dos lados de seu lindo rosto horrivelmente desfigurado por caretas e espasmos. Em momentos tranqüilos, estáveis, falamos a respeito dos espasmos faciais e concluímos que era uma tentativa de torná-la feia. Uma óbvia defesa contra a sexualidade, eles ocorriam quando havia alguma ameaça sexual externa ou interna. Essa interpretação fez um grande bem: a simples enunciação da palavra *sexo* era suficiente para criar os espasmos.

A gagueira sempre me aborreceu. Eu sabia que ela estava sofrendo, mas mesmo assim tinha de me conter para não dizer: "Vamos lá, Marge! Siga em frente! Qual será a próxima palavra?"

Mas a pior coisa nos telefonemas era a minha inépcia. Ela me punha à prova, e eu sempre deixava a desejar. Devo ter recebido uns vinte telefonemas assim no ano passado, e nem uma vez encontrei uma maneira de lhe fornecer a ajuda de que ela precisava.

O problema, naquela noite, era que ela tinha lido uma matéria sobre a minha esposa no *Stanford Daily*. Depois de dez anos, minha mulher estava deixando sua posição como administradora do *Stanford Center for Research on Women*, e o jornal do campus a elogiava rasgadamente. Para tornar as coisas piores, naquela noite Marge assistira a uma palestra realizada por uma jovem filósofa extremamente articulada e atraente.

Eu conheci poucas pessoas que se odiavam como Marge. Esses sentimentos nunca desapareciam; em seus períodos melhores, simplesmente recuavam para segundo plano, aguardando a deixa apropriada para retornarem. Não havia deixa mais poderosa do que o sucesso publicamente reconhecido de outra mulher da sua idade: nessa hora, o ódio por si mesma de Marge a tomava e ela começava a considerar, com mais seriedade que o habitual, o suicídio.

Eu busquei sem sucesso oferecer palavras de conforto.

– Marge, por que você está fazendo isso consigo mesma? Você fala sobre não ter feito nada, não ter conquistado nada, não ser digna de existir, mas ambos sabemos que essas idéias são um estado de espírito. Elas não têm nada a ver com a realidade! Lembra-se de como você se sentia bem em relação a si mesma há duas semanas? Bem, nada mudou no mundo externo. Você é agora exatamente a mesma pessoa de então!

Eu estava no caminho certo. Tinha a atenção dela. Consegui percebê-la escutando, e continuei.

– Esse negócio de se comparar desfavoravelmente aos outros é sempre autodestrutivo. Escute, tenha calma. Não se compare à professora G., que talvez seja a palestrante mais brilhante em toda a universidade. Não escolha a minha mulher no dia em que está sendo homenageada. Sempre é possível, se você está com vontade de se atormentar, encontrar alguém com quem possa se comparar desfavoravelmente. Eu conheço o sentimento. Eu também fiz isso.

"Olhe, por que, ao menos uma vez, você não escolhe alguém que talvez não tenha o que você tem? Você sempre demonstrou compaixão em relação aos outros. Pense em seu trabalho voluntário com os desabrigados. Você jamais se atribuiu crédito por isso. Compare-se com alguém que não dá a mínima para os outros. Ou por que não se compara, digamos, com uma das pessoas sem-teto que você ajudou? Aposto que todas se comparam desfavoravelmente a você."

O clique do telefone sendo desligado confirmou o que eu tinha percebido instantaneamente: eu cometera um erro colossal. Conhecia Marge suficientemente bem para saber exatamente o que ela faria com meu grave erro: ela diria que eu expressara meus verdadeiros sentimentos, que eu pensava que ela era tão incorrigível que as únicas pessoas a quem ela poderia se comparar favoravelmente seriam as almas mais infelizes deste mundo.

Ela não deixou passar a oportunidade e começou nossa sessão seguinte – felizmente na manhã posterior – expressando exatamente aquele sentimento. Ela então continuou, numa voz fria e numa cadência em *staccato*, a me oferecer os "verdadeiros fatos" sobre si mesma.

– Tenho 45 anos de idade. Fui mentalmente doente durante toda a minha vida. Sou atendida por psiquiatras desde os 12 anos, e não consigo viver sem eles. Terei de tomar remédios pelo resto da minha vida. O máximo que eu posso esperar é ficar fora de um hospital para doentes mentais. Nunca fui amada. Nunca terei filhos. Nunca tive um relacionamento duradouro com um homem, nem tenho qualquer esperança de vir a ter algum dia. Não tenho capacidade para fazer amigos. Ninguém me telefona no meu aniversário. Meu pai, que me molestava quando eu era criança, está morto. Minha mãe é uma mulher louca, amargurada, e a cada dia fico mais parecida com ela. Meu irmão passou grande parte da vida num hospital para doentes mentais. Não tenho talentos, não tenho aptidões especiais. Trabalharei sempre como subalterna. Serei sempre pobre e gastarei sempre a maior parte de meu salário em cuidados psiquiátricos.

Ela parou. Pensei que tivesse terminado, mas era difícil dizer, uma vez que ela falava como uma imagem – com uma imobilidade estranha, sem que nada se movesse além de seus lábios, nem sua respiração, nem suas mãos, nem seus olhos, nem mesmo suas bochechas.

Subitamente, ela começou de novo, como um brinquedo mecânico de dar corda que ainda tem um espasmo terminal de energia:

– Você me diz para ser paciente. Diz que ainda não estou pronta – não estou pronta para parar a terapia, não estou pronta para me casar, não estou pronta para adotar uma criança, não estou pronta para parar de fumar. Eu tenho esperado. Tenho esperado minha vida inteira. Agora é tarde demais, é tarde demais para viver.

Eu ouvi toda essa ladainha sem pestanejar e, por um momento, fiquei envergonhado por não ter me emocionado. Mas não era insensibilidade. Eu já ouvira isso antes e lembrava como ficara perturbado na primeira vez que ela a recitara, quando, tomado por empatia e tristeza, tornei-me o que Hemingway chamou de "psiquiatra judeu de pensamentos lascivos".

Pior ainda, muito pior (e isso é difícil de admitir), *eu concordava com ela.* Ela apresentara sua "verdadeira história de caso" de forma tão pungente e convincente que eu me vira completamente persuadido. Ela *era* severamente limitada. Ela provavelmente *jamais* casaria. Ela *era* desajeitada. Ela realmente *carecia* da capacidade de se tornar íntima dos outros. Ela, provavelmente, *precisaria* de terapia por muitos, muitos anos, talvez para sempre. Eu fora arrastado tão profundamente para o interior de seu desespero e pessimismo que podia facilmente entender a tentação do suicídio. Eu mal consegui encontrar uma palavra de conforto para ela.

Precisei de uma semana, até a nossa sessão seguinte, para compreender que a ladainha era uma propaganda resultante da depressão. Era a sua depressão falando, e eu fora suficientemente tolo para ser convencido por ela. Observe todas as distorções, observe aquilo que ela *não* falou. Ela era uma mulher excepcionalmente inteligente, criativa, extremamente atraente (quando não deformava o rosto). Eu esperava com prazer os momentos de atendê-la e de estar com ela. Respeitava a maneira como, apesar de seu sofrimento, ela sempre ajudara aos outros e mantivera seu compromisso com o serviço comunitário.

De modo que agora, ouvindo novamente a ladainha, fiquei pensando em como tirá-la desse estado de espírito. Em ocasiões semelhantes, no passado, ela se instalara firmemente numa depressão e lá ficara durante várias semanas. Eu sabia que poderia ajudá-la a evitar muita dor se agisse de imediato.

– É a sua depressão falando, Marge, não você. Lembre-se de que toda vez que você mergulhou numa depressão, sempre conseguiu sair. A coisa boa – a *única* coisa boa – sobre a depressão é que ela sempre termina.

Caminhei até a minha escrivaninha, abri o arquivo dela e li, em voz alta, partes de uma carta que ela escrevera havia apenas três semanas, quando se sentia alegre em relação à vida:

"... Fazia um dia fantástico. Jane e eu caminhamos pela Telegraph Avenue. Experimentamos vestidos de noite da década de 1940 nas lojas de roupas antigas. Eu descobri alguns discos antigos de Kay Starr. Corremos pela Golden Gate, fizemos um lanche no restaurante Greens. Confirmando que existe vida em São Francisco, afinal de contas. Eu só lhe dei as más notícias – pensei em compartilhar algumas das boas, também. Vejo você na quinta."

Mas, embora a brisa cálida da primavera estivesse soprando através da janela aberta, era inverno no meu consultório. O rosto de Marge congelara. Ela olhava fixamente para a parede e mal parecia me ouvir. Sua resposta foi gélida:

– Você pensa que eu não sou nada. Veja seu comentário pedindo que eu me comparasse aos sem-teto. É isso que você acha que eu valho.

– Marge, peço desculpas por isso. Meu desempenho ao telefone não é dos melhores. Foi uma tentativa desajeitada de minha parte. Mas, acredite em mim, minha intenção era ajudá-la. Assim que eu falei aquilo, percebi que foi um erro.

Isso pareceu ajudar. Eu a ouvi suspirar. Os ombros rígidos relaxaram, o rosto relaxou, a cabeça se virou imperceptivelmente para mim.

Eu me aproximei mais um pouco. – Marge, você e eu já passamos por outras crises antes, momentos nos quais você se sentia tão mal quanto se sente agora. O que ajudou no passado? Eu me lembro de vezes que você saiu do consultório bem melhor do que quando entrou. O que fazia diferença? O que eu fazia? Vamos pensar nisso juntos.

Marge, a princípio, não conseguiu responder à pergunta, mas se mostrou interessada. Mais sinais de degelo: ela atirou o pescoço para trás e fez voar seu longo cabelo negro para um lado e em seguida passou os dedos por ele. Eu insisti várias vezes com a mesma pergunta, e finalmente nós nos tornamos co-investigadores, trabalhando juntos.

Ela disse que era importante para ela ser ouvida, e que não tinha ninguém além de mim e nenhum outro lugar além do meu consultório para expressar a sua dor. Ela também sabia que uma coisa que ajudava era examinar cuidadosamente os incidentes que precipitaram a depressão.

Logo estávamos examinando, um por um, todos os eventos perturbadores da semana. Além dos estresses que ela descrevera ao telefone, houvera outros. Por exemplo, numa reunião de dia inteiro no laboratório universitário onde trabalhava, ela havia sido claramente ignorada pela equipe profissional e acadêmica. Eu demonstrei empatia e lhe disse que ouvira muitas outras pessoas nessa situação – incluindo minha esposa – se queixarem de tratamento semelhante. Confidenciei-lhe que minha mulher ficava irritada pela tendência da Stanford de não privilegiar e respeitar muito pouco a equipe que não era catedrática.

Marge voltou ao tópico de sua falta de sucesso e como seu patrão de 30 anos era muito mais realizado.

"Por que", refleti, "nós fazemos essas comparações desfavoráveis? É tão autopunitivo, tão perverso – como mexer num dente cariado." Disse-lhe que também me comparara desfavoravelmente aos outros em muitas ocasiões (não dei detalhes específicos. Talvez devesse ter dado. Seria tratá-la como uma igual).

Utilizei a metáfora de um termostato regulando a auto-estima. O dela funcionava mal: estava localizado muito próximo à superfície de seu corpo. Ele não mantinha a sua auto-estima estável, e sim, flutuava loucamente de acordo com os eventos externos. Alguma coisa boa acontecia e ela se sentia maravilhosa; alguém a criticava e ela ficava mal por muitos dias. Era como tentar manter a casa aquecida com o termostato da caldeira de calefação localizado próximo demais da janela.

Quando a hora terminou, ela não precisou me dizer quão melhor se sentia: eu podia ver na sua respiração, no seu caminhar e no sorriso que deu ao sair do consultório.

A melhora perdurou. Ela teve uma semana excelente, e não recebi nenhum telefonema, em crise, à meia-noite. Quando a vi, uma semana mais tarde, ela parecia quase em ebulição. Eu sempre acreditei que é tão importante descobrir aquilo que faz alguém sentir-se melhor quanto determinar o que o faz sentir-se pior, de modo que lhe perguntei o que fizera aquela diferença.

– De alguma maneira – disse Marge – nossa última sessão provocou uma virada completa. É quase um milagre como você, num tempo tão curto, me puxou para fora daquele buraco. Fico realmente satisfeita por você ser o meu psiquiatra.

Embora lisonjeado por seu elogio direto, fiquei pouco à vontade com dois pensamentos: o misterioso "de alguma maneira" e a visão de mim mesmo como um fazedor de milagres. Enquanto Marge pensasse nesses termos, ela não melhoraria, pois a fonte de ajuda estava fora dela ou além de sua compreensão. Minha tarefa como terapeuta (não muito diferente da de um genitor) é me tornar obsoleto – ajudar um paciente a se tornar seu próprio pai e mãe. Eu não queria fazê-la sentir-se melhor. Eu queria ajudá-la a assumir a responsabilidade por melhorar, e queria que o processo de melhora fosse tão claro para ela quanto possível. Por isso, senti desconforto com o seu "de alguma maneira" e, conseqüentemente, decidi explorá-lo.

– O que, precisamente – perguntei –, foi útil para você na nossa última sessão? Em que momento você começou a se sentir melhor? Vamos descobrir isso juntos.

– Bem, uma coisa foi a maneira como você lidou com a história dos desabrigados. Eu poderia tê-la utilizado para continuar a puni-lo; na verdade, sei que fiz isso com psiquiatras no passado. Mas quando você afirmou, de maneira tão direta, quais eram as suas intenções e como você tinha sido desajeitado, eu vi que não podia me enfurecer por causa daquilo.

– Parece que o meu comentário lhe permitiu continuar conectada comigo. Desde que a conheço, as vezes que você ficou deprimida por mais tempo foram aquelas em que rompeu suas conexões com todas as pessoas e ficou realmente isolada. Existe uma mensagem importante aqui – sobre manter a vida povoada – perguntei o que mais acontecera de benéfico durante aquela hora.

– A coisa que realmente mexeu comigo, na verdade, o momento em que a calma se instalou, foi quando você me disse que sua mulher e eu tínhamos problemas semelhantes no trabalho. Eu sinto que sou tão insignificante, tão rasteira, e sua mulher tão sagrada que não podemos ser mencionadas no mesmo instante. Confidenciar que ela e eu temos alguns problemas semelhantes *provou* que você sente certo respeito por mim.

Eu estava prestes a protestar, a insistir em que sempre a respeitara, mas ela me interrompeu.

– Eu sei, eu sei. Você me *disse* muitas vezes que me respeitava, e *disse* que gostava de mim, mas eram apenas palavras. Nunca acreditei realmente nelas. Dessa vez foi diferente, você foi além das palavras.

Fiquei muito animado com o que Marge falou. Ela tinha a capacidade de pôr o dedo em questões vitais. Ir "além das palavras", era *isso* o que contava. Era o que *eu fazia*, não o que eu *dizia*. Era *fazer* realmente alguma coisa pelo paciente. Compartilhar algo sobre a minha mulher foi fazer algo por Marge, dar-lhe um presente. *O ato terapêutico, não a palavra terapêutica!*

A idéia me estimulou tanto que eu mal podia esperar que a sessão acabasse para pensar mais a respeito dela. Mas, no momento, voltei minha atenção para Marge. Ela tinha mais a me dizer.

– Também ajudou muito você ter insistido em me perguntar o que me ajudou no passado. Você punha a responsabilidade em mim, fazendo-me assumir o controle da sessão. Isso foi bom. Eu normalmente fico deprimida por semanas, mas você fez com que eu, em poucos minutos, tentasse entender o que tinha acontecido.

"Na verdade, *só por fazer* a pergunta sobre o que ajudou no passado você me auxiliou, pois ela me assegurou que havia uma maneira de melhorar. Também ajudou você não ter entrado no papel do mágico que me faz pensar nas perguntas para as quais tem as respostas. Gostei de como você admitiu que não sabia, e depois me convidou a explorar junto com você".

Música para meus ouvidos! Durante todo o meu ano de trabalho com Marge, tive somente uma única regra verdadeira em meu trabalho – tratá-la como uma igual. Eu tentei não me opor, ter pena dela ou fazer qualquer coisa que criasse um abismo de desigualdade entre nós. Segui ao máximo essa regra, e era bom ouvir agora que ela fora útil.

O projeto do "tratamento" psiquiátrico é repleto de inconsistências internas. Quando uma pessoa, o terapeuta, "trata" outra, o paciente, subentende-se desde o início que o par do tratamento, os dois que formam a aliança terapêutica, não são iguais ou aliados por inteiro; um está angustiado e muitas vezes desorientado, enquanto o outro deve utilizar suas aptidões profissionais para desenredar e examinar objetivamente as questões que existem por trás da angústia e desorientação. Além disso, o paciente paga quem o trata. A própria palavra *tratar* implica uma não-igualdade. "Tratar" alguém como um igual envolve uma desigualdade que o terapeuta deve superar ou esconder, comportando-se como se o outro fosse um igual.

Assim, ao tratar Marge como uma igual, eu estava meramente fingindo para ela (e para mim mesmo) que éramos iguais? Talvez seja mais adequado descrever a terapia como o ato de tratar o paciente como um adulto. Isso pode parecer uma sutil distinção acadêmica, mas algo estava para acontecer na terapia de Marge que me forçaria a ser muito claro sobre como eu desejava me relacionar com ela ou, no que diz respeito ao assunto, com qualquer paciente.

Cerca de três semanas mais tarde, três semanas depois de minha descoberta da importância do ato terapêutico, aconteceu uma coisa extraordinária. Marge e eu estávamos na metade de uma sessão comum. Ela tivera uma péssima semana e estava me contando alguns detalhes. Parecia fleumática, sua saia estava puxada e amarrotada, seu cabelo, despenteado, e o rosto expressava desencorajamento e fadiga.

Na metade de sua ladainha, ela subitamente fechou os olhos – o que em si não era raro, uma vez que ela freqüentemente entrava num estado auto-hipnótico durante a sessão. Eu resolvera não morder a isca havia muito tempo – não segui-la no estado hipnótico –, mas, ao contrário, chamava-a de volta. Eu disse: "Marge", e estava prestes a completar a frase "você quer, por favor, voltar?", quando ouvi uma voz desconhecida e forte sair de sua boca: "Você não me conhece."

Ela estava certa. Eu não conhecia a pessoa que falara. A voz era tão diferente, tão vigorosa, tão autoritária, que eu cheguei a olhar ao redor no consultório por um instante para ver quem poderia ter entrado.

– Quem é você? – perguntei.

– Mim! Mim! – E, então, a Marge transformada se levantou de um pulo e começou a saltitar pela sala, espiando as estantes, endireitando quadros e inspecionando minha mobília. Era Marge, mas não era Marge. Tudo, com exceção da roupa, mudara: seu porte, seu rosto, sua segurança, seu caminhar.

Essa nova Marge era animada e revoltantemente, mas agradavelmente, sedutora. A voz de contralto estranha e sonora exclamou:

– Já que você está fingindo ser um intelectual judeu, poderia pelo menos mobiliar seu consultório de acordo. Aquela capa de sofá deveria ir para a loja Goodwill,[18] se é que eles aceitariam, e aquela cortina está um caco. Valha-me Deus! E aquelas fotos da costa da Califórnia. Poupe-me de outras fotos domésticas de psiquiatras!"

Ela era inteligente, voluntariosa, muito *sexy*. Que alívio ter uma folga da voz sussurrante e dos intermináveis queixumes de Marge. Mas comecei a ficar inquieto; estava gostando demais dessa senhora. Pensei na lenda da Lorelei, e embora soubesse que seria perigoso demorar, continuei por mais um tempo.

– Por que você veio? – perguntei. – Por que hoje?

– Para celebrar a minha vitória. Eu venci, você sabe.

– Venceu o quê?

– Não se faça de tolo comigo! Eu não sou ela, você sabe! Nem tudo o que você diz é maaaaaaaaravilhoso. Você acha que conseguirá ajudar Marge?

Seu rosto tinha uma mobilidade maravilhosa, suas palavras, emitidas com a profunda zombaria que poderíamos esperar do vilão de um melodrama vitoriano.

Ela prosseguiu de maneira zombeteira, maligna:

– Você pode mantê-la em terapia por mais trinta anos, mas eu ainda venceria. Posso destruir um ano de trabalho em apenas um dia. Se necessário, posso fazê-la descer do meio-fio na frente de um caminhão em movimento.

– Mas por quê? O que você ganharia com isso? Se ela perde, você perde.

[18] Instituição que recebe doações de móveis, roupas e objetos usados. (N. do T.)

Talvez estivesse ficando com ela mais tempo do que deveria. Era errado falar com ela a respeito de Marge. Não era justo com Marge. No entanto, o apelo daquela mulher era forte, quase irresistível. Por um breve instante, senti uma onda de misteriosa náusea, como se estivesse espiando, através de uma fenda na estrutura da realidade, algo proibido, os ingredientes puros, as fissuras e emendas, as células embrionárias e blástulas que, na ordem natural das coisas, não devem ser vistas por olhos humanos. Minha atenção se fixou nela.

– Marge é um verme. Você sabe que ela é um verme. Como você agüenta ficar com ela? Um verme! Um verme!

E em seguida, no desempenho teatral mais surpreendente que eu jamais vira, ela começou a imitar Marge. Cada gesto do qual eu fora testemunha naqueles meses, cada careta de Marge, cada ação passou na minha frente em ordem cronológica. Lá estava Marge timidamente me encontrando pela primeira vez. Lá estava ela encolhida no canto de meu consultório. E lá estava ela, com seus grandes olhos, cheios de pânico, suplicando para que eu não desistisse dela. Lá estava ela num transe auto-induzido, de olhos fechados, pálpebras trêmulas, cobrindo uma frenética atividade do tipo MOR.[19] E lá estava ela, com seu rosto num espasmo, como o de Quasímodo, horrivelmente distorcido, mal conseguindo falar. Lá estava ela escondida atrás de sua cadeira, como Marge costumava fazer quando estava assustada. Lá estava ela queixando-se, melodramática e zombeteira, de uma terrível dor penetrante em seu útero e seio. Lá estava ela ridicularizando a gagueira de Marge e alguns de seus comentários mais familiares. "Eu fico tã-tã-tã-tão sa-sa-satisfeita por você ser meu psiquiatra!" De joelhos: "Vo-vo-vo-cê gosta de mim, d-d-d-doutor Yalom? Nã-nã-não me de-de-deixe, eu de-de-desapareço quando você não está aqui."

O desempenho era extraordinário: como observar a chamada dos atores à cena para receber aplausos e ver uma atriz, que desempenhara diversos papéis naquela noite, divertindo a audiência ao entrar brevemente, talvez por poucos segundos, em cada um deles. (Eu esqueci por um momento que nesse teatro a atriz não era realmente atriz, mas apenas um dos papéis. A verdadeira atriz, a consciência responsável, permanecia escondida nos bastidores.)

Foi um desempenho virtuoso. Mas também um desempenho indescritivelmente cruel de "Mim" (eu não sabia do que mais chamá-la). Seus olhos brilhavam enquanto

[19] Movimentos Oculares Rápidos. (N. do T.)

ela continuava a aviltar Marge, que, segundo ela, era incurável, incorrigível e patética. Marge, disse "Mim", deveria escrever sua autobiografia e intitulá-la (aqui ela começou a dar risadinhas): "Nascida para ser patética."

"Nascida para ser patética." Eu sorri, sem querer. Essa *Belle Dame sans Merci*[20] era uma mulher formidável. Eu me senti desleal com Marge por achar sua rival tão atraente, por me divertir tanto quando ela arremedou Marge.

Subitamente – *presto!* – terminou. "Mim" fechou seus olhos por um ou dois minutos e, quando os abriu, ela desaparecera e Marge estava de volta, chorando e aterrorizada. Ela colocou a cabeça entre os joelhos, respirou profundamente e aos poucos recuperou a compostura. Durante vários minutos ela soluçou e depois, finalmente, falou sobre o que acontecera. (Ela se lembrava bem da cena.) Ela jamais se dividira antes – ah, sim, houve, uma vez, uma terceira personalidade, chamada Ruth Anne, mas a mulher que viera hoje jamais tinha aparecido antes.

Eu fiquei desorientado com o que tinha acontecido. Minha única regra básica – "tratar Marge como uma igual" – não era mais suficiente. Qual Marge? A Marge chorosa que estava na minha frente ou a Marge *sexy*, despreocupada? Pareceu-me que a consideração importante era o meu relacionamento com minha paciente – o abismo (um dos termos da coleção interminável de expressões esquisitas de Buber) entre mim e Marge. A menos que eu pudesse proteger e permanecer fiel àquele relacionamento, qualquer esperança de terapia estava perdida. Era necessário modificar minha regra básica "tratar o paciente como um igual" para "ser fiel ao paciente." Acima de tudo, eu não poderia me deixar seduzir pela outra Marge.

Um paciente pode tolerar que o terapeuta seja infiel fora da hora em que é atendido. Embora se subentenda que os terapeutas tenham outros relacionamentos, que haja um outro paciente esperando que a hora acabe, pronto para entrar em cena, existe em geral um acordo tácito de não se mencionar isso na terapia. O terapeuta e o paciente conspiram para fingir que seu relacionamento é um relacionamento monogâmico. Ambos esperam secretamente que os pacientes que saem e os que entram não se encontrem um com o outro. Na verdade, para evitar que isso aconteça, alguns terapeutas fazem duas portas em seu consultório, uma para entrar, outra para sair.

[20] Obra do poeta britânico John Keats. (N. do E.)

Mas o paciente tem o direito de esperar fidelidade *durante* a hora. Meu contrato implícito com Marge (assim como com todos os meus pacientes) é de que, quando estou com ela, estou inteira, sincera e exclusivamente com ela. Marge iluminou uma outra dimensão desse contrato: que devo estar com seu *self* mais central. Ao não se relacionar com esse *self* integral, seu pai, que abusou dela, contribuiu para o desenvolvimento de um *self* falso, sexual. Eu não devia cometer o mesmo erro.

Não foi fácil. Para ser sincero, eu queria ver "Mim" novamente. Embora eu a tivesse conhecido por menos de uma hora, sentira-me atraído por ela. O monótono cenário das muitas horas que passara com Marge fazia com que esse encantador fantasma aparecesse com ofuscante claridade. Tipos assim não surgem com muita freqüência na vida.

Eu não sabia seu nome e ela não tinha muita liberdade, mas nós sabíamos como encontrar o outro. Na sessão seguinte, ela tentou várias vezes aparecer novamente para mim. Eu podia ver as pálpebras de Marge tremerem e depois se fecharem novamente. Mais um ou dois minutos e teríamos estado juntos mais uma vez. Eu me sentia tolo e ansioso. Loucas lembranças do passado ocuparam minha mente. Lembrei-me de uma vez que esperava, no Caribe, num aeroporto cercado de palmeiras, que o avião aterrissasse e minha amada se juntasse a mim.

Essa mulher, essa "Mim", me compreendia. Ela sabia que eu estava exausto, cansado das lamúrias e da gagueira de Marge, que eu estava cansado de seus pânicos, de vê-la se encolher pelos cantos e se esconder embaixo de escrivaninhas, e cansado de sua voz infantil. Ela sabia que eu queria uma mulher de verdade. Ela sabia que eu apenas fingia tratar Marge como uma igual. Ela sabia que não éramos iguais. Como poderíamos ser iguais se Marge agia de modo tão louco e eu a protegia, tolerando sua loucura?

O desempenho teatral de "Mim", no qual ela regurgitara todos aqueles fragmentos do comportamento de Marge, me convenceu de que tanto ela quanto eu (e *somente* ela e eu) compreendíamos o que eu passara com Marge. Ela era a diretora brilhante e bonita que criara o filme. Embora pudesse escrever um artigo clínico sobre Marge ou contar a colegas sobre o curso da terapia, eu jamais seria capaz de transmitir a essência da minha experiência com ela. Era inefável. Mas "Mim" sabia. Se ela podia desempenhar todos aqueles papéis, ela devia ser a inteligência escondida, orientadora, por trás de todos eles. Nós compartilhávamos alguma coisa que estava para além da linguagem.

Mas a fidelidade! A fidelidade! Eu me prometera a Marge. Se me aliasse a "Mim", seria catastrófico para Marge: ela se tornaria uma atriz que faz pontas, uma personagem substituível. E isso, claro, era precisamente o que "Mim" queria. "Mim" era uma Lorelei, bela e misteriosa, mas também letal – a encarnação de toda a raiva e o ódio por si mesma de Marge.

Assim, eu permaneci fiel e, quando sentia "Mim" se aproximando – por exemplo, quando Marge fechava os olhos e começava a entrar em transe –, eu me apressava em acordá-la ruidosamente, gritando: "Marge, volte!"

Depois de isso ter acontecido algumas vezes, eu percebi que o teste final ainda estava por vir: "Mim" estava inexoravelmente reunindo forças e tentando desesperadamente voltar para mim. O momento exigia uma decisão, e eu escolhi ficar com Marge. Eu sacrificaria sua rival por ela, eu a depenaria, a cortaria em pedacinhos e, pedaço por pedaço, alimentaria Marge com ela. A técnica da alimentação consistia em repetir uma pergunta padrão: "Marge, o que 'ela' diria se estivesse aqui?" Algumas das respostas de Marge eram inesperadas, outras, familiares. Um dia, quando a vi inspecionar timidamente os objetos de meu consultório, eu disse: "Vá em frente, fale, Marge. Fale por 'ela'."

Marge respirou fundo e elevou a voz.

– Já que você está fingindo ser um intelectual judeu, por que não mobiliar seu consultório de acordo?

Marge disse isso como se fosse um pensamento original, e era claro que ela não lembrava *tudo* o que "Mim" dissera. Eu não consegui conter um sorriso: estava satisfeito por "Mim" e eu compartilharmos alguns segredos.

– Todas as sugestões são bem-vindas, Marge.

E, para minha surpresa, ela ofereceu várias sugestões boas.

– Coloque alguma coisa, talvez uma fúcsia pendurada, quem sabe uma divisória fixa, para separar sua escrivaninha bagunçada do resto da sala. Arranje uma moldura marrom neutra para aquela foto da praia, caso você precise mesmo conservá-la, e, acima de tudo, livre-se daquela cortina andrajosa. Ela é tão estampada que me dá dor de cabeça. Eu a tenho usado para me hipnotizar.

– Eu gosto das suas sugestões, Marge, embora você esteja sendo rude com a minha cortina. É uma velha amiga. Eu a comprei há trinta anos em Samoa.

– Velhos amigos podem se sentir mais à vontade em casa do que no consultório.

Eu olhei para ela, pasmo. Ela havia sido muito rápida. Eu estaria realmente falando com Marge?

Já que eu esperava estabelecer uma confederação ou fusão das duas Marges, tive o cuidado de permanecer junto do lado positivo de cada uma delas. Se eu antagonizasse "Mim" de alguma maneira, ela simplesmente se vingaria contra Marge. Então fiz questão, por exemplo, de dizer a Marge (imaginava que "Mim" ouvisse tudo) como eu apreciava a despreocupação, a vitalidade, a impetuosidade de "Mim".

Mas eu seguia por um caminho estreito. Se fosse honesto demais, Marge veria o quanto eu preferia a outra Marge. Embora eu não visse nenhuma evidência, "Mim" provavelmente já escarnecera de Marge por causa disso. Tinha certeza de que "Mim", a outra Marge, estava apaixonada por mim. Talvez ela me amasse o suficiente para modificar seu comportamento! Ela certamente devia saber que eu seria repelido por uma destrutividade arbitrária.

Aqui está uma faceta da psicoterapia sobre a qual não aprendemos durante a formação: tenha um romance com o pior inimigo do seu paciente, e depois, quando tiver certeza de que ele o ama, utilize esse amor para neutralizar seus ataques contra o seu paciente.

Nos meses seguintes da terapia, eu continuei fiel a Marge. Algumas vezes, ela tentava me falar sobre Ruth Anne, a terceira personalidade, ou deslizar para um transe e regredir a uma idade anterior, mas eu me recusava a ser seduzido por qualquer um desses encantos. Mais do que qualquer outra coisa, eu resolvi estar "presente" com ela, e a chamava imediatamente sempre que ela começava a deixar minha presença, escorregando para outra idade ou outro papel.

Quando comecei a trabalhar como terapeuta, eu acreditava, ingenuamente, que o passado era fixo e cognoscível, que, se eu fosse suficientemente perspicaz, poderia descobrir aquele primeiro passo em falso, aquela funesta trilha que conduzira a uma vida desviada, e que eu poderia agir sobre a descoberta para endireitar novamente as coisas. Naqueles dias, eu teria aprofundado o estado hipnótico de Marge, faria com que regredisse em idade, pediria a ela para explorar traumas iniciais – por exemplo, o abuso sexual por parte do pai – e a estimularia a experienciar e descarregar todos os sentimentos envolvidos: o medo, a excitação, a raiva, a traição.

Mas com o passar dos anos aprendi que a aventura do terapeuta não consiste em recrutar o paciente para uma escavação arqueológica conjunta. Se alguns pacientes foram ajudados dessa maneira, não foi pela busca e pela descoberta da falsa trilha (uma vida jamais dá errado por causa de uma falsa trilha; ela dá errado porque a trilha principal é falsa). Não, um terapeuta ajuda um paciente não por analisar cuidadosamente o passado, mas por estar amorosamente presente com aquela pessoa; por ser confiável, interessado; e por acreditar que sua atividade conjunta será, fundamentalmente, redentora e curativa. O drama da regressão de idade e da recapitulação do incesto (ou, no que diz respeito ao tema, de qualquer projeto terapêutico catártico ou intelectual) é curativo apenas porque proporciona ao terapeuta e ao paciente uma atividade compartilhada interessante, ao mesmo tempo em que a verdadeira força terapêutica – o relacionamento – amadurece.

Assim, eu me dediquei a estar presente e ser fiel. Nós continuamos a ingerir a outra Marge. Eu refletia em voz alta: "O que ela diria nessa situação? Como ela teria se vestido ou caminhado? Tente. Finja ser ela por um minuto ou dois, Marge."

Conforme os meses passaram, Marge engordou à custa da outra Marge. Seu rosto ficou mais redondo, e seu corpo, mais cheio. Ela estava mais bonita, vestia-se melhor; sentava-se aprumada; usava meias estampadas; fazia comentários sobre meus sapatos gastos.

Às vezes, eu pensava em nosso trabalho como um canibalismo. Era como se tivéssemos destinado a outra Marge a um banco de órgãos psicológicos. De vez em quando, sempre que o terreno do receptor estava bem preparado, nós retirávamos uma parte de "Mim" para transplante. Marge começou a me tratar como um igual, fazia perguntas, flertava um pouquinho. "Quando nós terminarmos, como você vai se ver sem mim? Tenho certeza de que sentirá falta de meus telefonemas noturnos tardios."

Pela primeira vez, ela me fez perguntas pessoais. "Como você decidiu entrar nesse campo de trabalho? Você alguma vez lamentou essa escolha? Você se aborrece às vezes? Comigo? O que você faz com os *seus* problemas?" Marge se apropriou das partes corajosas da outra Marge, conforme eu a estimulara a fazer, e era importante que eu fosse receptivo e respeitoso em relação a cada uma de suas perguntas. Respondi a todas elas tão completa e honestamente quanto possível. Estimulada por minhas respostas, Marge passou a ser cada vez mais corajosa, porém mais gentil, em suas conversas comigo.

E a outra Marge? Eu gostaria de saber o que restava dela agora. Um par de sapatos de salto alto oco? Um olhar sedutor, ousado, do qual Marge ainda não tivera a coragem de se apropriar? Um sorriso fantasmagórico, como o do gato Cheshire?

Onde estava a atriz que representara Marge com tal brilhantismo? Eu estava certo de que *ela* se fora: aquele desempenho exigia uma grande energia vital, e a essa altura Marge e eu havíamos extraído dela todo aquele suco. Mesmo que tenhamos continuado nosso trabalho juntos por muitos meses depois daquela sessão em que "Mim" apareceu, e mesmo que Marge e eu eventualmente tenhamos parado de falar dela, eu jamais a esqueci: ela entra e sai rapidamente do meu pensamento em momentos inesperados.

Antes de começarmos a terapia, eu informara a Marge de que poderíamos nos encontrar por um período máximo de 18 meses, em virtude dos meus planos sabáticos. Agora, o nosso tempo acabava, o nosso trabalho chegava ao fim. Marge mudara: os momentos de pânico ocorriam apenas raramente; os telefonemas à meia-noite eram coisa do passado; ela começou a construir uma vida social e fez duas amigas íntimas. Ela sempre foi uma fotógrafa talentosa, e agora, pela primeira vez em anos, pegou sua câmera e apreciou, novamente, essa forma de expressão criativa.

Eu estava satisfeito com o nosso trabalho, mas não me iludia pensando que ela terminara a terapia, nem fiquei surpreso, à medida que nossa sessão final se aproximava, ao ver uma recrudescência de seus antigos sintomas. Ela ficava na cama durante fins de semana inteiros; tinha longas crises de choro; o suicídio subitamente parecia de novo atraente. Logo depois de nosso último encontro, recebi dela uma carta triste, contendo essas linhas:

> Eu sempre imaginei que você talvez escrevesse alguma coisa a meu respeito. Eu queria deixar uma marca em sua vida. Eu não quero ser "apenas mais uma paciente". Eu queria ser "especial". Eu quero ser alguma coisa, qualquer coisa. Sinto como se não fosse nada, ninguém. Se eu tivesse deixado uma marca na sua vida, talvez eu pudesse ser alguém, alguém que você não esqueceria. Eu existiria, então.

Marge, por favor, compreenda que, embora eu tenha escrito uma história sobre você, não o fiz para que você pudesse existir. Você existe sem que eu pense ou escreva sobre você, exatamente como eu continuo existindo quando você não está pensando em mim.

No entanto, essa *é* uma história sobre a existência – mas escrita para a outra Marge, aquela que não existe mais. Eu quis ser o carrasco dela, sacrificá-la para você. Mas eu não a esqueci: ela se vingou marcando a ferro sua imagem em minha lembrança.

CAPÍTULO 10

Em busca do sonhador

– O sexo está na raiz de todas as coisas. Não é isso o que vocês, caras, sempre dizem? Bem, no meu caso talvez você esteja certo. Dê uma olhada nisto: vai lhe mostrar algumas relações interessantes entre as minhas enxaquecas e a minha vida sexual.

Tirando um grosso rolo de papel da sua maleta, Marvin me pediu para segurar uma das pontas e desenrolou um mapa de quase um metro de comprimento, no qual registrara meticulosamente toda enxaqueca e toda experiência sexual dos últimos quatro meses. Uma olhada revelou a complexidade do diagrama. Cada enxaqueca, sua intensidade, duração e tratamento, estava marcada em azul. Cada investida sexual, colorida de vermelho, fora convertida em uma escala de cinco pontos, de acordo com o desempenho de Marvin: ejaculações precoces estavam codificadas separadamente, assim como impotência – com uma distinção entre a incapacidade de manter uma ereção e a incapacidade de tê-la.

Era demais para se absorver em apenas uma olhada.

– É um trabalho elaborado – eu disse. – Você deve ter levado dias para fazer isso.

– Gosto de fazer isso. Faço bem. As pessoas esquecem que nós, contadores, temos aptidões gráficas que jamais usamos ao trabalhar com impostos. Agora, veja o mês de julho: quatro enxaquecas, cada uma precedida por impotência ou por um desempenho de nota um ou dois.

Observei o dedo de Marvin apontando os pontos da enxaqueca e da impotência. Ele estava certo: a correlação era impressionante, mas eu estava ficando impaciente. Meu tempo estava sendo desperdiçado. Acabávamos de começar a nossa primeira sessão e havia muitas coisas mais que eu queria saber antes de estar pronto para examinar o mapa de Marvin. Mas ele o colocou diante de mim tão imperiosamente que não tive outra opção a não ser observar seu dedo curto e grosso traçando suas atividades amorosas do último mês de julho.

Subitamente, havia seis meses, aos 64 anos de idade, Marvin começou a ter enxaquecas incapacitantes. Ele consultou um neurologista, que não conseguiu controlar suas dores de cabeça e o encaminhou para mim.

Eu conhecera Marvin havia poucos minutos, desde o momento em que fui à sala de espera para convidá-lo a entrar. Ele estava lá sentado, pacientemente – um homem baixo, gorducho, careca, com uma cabeça brilhante e olhos de coruja que jamais piscavam enquanto olhavam através de seus óculos enormes reluzentes.

Eu logo ficaria sabendo que Marvin se interessava especialmente por óculos. Depois de apertar minha mão, suas primeiras palavras, ao me acompanhar pelo corredor até o meu consultório, foram para me cumprimentar pela armação dos meus óculos e me perguntar por quem haviam sido fabricadas. Acho que perdi pontos quando confessei minha ignorância sobre o nome do fabricante; as coisas ficaram ainda mais embaraçosas quando tirei os óculos para ler o nome da marca na haste e descobri que, sem eles, não conseguia lê-lo. Não levei muito tempo para perceber que, uma vez que meus outros óculos estavam em casa naquele momento, eu não tinha como dar a Marvin a informação desejada por ele, de modo que lhe estendi os meus óculos para que ele lesse o nome do fabricante. Infelizmente, ele também enxergava mal, e mais alguns de nossos minutos iniciais juntos foram consumidos enquanto ele trocava seus óculos pelos de leitura.

E agora, alguns minutos mais tarde, antes de poder começar a entrevistá-lo da maneira como costumava fazer, eu me vi cercado pelo meticuloso mapa vermelho e azul. Não, aquele não era um bom começo. Para piorar as coisas, eu acabava de ter uma sessão tocante, mas exaustiva, com uma viúva idosa e aflita cuja bolsa fora roubada recentemente. Parte de minha atenção ainda estava com ela, e precisei me forçar para dar a Marvin a atenção que ele merecia.

Tendo recebido apenas uma breve nota do neurologista, eu não sabia praticamente nada a respeito de Marvin e comecei a sessão, assim que concluímos o ritual de abertura dos óculos, perguntando:

– O que o incomoda?

Foi então que ele me saiu com "Vocês, caras, pensam que o sexo está na raiz de tudo".

Eu enrolei o mapa, disse a Marvin que gostaria de estudá-lo detalhadamente mais tarde e tentei restaurar algum ritmo na sessão pedindo-lhe que me contasse toda a história da sua enfermidade, desde o início.

Ele me disse que havia cerca de seis meses, pela primeira vez na vida, começara a sofrer de dores de cabeça. Os sintomas eram os da enxaqueca clássica: uma aura visual premonitória (luzes flamejantes) e uma distribuição unilateral de uma dor excruciante que o incapacitava durante horas, muitas vezes exigindo repouso num quarto escurecido.

– E você diz que tem boas razões para acreditar que seu desempenho sexual desencadeia a enxaqueca?

– Você pode achar estranho, para um homem de minha idade e posição, mas não pode contestar os fatos. Aqui está a prova! – Ele apontou para o rolo, que agora descansava tranqüilamente sobre minha escrivaninha. – Cada enxaqueca dos últimos quatro meses foi precedida, num período de 24 horas, por um fracasso sexual.

Marvin falou de maneira deliberada, pedante. Obviamente, ele ensaiara isso antes.

– Durante este último ano, tive violentas oscilações de humor. Passo rapidamente de um momento de bem-estar para outro em que sinto que o mundo está acabando. Mas não tire conclusões. – Aqui, ele sacudiu o dedo para mim, para aumentar a ênfase. – Quando digo que me sinto bem, *não* estou dizendo que estou maníaco. Já passei por isso com os neurologistas que tentaram me tratar com lítio por doença maníaco-depressiva; não adiantou nada, além de estragar meus rins. Eu entendo por que os médicos são processados. Alguma vez *você* viu um caso de depressão maníaca começar aos 64 anos? *Você* acha que eu deveria ter tomado lítio?

Suas perguntas me abalaram. Eram dispersivas e eu não sabia como respondê-las. Ele *estaria* processando seu neurologista? Eu não queria me envolver nisso. Eram coisas demais para serem administradas. Fiz um apelo à eficiência.

– Eu voltarei com prazer a essas perguntas mais tarde, mas podemos utilizar melhor o tempo hoje se ouvirmos primeiro toda a sua história clínica.

– Você está certo! Não vamos nos desviar. Então, como eu estava dizendo, passo bruscamente de um estado em que me sinto bem para um estado em que fico ansioso e deprimido – as duas coisas juntas –, e é *sempre* nos estados deprimidos que ocorrem as enxaquecas. Eu nunca tive uma, até seis meses atrás.

– E a ligação entre sexo e depressão?

– Eu ia chegar lá...

Cuidado, pensei. Minha impaciência estava aparecendo. É evidente que ele vai contar isso do jeito dele, não do meu. Pelo amor de Deus, pare de pressioná-lo!

– Bem, essa é a parte que você achará difícil de acreditar, nos últimos 12 meses meu humor foi totalmente controlado pelo sexo. Se tenho um sexo bom com minha mulher, o mundo parece brilhante. Se não, bingo! Depressão e dores de cabeça!

– Fale-me a respeito de suas depressões. Como elas são?

– Como uma depressão comum. Fico abatido.

– Fale um pouco mais.

– O que há para dizer? Tudo parece negro.

– Sobre o que você pensa durante as depressões?

– Em nada. Esse é o problema. A depressão não é só isso?

– Às vezes, quando as pessoas ficam deprimidas, certos pensamentos ficam circulando em suas mentes.

– Eu fico me criticando.

– Como?

– Começo a sentir que sempre irei falhar no sexo, que a minha vida como homem está terminada. Uma vez que a depressão se instala, tenho uma enxaqueca nas 24 horas seguintes. Outros médicos me disseram que estou num círculo vicioso. Vejamos, como ele funciona? Quando estou deprimido, fico impotente, e então, porque estou impotente, fico mais deprimido. Sim, é isso aí. Mas saber disso não resolve, não rompe o círculo vicioso.

– O que o rompe?

– Você poderia pensar que depois de seis meses eu saberia a resposta. Sou muito observador, sempre fui. É para isso que os bons contadores são pagos. Mas não tenho certeza. Um dia, tenho um sexo bom, e tudo fica bem novamente. Por que naquele dia e não num outro dia? Não tenho sequer uma pista.

E assim a sessão passou. O relato de Marvin era preciso, mas insuficiente, levemente cáustico e entremeado de clichês, perguntas e comentários de outros médicos. Ele continuou notavelmente clínico. Embora trouxesse detalhes da sua vida sexual, não manifestava nenhum embaraço, reprovação ou, no que diz respeito ao assunto, qualquer sentimento mais profundo.

Em certo momento, tentei penetrar nessa sinceridade forçada de "sujeito sadio".

– Marvin, não deve ser fácil para você falar sobre aspectos íntimos de sua vida para um estranho. Você mencionou que nunca havia conversado antes com psiquiatras.

– Não é uma questão de as coisas serem íntimas, tem mais a ver com a psiquiatria; eu não acredito em psiquiatras.

– Você não acredita que nós existimos? – Foi uma tentativa tola de fazer uma piada, mas Marvin não notou que eu estava contendo o riso.

– Não, não, não é isso. É que eu não tenho fé neles. Minha mulher, Phyllis, também não tem. Nós conhecemos dois casais com problemas conjugais que foram a psiquiatras, e ambos acabaram no tribunal, se divorciando. Você não pode me acusar por ficar com um pé atrás, não é?

Ao final da sessão, eu ainda não me sentia capaz de dar uma orientação e marquei uma segunda consulta. Nós nos despedimos com um aperto de mão, e, enquanto ele saía, percebi que estava satisfeito por vê-lo indo embora. Lamentava ter de encontrá-lo novamente.

Eu estava irritado com Marvin. Mas por quê? Seria por sua superficialidade, pelo dedo em riste apontado para mim, pelo seu tom de "vocês, caras"? Seriam suas insinuações sobre um possível processo contra seu neurologista – e a tentativa de me envolver nisso? Seria pelo fato de ele ser tão controlador? Ele assumira o controle da sessão: primeiro, com a história idiota dos óculos, depois com sua determinação em colocar aquele mapa em minhas mãos, quer eu quisesse, quer não. Pensei, apreciando cada momento, em rasgar o mapa em pedacinhos.

Mas por que tanta irritação? Marvin perturbara a paz daquela sessão. E daí? Ele havia sido franco, contara-me exatamente o que o preocupava, da melhor forma possível. Ele se esforçara, considerando-se a sua concepção sobre a psiquiatria. Seu mapa era, afinal de contas, útil. Eu ficaria satisfeito com ele se a idéia tivesse sido minha. Será que o problema era mais meu do que dele? Eu estaria tão enfadonho, tão velho? Estaria tão rígido, numa trilha tão estreita, que se a primeira sessão não corresse exatamente do modo desejado, eu ficava irritado e batia o pé?

Ao voltar para casa, naquela noite, pensei mais sobre ele, sobre os dois Marvins – Marvin, o homem, Marvin, a idéia. Era o Marvin de carne e osso que era irritante e desinteressante. Mas Marvin, o *projeto*, era intrigante. Pensei naquela história extraordinária: pela primeira vez em sua vida, um homem de 64 anos de idade, estável, embora prosaico, antes sadio, que teve sexo com a mesma mulher por 41 anos, torna-se de repente extremamente sensível ao seu desempenho sexual. Todo o seu bem-estar logo passa a ser refém do funcionamento sexual. O fenômeno é *grave* (suas enxaquecas são excepcionalmente incapacitantes); ele é *inesperado* (o sexo nunca apresentou antes nenhum problema incomum); ele é *súbito* (irrompeu com toda a força há precisamente seis meses).

Seis meses atrás! Obviamente, lá estava a chave, e eu comecei a segunda sessão explorando os eventos de seis meses atrás. Que mudanças haviam ocorrido em sua vida?

– Nada significativo – disse Marvin.

– Impossível – insisti, e coloquei a mesma pergunta de muitas maneiras. Eu finalmente fiquei sabendo que, havia seis meses, Marvin tomara a decisão de se aposentar e vender a firma de contabilidade. A informação emergiu lentamente, não porque ele estivesse inclinado a não me contar sobre a aposentadoria, mas porque dera pouca importância ao fato.

Eu pensava diferente. Os marcos dos estágios de vida da pessoa são *sempre* significativos, e poucos marcos são mais significativos do que a aposentadoria. Como é possível que a aposentadoria *não* evoque profundos sentimentos sobre a passagem e a partida da vida, sobre o sentido e o significado de todo o projeto de vida da pessoa? Para aqueles que olham para dentro, a aposentadoria é um momento de revisar a vida, de recapitular, um momento de maior consciência da finitude e da morte que se aproxima.

Não era assim para Marvin.

– Problemas com a aposentadoria? Você deve estar brincando. É para isso que eu venho batalhando – para *poder* me aposentar.

– Você não sentirá falta de alguma coisa de seu trabalho?

– Apenas das dores de cabeça. E acho que você pode dizer que encontrei uma maneira de trazê-las comigo! As enxaquecas, quero dizer. – Marvin sorriu, obviamente satisfeito consigo mesmo por ter feito uma piada. – Falando sério, eu ando cansado e aborrecido com o meu trabalho nos últimos anos. Do que você acha que eu sentirei falta, dos novos formulários de imposto?

– Algumas vezes, a aposentadoria desperta sentimentos importantes, pois é um marco importante na vida. Ela nos lembra de passagens da vida. Por quanto tempo você trabalhou? Quarenta e cinco anos? E agora você pára, subitamente, e passa para um outro estágio. Quando eu me aposentar, acho que compreenderei, mais claramente do que nunca, que a vida tem um início e um fim, que venho passando lentamente de um ponto ao outro, e que estou agora me aproximando do final.

– Meu trabalho tem a ver com dinheiro. Esse é o nome do jogo. O que a aposentadoria realmente representa é que eu fiz tanto dinheiro que não preciso fazer mais. Qual é o ponto principal? Posso viver muito confortavelmente com os meus rendimentos.

– Mas, Marvin, o que *significará* não trabalhar mais? Toda a sua vida você trabalhou. Você encontrava significado em seu trabalho. Tenho um pressentimento de que há algo de apavorante em desistir dele.

– Quem precisa dele? Olhe, alguns de meus associados estão se matando para juntar dinheiro suficiente para poderem viver dos lucros de seus lucros. É isso que eu acho loucura – *eles* deveriam procurar um psiquiatra.

Vorbeireden, vorbeireden: nós falávamos sem nos compreendermos, sem nos compreendermos. Repetidas vezes pedi a Marvin para olhar para dentro de si mesmo, para adotar, apenas por um momento, uma perspectiva cósmica, para identificar as mais profundas preocupações da sua existência – seu senso de finitude, de envelhecimento e declínio, seu medo da morte, sua fonte de propósito na vida. Mas nós falamos sem nos entendermos. Ele me ignorou, não me compreendeu. Parecia colado à superfície das coisas.

Cansado de fazer sozinho essas pequenas divagações subterrâneas, decidi me aproximar das preocupações de Marvin. Conversamos a respeito de trabalho. Descobri que quando ele era bem pequeno fora considerado, pelos pais e por alguns professores, um prodígio em matemática; aos 8 anos de idade, ele fizera um teste para se apresentar no programa de rádio *Quiz Kids.*[21] Mas ele nunca cumpriu aquela expectativa precoce.

Achei que ele tinha suspirado quando contou isso tudo, e perguntei:

– Isso deve ter machucado bastante você. Custou a sarar?

Ele sugeriu que talvez eu fosse jovem demais para ter idéia de quantos meninos de 8 anos de idade fracassaram no teste para se apresentar no *Quiz Kids.*

– Os sentimentos não seguem regras racionais. Na verdade, eles normalmente não seguem.

– Se eu tivesse cedido aos sentimentos cada vez que me machucava, jamais teria chegado a lugar nenhum.

– Eu vejo que é muito difícil para você falar sobre machucados.

– Eu era um entre centenas. Não foi nada de especial.

[21] Competição ou jogo no qual as crianças precisam responder a determinadas perguntas, como num exame oral. (N. do T.)

– Vejo também que, sempre que tento me aproximar de você, você me avisa que não precisa de nada.

– Estou aqui em busca de ajuda. Responderei a todas as suas perguntas.

Estava claro que um apelo direto não teria valor nenhum. Levaria muito tempo para Marvin compartilhar sua vulnerabilidade. Voltei à coleta de fatos. Marvin cresceu em Nova York, filho de pais judeus de primeira geração empobrecidos. Ele se formou em matemática numa pequena faculdade da cidade, e pensava em se graduar na universidade. Mas estava impaciente para se casar – saía com Phyllis desde seus 15 anos – e, como não tinha recursos financeiros, decidiu ser professor no curso secundário.

Depois de ensinar trigonometria durante seis anos, Marvin se cansou. Ele concluiu que ficar rico era tudo na vida. A idéia de mais 35 anos de magros salários de professor secundário era insuportável. Ele tinha certeza de que a decisão de ensinar na escola fora um sério erro e, aos 30 anos de idade, resolveu corrigi-lo. Depois de um curso puxado de contabilidade, ele disse adeus aos seus alunos e colegas e abriu uma firma de contabilidade, que no final das contas provou ser extremamente lucrativa. Com investimentos criteriosos em imóveis na Califórnia, ele se tornou um homem rico.

– Isso nos traz ao momento atual, Marvin. Para onde você irá, agora, na vida?

– Bem, como eu disse, não há sentido em acumular mais dinheiro. Eu não tenho filhos – aqui sua voz ficou triste –, nenhum parente pobre, nenhum desejo de dar dinheiro para causas nobres.

– Você pareceu triste quando falou sobre não ter filhos.

– Isso é uma história superada. Eu fiquei desapontado na época, mas isso foi há muito tempo, há 35 anos. Eu tenho muitos planos. Quero viajar. Quero aumentar minhas coleções; talvez elas sejam meu substituto para filhos: selos, emblemas de campanhas políticas, uniformes de beisebol antigos e *Reader's Digests.*

A seguir, explorei o relacionamento de Marvin com sua esposa, que ele insistia ser extremamente harmonioso.

– Depois de 41 anos, ainda acho que minha esposa é uma mulher maravilhosa. Não gosto de me afastar dela, nem mesmo por uma noite. Na verdade, eu me sinto aquecido por dentro quando a encontro no fim do dia. Toda a minha tensão desaparece. Você poderia dizer que ela é o meu Valium.

De acordo com Marvin, a vida sexual deles fora maravilhosa até seis meses atrás: apesar dos 41 anos de relacionamento, ela parecia ter conservado o brilho e a paixão. Quando a impotência periódica de Marvin começou, Phyllis, a princípio, demonstrou grande compreensão e paciência, mas, durante os últimos meses, começou a ficar irritada. Havia poucas semanas, ela resmungou que estava cansada de "ficar na mão" – isto é, de ser sexualmente estimulada e em seguida deixada insatisfeita.

Marvin dava grande valor aos sentimentos de Phyllis, e ficou profundamente perturbado quando pensou que a desagradava. Ele passava dias preocupado, depois de um episódio de impotência, e ficava inteiramente dependente dela para recuperar seu equilíbrio: às vezes ela o fazia melhorar simplesmente assegurando-o de que ainda o achava viril, mas geralmente ele precisava de alguma forma de conforto físico. Ela o ensaboava no banho, o barbeava, o massageava e colocava o pênis mole em sua boca, mantendo-o lá, gentilmente, até ele voltar, palpitante, à vida.

Eu fiquei espantado, na segunda entrevista, assim como na primeira, por Marvin não se surpreender com sua própria história. Onde estava a sua curiosidade pelo fato de sua vida ter mudado tão dramaticamente, pelo fato de seu senso de direção, de sua felicidade e até mesmo de seu desejo de viver serem agora inteiramente ditados pela possibiidade de ele poder sustentar a tumescência de seu pênis?

Chegara o momento de fazer recomendações a Marvin a respeito do tratamento. Eu achava que ele não seria um bom candidato para um tipo profundo, revelador, de psicoterapia. Havia várias razões. Eu sempre achei difícil tratar alguém com tão pouca curiosidade. Embora seja possível ajudar o desdobramento da curiosidade, esse sutil e lento processo seria incompatível com o desejo de Marvin de um tratamento breve e eficiente. Ao lembrar das duas horas passadas com ele, eu também tinha consciência de que ele resistira a cada um de meus convites para mergulhar mais profundamente em seus sentimentos. Ele não parecia compreender, nós conversávamos em vão, ele não tinha nenhum interesse pelo significado interior dos acontecimentos. Ele também resistira aos meus esforços de envolvê-lo mais pessoal e diretamente: por exemplo, quando eu lhe perguntei sobre seu machucado ou apontei como ele ignorava todas as minhas tentativas de me aproximar.

Estava prestes a oferecer a minha recomendação formal para que ele começasse uma terapia comportamental (uma abordagem baseada na mudança de aspectos concretos do comportamento, especialmente a comunicação conjugal e as atitudes e a prática sexual) quando, quase como uma reflexão tardia, Marvin mencionou que tivera alguns sonhos durante a semana.

Eu perguntei sobre sonhos durante a primeira entrevista; e, como muitos outros pacientes, ele retrucou que, embora sonhasse todas as noites, não conseguia lembrar os detalhes de um único sonho. Sugeri que ele mantivesse um bloco ao lado da cama para registrar os sonhos, mas ele parecia tão pouco voltado para o seu interior que eu duvidava que ele seguisse a sugestão e deixei de perguntar sobre sonhos na segunda sessão.

Ele então tirou seu bloco do bolso e começou a ler uma série de sonhos:

> Phyllis estava perturbada por não ter sido boa comigo. Ela ia para casa. Mas quando eu a segui até lá, ela havia saído. Eu temia encontrá-la morta nesse grande castelo, em uma alta montanha. A seguir, eu tentava entrar pela janela do quarto onde seu corpo poderia estar. Eu estava numa saliência estreita e alta. Não conseguia avançar, mas ela era estreita demais para que eu desse a volta e retornasse. Estava com medo de cair, e depois fiquei com medo de pular e cometer suicídio.
>
> Phyllis e eu estávamos tirando a roupa para fazer amor. Wentworth, um sócio meu, que pesa uns 115 quilos, estava no quarto. A mãe dele estava do lado de fora. Nós tivemos de vendá-lo para podermos continuar. Quando eu saí, não sabia o que dizer à mãe dele sobre o motivo pelo qual o vendáramos.
>
> Havia um acampamento de ciganos se formando em frente ao meu escritório. Todos eles estavam horrivelmente sujos – suas mãos, suas roupas, as sacolas que carregavam. Ouvi os homens sussurrando e conspirando de maneira ameaçadora. Perguntei-me por que as autoridades permitiam que eles acampassem assim, em campo aberto.
>
> O chão embaixo de minha casa estava se liqüefazendo. Eu tinha uma escavadora gigante e sabia que teria de perfurar a uma profundidade de 20 metros para salvar a casa. Bati numa camada de rocha sólida e as vibrações me acordaram.

Sonhos notáveis! De onde haviam saído? Seria possível que Marvin os tivesse sonhado? Eu levantei os olhos, meio que esperando ver outra pessoa sentada na minha frente. Mas ele ainda estava lá, esperando pacientemente a minha próxima pergunta, com os olhos inexpressivos por trás dos óculos flamejantes.

Nós tínhamos apenas alguns minutos. Perguntei a Marvin se ele tinha quaisquer associações com algum aspecto dos sonhos. Ele apenas deu de ombros. Eram um mistério para ele. Eu pedira sonhos e ele os trouxera para mim. E aqui acabava a coisa.

Apesar dos sonhos, prossegui e recomendei uma terapia conjugal, talvez de oito a 12 sessões. Sugeri várias opções: eu mesmo atenderia os dois; eu os encaminharia a outra pessoa; encaminharia Phyllis a uma terapeuta para algumas sessões e depois nós quatro – Phyllis, Marvin, a terapeuta dela e eu – nos encontraríamos em sessões conjuntas.

Marvin ouviu atentamente o que eu disse, mas sua expressão facial era tão impassível que eu não tinha a menor idéia do que ele estaria pensando. Quando perguntei sua opinião, ele se tornou estranhamente formal e disse: "Eu levarei suas sugestões em consideração e depois lhe informarei minha decisão."

Ele estaria desapontado? Teria se sentido rejeitado? Eu não podia ter certeza. No momento, me parecia que eu fizera a recomendação certa. A disfunção de Marvin era aguda, e eu responderia, pensei, com uma abordagem cognitivo-comportamental breve. Além disso, estava convencido de que ele não se beneficiaria de uma terapia individual. Tudo pesava contra: ele era resistente demais; na linguagem do ramo, ele simplesmente carecia de "disposição psicológica".

Não obstante, era com pesar que eu perdia a oportunidade de trabalhar em profundidade com ele: a dinâmica de sua situação me fascinava. Eu estava certo de que minha primeira impressão estava próxima do alvo: que sua iminente aposentadoria despertara uma angústia fundamental em relação à finitude, ao envelhecimento e à morte, e que ele estava tentando lidar com essa angústia por meio da maestria sexual. Tanta coisa se sobrepunha ao ato sexual que ele se via excessivamente cobrado e, no final das contas, sobrecarregado.

Eu acreditava que Marvin estava completamente errado quando disse que o sexo estava na raiz de seus problemas; longe disso, o sexo era apenas um meio ineficaz de tentar drenar as ondas de angústia que brotavam de fontes mais fundamentais. Às vezes, como Freud nos mostrou, a angústia sexualmente inspirada é expressada através de meios indiretos. Talvez, com igual freqüência, o oposto seja verdadeiro: *outras angústias se mascaram como angústia sexual.* O sonho da escavadora gigante não podia ser mais claro: o chão sob os pés de Marvin estava se liqüefazendo (uma inspirada imagem visual para a ausência de chão) e ele estava tentando combater isso perfurando, com seu pênis, uma profundidade de 20 metros (ou melhor, 65 anos)![22]

Os outros sonhos evidenciavam um mundo selvagem sob o plácido exterior de Marvin – um mundo efervescente de morte, assassinato, suicídio, raiva em relação a Phyllis, medo de fantasmas sujos e ameaçadores irrompendo de seu interior. O homem vendado, no quarto, quando ele e Phyllis estavam para fazer amor, era particularmente intrigante. Quando investigamos problemas sexuais, é sempre importante perguntar: há mais de duas pessoas presentes durante o ato de amor? A presença de outros – fantasmas dos pais, rivais, outros amantes – complica imensamente o ato sexual.

Não, a terapia comportamental era a melhor escolha. Era melhor manter fechada a tampa desse mundo subterrâneo. Quanto mais eu pensava nisso, mais satisfeito ficava por ter refreado minha curiosidade e agido abnegada e sistematicamente nos melhores interesses do paciente.

Mas a racionalidade e a precisão na terapia raramente são recompensadas. Alguns dias mais tarde, Marvin telefonou e pediu outra sessão. Eu esperava que Phyllis viesse, mas ele chegou sozinho, parecendo ansioso e esgotado. Nenhuma cerimônia de abertura nesse dia. Ele foi direto ao ponto.

– Hoje está sendo um dia ruim. Eu me sinto péssimo. Mas primeiro, quero dizer que apreciei sua recomendação na semana passada. Para ser honesto, esperava que você me aconselhasse a vir umas três ou quatro vezes por semana pelos próximos três ou quatro anos. Fui avisado de que vocês, psiquiatras, fazem isso independentemente do problema. Não que eu os culpe, afinal de contas, vocês, caras, têm um negócio e precisam ganhar a vida.

"Sua sugestão de terapia de casal fez sentido para mim. Phyllis e eu *realmente* temos alguns problemas de comunicação, mais do que eu lhe contei na semana passada. Na verdade, apresentei os fatos de forma atenuada. Tive algumas dificuldades com o sexo, não tão sérias como agora, que me causaram oscilações de humor durante vinte anos. Assim, eu decidi seguir o seu conselho, mas Phyllis não quer cooperar. Ela se recusa terminantemente a procurar um psiquiatra, um terapeuta de

[22] Trata-se de um jogo de palavras: 20 metros correspondem a 65 pés – o que torna impossível a correspondência em português. Traduzido perde-se o sentido original. (N. do T.)

casal, um terapeuta sexual, qualquer um deles. Eu lhe pedi que viesse hoje, uma vez ao menos, para falar com você, mas ela está com os pés fincados no chão."

– Você pode explicar?

– Chegarei lá, mas primeiro há duas outras coisas que quero falar hoje. – Marvin se deteve. A princípio, pensei que fosse para respirar: ele tinha se atropelado com as frases. Mas estava se acalmando. Ele se virou, assoou o nariz e secou os olhos disfarçadamente.

Depois, ele continuou. – Estou afundando. Tive a pior de todas as enxaquecas esta semana e tive de ir à sala de emergência ontem à noite para tomar uma injeção.

– Achei que você parecia esgotado hoje.

– As dores de cabeça estão me matando. E, para piorar as coisas, não estou conseguindo dormir. Ontem à noite tive um pesadelo que me acordou por volta das duas da madrugada, e fiquei pensando nele por toda a noite. Ainda não consegui tirá-lo da cabeça.

– Vamos examiná-lo.

Marvin começou a ler o sonho de maneira tão mecânica que eu o interrompi e empreguei o velho artifício de Fritz Perls de lhe pedir que começasse novamente e descrevesse o sonho no tempo presente, como se o estivesse experienciando naquele momento. Marvin deixou de lado seu bloco e recitou, de memória:

> Os dois homens são altos, pálidos e muito sombrios. Eles deslizam em silêncio por uma campina escura. Estão completamente vestidos de preto. Com cartolas pretas, fraques pretos, polainas e sapatos pretos, eles parecem agentes funerários vitorianos ou pregadores da temperança. Subitamente, eles encontram um carrinho, negro como ébano, levando uma menina, ainda bebê, enrolada numa gaze negra. Silenciosamente, um dos homens começa a empurrar o carrinho. Depois de uma curta distância ele pára, caminha até a frente e, com sua bengala negra, que agora tem uma ponta branca brilhante, ele se inclina, abre a gaze e insere a ponta branca, metodicamente, dentro da vagina do bebê.

O sonho me deixou perplexo. As imagens cruentas imediatamente tomaram forma em minha mente. Eu olhei assombrado para Marvin, que parecia não estar impressionado e parecia ser incapaz de apreciar o poder de sua própria criação, e me ocorreu o pensamento de que esse não era, não podia ser, *seu* sonho. Um sonho como esse não poderia ter vindo *dele*: ele era meramente o médium por meio de cujos lábios ele se expressara. Como eu poderia, me perguntei, encontrar o sonhador?

Na verdade, Marvin reforçava essa idéia extravagante. Ele não tinha nenhum sentimento de familiaridade com o sonho e se relacionava com ele como se fosse um texto desconhecido. Ele ainda sentia medo enquanto o recitava e sacudia a cabeça como se estivesse tentando tirar o mau gosto do sonho da boca.

Eu me centrei na angústia. – Por que o sonho foi um pesadelo? Que parte dele, precisamente, foi assustadora?

– Se eu penso nele *agora*, a última parte, a ponta da bengala colocada na vagina do bebê, é a parte horrível. No entanto, *não era horrível quando eu estava tendo o sonho.* Tudo o mais era, os passos silenciosos, a escuridão, o sentimento profundo, presságios sombrios. Todo o sonho estava impregnado de medo.

– Que sentimento havia *no* sonho em relação à inserção da bengala na vagina do bebê?

– Se é que era, essa parte parecia quase apaziguadora, como se suavizasse o sonho, ou melhor, ao menos tentava fazê-lo. Não chegou realmente a fazê-lo. Nada disso faz qualquer sentido para mim. Eu jamais acreditei em sonhos.

Eu queria continuar com o sonho, mas precisava voltar às necessidades do momento. O fato de Phyllis não estar disposta a falar comigo, nem ao menos uma vez, para ajudar o marido, que estava agora *in extremis*, desmentia o relato de Marvin sobre o casamento idílico, harmonioso. Eu aqui teria de prosseguir delicadamente, em virtude de seu medo (que Phyllis obviamente partilhava) de que os terapeutas se intrometessem e atiçassem os problemas conjugais, mas precisava ter certeza de que ela se opunha inexoravelmente à terapia de casal. Na semana passada eu me perguntara se Marvin não teria se sentido rejeitado por mim. Talvez essa fosse uma tática para me levar a atendê-lo em terapia individual. Será que Marvin se esforçara realmente para persuadir Phyllis a participar com ele do tratamento?

Marvin me assegurou de que *ela* era muito determinada.

– Eu lhe disse que ela não acredita na psiquiatria, mas a coisa vai muito além disso. Ela não procura *nenhum* médico, não fez um exame ginecológico nos últimos 15 anos. Tudo o que consigo fazer é levá-la ao dentista quando tem uma dor de dente.

Subitamente, quando pedi outros exemplos da determinação de Phyllis, surgiram algumas coisas inesperadas.

– Bem, vou lhe contar a verdade. Não há sentido em gastar dinheiro e ficar sentado aqui e mentir para você. Phyllis tem seus problemas. O principal é que ela tem medo de sair de casa. Isso tem um nome. Eu esqueci esse nome.

– Agorafobia?

– Sim, é isso. Faz muitos anos que ela tem esse medo. Ela raramente sai de casa por qualquer razão, a menos que – a voz de Marvin ficou rápida e conspiratória – seja para escapar de um outro medo.

– Que outro medo?

– O medo de que as pessoas nos visitem em casa!

Ele passou a explicar que não recebiam convidados havia anos – na verdade, havia décadas. Se a situação exigia, por exemplo, quando pessoas da família que moravam em outra cidade vêm visitá-los, Phyllis se dispunha a recebê-los em um restaurante: "Um restaurante barato, pois Phyllis odeia gastar dinheiro." Dinheiro era outra razão, acrescentou Marvin, pela qual ela se opunha à psicoterapia.

Além disso, Phyllis também não permitia que Marvin recebesse convidados em casa. Há algumas semanas, por exemplo, algumas pessoas que moravam fora da cidade telefonaram, perguntando se poderiam ver sua coleção de emblemas políticos. Ele nem pensou em perguntar a Phyllis: sabia que ela teria um ataque. Se ele tentasse forçá-la, disse, "um longo tempo" se passaria antes que ele "transasse novamente". Conseqüentemente, como fizera muitas vezes antes, passou a maior parte do dia acondicionando toda a sua coleção para exibi-la em seu escritório.

Essa nova informação tornava ainda mais claro que Marvin e Phyllis precisavam muito de terapia de casal. Mas agora havia uma mudança. Os primeiros sonhos de Marvin estavam tão cheios de iconografia primitiva que, na semana anterior, cheguei a temer que a terapia individual pudesse romper o selo desse inconsciente em ebulição e pensei que a terapia de casal seria mais segura. Agora, no entanto, com essa evidência de patologia grave em seu relacionamento, eu me perguntava se a terapia de casal também não iria libertar demônios.

Reiterei a Marvin que, considerando todas as coisas, eu ainda acreditava que o tratamento de escolha *era* a terapia de casal de orientação comportamental. Mas uma terapia de casal requer um casal, e se Phyllis ainda não estava disposta a vir (como ele imediatamente reafirmou), eu estaria disposto a atendê-lo numa tentativa de terapia individual.

– Mas esteja preparado, o tratamento individual provavelmente demandará muitos meses, talvez um ano ou mais, e não será um mar de rosas. Podem emergir pensamentos e lembranças dolorosas que temporariamente o deixarão mais desconfortável do que você está nesse momento.

Marvin declarou que *havia* pensado nisso durante os últimos dias e que desejava começar imediatamente. Nós combinamos nos encontrar duas vezes por semana.

Era claro que tanto ele quanto eu tínhamos reservas. Marvin continuava cético a respeito do empreendimento psicoterapêutico e demonstrava pouco interesse por uma jornada interna. Ele concordou com a terapia porque sua enxaqueca o submeteu e ele não tinha alternativa. Eu, de minha parte, tinha reservas por estar muito pessimista em relação ao tratamento: concordei em trabalhar com ele porque não via nenhuma outra opção viável de terapia.

Mas eu podia tê-lo encaminhado para outra pessoa. Havia outra razão – a voz, a voz do ser que criara aqueles sonhos surpreendentes. Enterrado em algum lugar dentro das paredes de Marvin havia um sonhador que enviava em código uma urgente mensagem existencial. Eu vaguei novamente na paisagem do sonho, no mundo silencioso e escuro dos homens sombrios, da campina escura e da menina-bebê envolta em gaze negra. Pensei na ponta incandescente da bengala e no ato sexual que não era sexo, mas meramente uma tentativa inútil de afastar o terror.

Eu desejaria saber: se o disfarce fosse desnecessário, se o sonhador pudesse falar comigo sem ardis, o que ele diria?

> Estou velho. Estou no final do trabalho da minha vida. Não tenho filhos, e me aproximo da morte cheio de terror. Estou sufocando na escuridão. Estou sufocando no silêncio da morte. Penso que conheço uma saída. Tento penetrar a escuridão com meu talismã sexual. Mas isso não é o suficiente.

Mas estas eram reflexões minhas, não de Marvin. Pedi-lhe que associasse o sonho, que pensasse sobre ele e dissesse qualquer coisa que lhe viesse à cabeça. Não veio nada. Ele simplesmente balançou a cabeça.

– Você balançou a cabeça quase imediatamente. Tente de novo. Dê uma chance a si mesmo. Tome qualquer parte do sonho e deixe sua mente vagar por ela.

Absolutamente nada.

– O que você pensa sobre a bengala com a ponta branca?

Marvin sorriu maliciosamente. – Estava me perguntando quando você chegaria lá! Eu não disse antes que vocês, caras, vêem sexo na raiz de tudo?

Sua acusação parecia especialmente irônica porque, se eu tinha alguma convicção a seu respeito, era a de que o sexo *não* era a fonte de sua dificuldade.

– Mas o sonho é *seu*, Marvin. E a bengala é sua. Você a criou. O que você pensa dela? E o que pensa sobre as alusões à morte, agentes funerários, silêncio, escuridão, toda a atmosfera de terror e mau presságio?

Dada a escolha entre discutir o sonho da perspectiva da morte ou do sexo, Marvin prontamente escolheu a última.

– Bem, você talvez se interesse por algo sexual que aconteceu ontem à tarde, cerca de dez horas antes do sonho. Eu estava deitado na cama, ainda me recuperando da enxaqueca. Phyllis veio e me fez uma massagem na cabeça e no pescoço. Ela continuou e massageou minhas costas, depois minhas pernas e depois meu pênis. Ela me despiu e tirou todas as suas roupas.

Esse deve ter sido um acontecimento raro: Marvin me dissera que quase sempre era ele quem iniciava o sexo. Eu desconfiava que Phyllis queria expiar sua culpa por se recusar a procurar um terapeuta de casal.

– A princípio, eu não reagi.

– Como foi isso?

– Para dizer a verdade, eu estava apavorado. Tinha acabado de ter a minha pior enxaqueca, e estava com medo de falhar e ter outra enxaqueca. Mas Phyllis começou a chupar meu pinto e ele endureceu. Eu nunca a vi tão persistente. Eu finalmente disse: "Vamos lá, uma boa trepada pode ser exatamente a maneira de me livrar de parte dessa tensão?" – Marvin fez uma pausa.

– Por que você parou?

– Estou tentando pensar nas palavras exatas dela. De qualquer maneira, começamos a fazer amor. Eu estava indo muito bem, mas exatamente quando estava pronto para ter um orgasmo, Phyllis disse: "Há outras razões para fazer amor além de se livrar da tensão." Bem, aquilo foi suficiente! Eu brochei num segundo.

– Marvin, você disse a Phyllis exatamente o que pensava a respeito do momento escolhido por ela?

– Os momentos escolhidos por ela não são bons, nunca foram. Mas eu estava irritado demais para falar. Com medo do que pudesse dizer. Se eu digo a coisa errada, ela pode transformar minha vida num inferno; fechar completamente a torneira sexual.

– Que tipo de coisa você poderia dizer?

– Tenho medo dos meus impulsos – de meus impulsos assassinos e sexuais.

– O que você quer dizer?

– Você lembra, anos atrás, a história nos noticiários sobre um homem que matou a mulher derramando ácido nela? Uma coisa horrível! No entanto, muitas vezes pensei sobre esse crime. Posso entender como a fúria contra uma mulher poderia levar a um crime desses.

Cristo! O inconsciente de Marvin estava mais próximo da superfície do que eu pensara. Lembrando de como eu não quisera tirar a tampa desses sentimentos primitivos – pelo menos não tão cedo no tratamento –, mudei de assassinato para sexo.

– Marvin, você disse que também tinha medo dos seus impulsos sexuais. O que você quis dizer?

– Meu impulso sexual sempre foi forte demais. Disseram-me que isso acontece com muitos homens carecas. Um sinal de excesso de hormônio masculino. Isso é verdade?

Eu não queria encorajar esse diversionismo. Deixei de lado a pergunta.

– Continue.

– Bem, eu tive de refreá-lo durante toda a minha vida, porque Phyllis tem idéias firmes sobre quanto sexo devemos ter. E é sempre a mesma coisa: duas vezes por semana, algumas exceções em aniversários e feriados.

– Você se ressente por isso?

– Algumas vezes. Mas às vezes penso que restrições são boas. Sem elas, eu poderia perder o controle.

Esse era um comentário curioso. – O que significa "perder o controle"? Você se refere a casos extraconjugais?

Minha pergunta chocou Marvin. – Eu jamais fui infiel a Phyllis! Jamais serei!

– Bem, o que você *quer dizer* com "perder o controle"?

Marvin parecia estar perplexo. Eu tinha a impressão de que ele estava falando sobre coisas que jamais discutira antes. Eu estava entusiasmado por ele. Fora uma sessão de trabalho sensacional. E queria que ele continuasse, e simplesmente esperei.

– Eu não *sei* o que quero dizer, mas muitas vezes me perguntei como seria ter casado com uma mulher com um impulso sexual igual ao meu, uma mulher que quisesse e gostasse de sexo tanto quanto eu.

– O que você acha? Sua vida teria sido muito diferente?

– Deixe-me voltar atrás um minuto. Eu não deveria ter usado a palavra *gostar.* Phyllis gosta de sexo. Só que ela nunca parece *desejá-lo.* Em vez disso, ela... qual é a palavra?... ela o concede; se eu me comporto bem. Essas são as vezes em que me sinto enganado e zangado.

Marvin fez uma pausa. Afrouxou o colarinho, esfregou o pescoço e girou os olhos. Ele estava se livrando da tensão, mas imaginei que olhasse ao redor da sala para se assegurar de que ninguém mais ouvia.

– Você parece pouco à vontade. Como está se sentindo?

– Desleal. Como se eu não devesse estar dizendo essas coisas a respeito de Phyllis. Quase como se ela fosse descobrir.

– Você dá muito poder a ela. Mais cedo ou mais tarde teremos que descobrir tudo sobre isso.

Marvin continuou a ser animadoramente sincero durante as primeiras semanas de terapia. Considerando tudo, ele se saiu bem melhor do que eu esperava. Ele foi cooperativo; abandonou o ceticismo em relação à psiquiatria; fazia a lição de casa, vinha preparado para as sessões e estava determinado, como colocou, a ter um bom retorno pelo seu investimento. Sua confiança na terapia foi aumentada por um dividendo inicial inesperado: as enxaquecas desapareceram, misteriosa e completamente, assim que ele começou o tratamento (embora as intensas flutuações de humor resultantes do sexo continuassem).

Durante essa fase inicial da terapia, nos concentramos em duas questões: o casamento e (em menor extensão, por causa de sua resistência) as implicações de sua aposentadoria. Mas tomei cuidado, mantendo-me numa trilha estreita. Sentia-me como um cirurgião preparando o campo operatório, mas evitando qualquer dissecação profunda. Eu queria que Marvin explorasse essas questões, mas não muito profundamente – não o suficiente para desestabilizar o precário equilíbrio conjugal que ele e Phyllis haviam estabelecido (e, assim, levá-lo a sair imediatamente da terapia) e não o suficiente para evocar uma maior angústia de morte (e, assim, desencadear novas enxaquecas).

Ao mesmo tempo, enquanto conduzia essa terapia calma, um tanto concreta, com Marvin, também estava empenhado num diálogo fascinante com o sonhador, aquele homenzinho imensamente iluminado habitado – ou, poderíamos dizer, aprisionado – por Marvin, que ou ignorava a existência do sonhador ou permitia que ele se comunicasse comigo num estado de espírito de benigna indiferença. Enquanto Marvin e eu caminhávamos e conversávamos casualmente em níveis superficiais, o sonhador enviava um constante fluxo de mensagens das profundezas.

Talvez a minha conversa com o sonhador fosse contraproducente. Talvez eu estivesse disposto a permitir um ritmo mais lento a Marvin em função de meu encontro com o sonhador. Eu me lembro de começar toda sessão com Marvin não entusiasmado por vê-lo, e sim antecipando o próximo comunicado do sonhador.

Algumas vezes, os sonhos, como os primeiros, eram expressões assustadoras de angústia ontológica; às vezes, prenunciavam coisas por vir na terapia; outras vezes, eles eram como subtítulos para a terapia, oferecendo uma vívida tradução das cautelosas afirmações que Marvin fazia para mim.

Depois das primeiras sessões, comecei a receber mensagens cheias de esperança:

> O professor, num internato, estava procurando crianças que estivessem interessadas em pintar uma grande tela branca. Mais tarde, eu estava falando a um menino pequeno, atarracado – obviamente eu mesmo – a respeito disso, e ele ficou tão excitado que começou a chorar.

Não há como interpretar mal esta mensagem:

> Marvin sente que alguém está lhe oferecendo uma oportunidade – *indubitavelmente você, seu terapeuta* – de começar tudo novamente. Que excitante – receber outra chance, pintar sua vida novamente em uma tela branca.

Seguiram-se outros sonhos auspiciosos:

> Estou em um casamento, e vem uma mulher e diz que é a minha filha há muito tempo esquecida. Fico surpreso, pois não sabia que tinha uma

> filha. Ela é de meia-idade e está vestida com uma forte cor marrom. Nós tínhamos apenas algumas horas para conversar. Eu lhe pergunto sobre suas condições de vida, mas ela não pode falar sobre isso. Fiquei triste quando ela partiu, mas combinamos nos corresponder.

A mensagem:

> Marvin, pela primeira vez, descobre sua filha – seu lado feminino, mais suave, sensível. Ele fica fascinado. As possibilidades são ilimitadas. Ele pensa em estabelecer uma comunicação contínua. Talvez ele possa colonizar suas ilhas recém-descobertas.

Um outro sonho:

> Eu olho pela janela e percebo uma agitação nos arbustos. É um gato perseguindo um rato. Sinto pena do rato e vou lá fora ajudá-lo. O que eu encontro são dois gatinhos recém-nascidos que ainda não abriram os olhos. Corro para contar a Phyllis, porque ela adora gatinhos.

A mensagem:

> Marvin entende, ele realmente entende, que seus olhos estavam fechados, e que ele finalmente está se preparando para abri-los. Ele fica excitado por Phyllis, que também está prestes a abrir os dela. *Mas tome cuidado, ele desconfia que você está brincando de gato e rato.*

Logo recebi mais avisos:

> Phyllis e eu estamos jantando num restaurante em ruínas. O serviço é muito ruim. O garçom nunca está lá quando você precisa. Phyllis lhe diz que ele está sujo e malvestido. Fico surpreso pela comida ser tão boa.

A mensagem:

> Ela está tramando contra você. Phyllis o quer fora da vida deles. Você é extremamente ameaçador para ambos. Tenha cuidado. Não seja apanhado num fogo cruzado. Não interessa quão boa é a sua comida, você não é páreo para uma mulher.

E, então, um sonho com queixas específicas:

> Estou observando um transplante de coração. O cirurgião está descansando. Alguém o está acusando de estar envolvido apenas no processo de transplante e de não se importar com as circunstâncias confusas de como conseguiu o coração do doador. O cirurgião admite que isso é verdade. Havia uma enfermeira da sala de operações que disse não ter tido esse privilégio – ela teve de testemunhar toda a confusão.

A mensagem:

> O transplante de coração é, evidentemente, a psicoterapia. (Tiro o chapéu para você, meu querido amigo sonhador! "Transplante de coração" – que símbolo visual inspirado para a psicoterapia!) Marvin sente que você é frio e não se envolve, e que teve pouco interesse pessoal pela vida dele... em como ele veio a ser a pessoa que é hoje.

O sonhador estava me instruindo sobre como prosseguir. Eu jamais tivera um supervisor como esse. Eu estava tão fascinado pelo sonhador que comecei a perder de vista a sua motivação. Ele estaria agindo como agente de Marvin para me auxiliar na ajuda à Marvin? Estaria ele esperando que, se Marvin mudasse, ele, o sonhador, ganharia sua libertação por meio da integração com Marvin? Ou estaria agindo principalmente para aliviar seu próprio isolamento, esforçando-se para preservar o relacionamento que tinha comigo?

Mas, independentemente da sua motivação, seus conselhos eram sagazes. Ele estava certo: eu não estava verdadeiramente envolvido com Marvin! Nós permanecíamos num nível tão formal que o fato de usarmos nossos primeiros nomes era esquisito. Marvin se levava muito a sério: ele era praticamente o único paciente com quem eu não podia jamais brincar ou fazer piadas. Eu freqüentemente tentava enfocar o nosso relacionamento, mas a não ser por algumas farpas nas primeiras sessões (do gênero "vocês, caras, acham que o sexo está na raiz de tudo"), ele não fez absolutamente nenhuma outra referência a mim. Ele me tratava com muito respeito e deferência, geralmente respondendo às minhas inquirições sobre seus sentimentos por mim com declarações de que eu devia saber o que estava fazendo, já que ele continuava livre das enxaquecas.

Depois de seis meses, eu me importava um pouco mais com Marvin, embora ainda não tivesse um afeto profundo por ele. Isso era muito estranho, pois eu adorava o sonhador: adorava a sua coragem e a sua aguda honestidade. De vez em quando, eu precisava lembrar a mim mesmo que o sonhador *era* Marvin, que o sonhador oferecia um canal aberto para o núcleo central de Marvin – a espiral do *self* que possui absoluta sabedoria e autoconhecimento.

O sonhador estava certo em dizer que eu não mergulhara nos confusos detalhes da origem do coração a ser transplantado: eu prestara muito pouca atenção às experiências e padrões da vida inicial de Marvin. Portanto, dediquei as duas sessões seguintes a um exame detalhado da sua infância. Uma das coisas mais interessantes que descobri foi que, quando Marvin tinha 7 ou 8 anos de idade, um acontecimento secreto cataclísmico sacudiu sua família e resultou em que sua mãe banisse seu pai permanentemente do quarto do casal. Embora a natureza do acontecimento jamais tenha sido revelada a Marvin, ele agora acredita, com base em alguns comentários isolados da mãe, que seu pai fora infiel ou era um jogador compulsivo.

Depois do exílio do pai, coube a Marvin, o filho mais jovem, tornar-se a companhia constante da mãe: era sua a tarefa de acompanhá-la em todas as suas funções sociais. Durante anos ele suportou as piadas dos amigos sobre seu namoro com a mãe.

Desnecessário dizer que a nova atribuição familiar de Marvin não aumentou sua popularidade com o pai, que se tornou uma presença apagada na família, depois uma simples sombra, e logo se evaporou para sempre. Dois anos mais tarde, seu irmão mais velho recebeu um cartão-postal do pai, dizendo que estava vivo e bem, e que tinha certeza de que a família estava melhor sem ele.

Obviamente, fora criada a fundação para problemas edipianos maiores nos relacionamentos de Marvin com as mulheres. Seu relacionamento com a mãe fora exclusivo, excessivamente íntimo, prolongado em sua intimidade, e tivera conseqüências desastrosas para seus relacionamentos com os homens; na verdade, ele imaginava que contribuíra, de maneira substancial, para o desaparecimento do pai. Não foi uma surpresa, então, ficar sabendo que Marvin temera a competição com homens e era incomumente tímido em relação às mulheres. Seu primeiro encontro verdadeiro, com Phyllis, fora seu primeiro e último encontro: Phyllis e ele namoraram firme até o casamento. Ela era seis anos mais jovem, igualmente tímida e inexperiente em relação ao sexo oposto.

Essas sessões de anamnese foram, na minha opinião, razoavelmente produtivas. Eu fiquei conhecendo os personagens que povoavam a mente de Marvin, e identifiquei (e compartilhei com ele) certos padrões de vida repetitivos importantes: por exemplo, como ele recriara parte do padrão de seus pais em seu próprio casamento – sua mulher, como a mulher de seu pai, exercia controle negando favores sexuais.

À medida que esse material se desdobrava, foi possível entender os problemas atuais de Marvin a partir de três perspectivas muito diferentes: a *existencial* (com um foco na angústia ontológica que fora evocada ao passar por um marco importante de vida), a *freudiana* (com ênfase na angústia edipiana, que resultou no ato sexual estar ligado à angústia catastrófica primitiva) e a *comunicacional* (com ênfase em como o equilíbrio dinâmico conjugal fora alterado pelos recentes acontecimentos de sua vida. Logo iriam emergir mais coisas relacionadas a isso).

Marvin, como sempre, trabalhou duro para produzir a informação necessária, mas, apesar de seus sonhos o exigirem, ele logo perdeu o interesse nas origens passadas dos atuais padrões de vida. Ele comentou certa vez que esses acontecimentos empoeirados pertenciam a outra época, quase a outro século. Ele também observou, melancolicamente, que estávamos discutindo um drama em que todos os personagens, salvo ele, estavam mortos.

O sonhador logo me enviou uma série de mensagens sobre a reação de Marvin às nossas incursões históricas:

> Eu vi um carro com uma forma curiosa, semelhante a uma caixa grande e comprida sobre rodas. Ele era preto e brilhava como couro envernizado. Chamou-me atenção o fato de que as únicas janelas estavam na parte de trás e eram muito oblíquas – de modo que você não conseguia realmente enxergar através delas.

Havia um outro veículo com problemas no retrovisor. Ele tinha janelas traseiras com uma espécie de filtro, que deslizavam para cima e para baixo, mas estavam emperradas.

Eu estava dando uma palestra, com grande sucesso. Então, comecei a ter problemas com o projetor de *slides*. Primeiro, não conseguia tirar um *slide* do projetor para colocar outro. Era o *slide* da cabeça de um homem. Depois, eu não conseguia um bom foco. E, depois, as cabeças das pessoas ficavam atrapalhando a tela. Eu mudei de lugar várias vezes no auditório, para conseguir uma visão desimpedida, mas nunca conseguia ver o *slide* inteiro.

A mensagem que eu acreditava estar sendo enviada para mim pelo sonhador:

Eu tento olhar para trás, mas a minha visão falha. Não existem janelas traseiras. Não existe espelho retrovisor. Um *slide*, com uma cabeça, obstrui a visão. O passado, a verdadeira história, a crônica dos acontecimentos reais são irrecuperáveis. A cabeça no *slide* – minha cabeça, minha visão, minha memória – fica no caminho. Eu somente vejo o passado filtrado pelos olhos do presente – não como eu o conheci e experienciei na época, mas como eu o experiencio agora. A recordação histórica é um exercício inútil para tirar as cabeças do caminho.

Não apenas o passado está perdido para sempre, como o futuro, também, está selado. O carro de couro envernizado, a caixa, meu caixão, também não tem janelas na frente.

Aos poucos, com relativamente pouco estímulo de minha parte, Marvin começou a vagar em águas mais profundas. Talvez ele tenha escutado fragmentos das minhas conversas com o sonhador. Sua primeira associação com o carro, a curiosa caixa preta sobre rodas, foi a seguinte: "Ele não é um caixão." Notando minhas sobrancelhas erguidas, ele sorriu e disse:

– Não foi um de vocês, caras, que disse que as pessoas se entregam por protestarem demais?

– O carro não tinha janelas na frente, Marvin. Pense nisso. O que lhe ocorre?

– Eu não sei. Sem janelas na frente você não sabe para onde está indo.

– Como isso se aplicaria a você, o que vê na sua frente em sua vida, agora?

– A aposentadoria. Sou um pouco lento, mas estou começando a entender. Mas eu não me preocupo com a aposentadoria. Por que eu não *sinto* nada?

– O sentimento está aí. Ele se infiltra nos seus sonhos. Talvez seja doloroso demais para sentir. Talvez a dor faça um circuito secundário e seja colocada em outras coisas. Veja quantas vezes você disse: "Por que eu estou tão preocupado com o meu desempenho sexual? Isso não faz sentido." Uma das nossas principais tarefas é separar as coisas e devolver os sentimentos aos seus devidos lugares.

Ele logo relatou uma série de sonhos com material explícito sobre o envelhecimento e a morte. Por exemplo, ele sonhou que caminhava em um grande edifício de concreto, inacabado, subterrâneo.

Um sonho, em particular, o afetou bastante:

> Eu vi Susan Jennings. Ela estava trabalhando em uma livraria. Parecia deprimida, e eu fui até ela para expressar minha simpatia. Disse-lhe que conhecia outros, seis outros, que se sentiam da mesma maneira. Ela olhou para mim e seu rosto era um crânio horrendo cheio de muco. Eu acordei extremamente assustado.

Marvin trabalhou bem com este sonho.

– Susan Jennings? Susan Jennings? Eu a conheci na escola, há 45 anos. Acho que não pensei nela nem uma única vez até esse momento.

– Pense nela agora. O que lhe vem à mente?

– Posso ver seu rosto: redondo, achatado, óculos grandes.

– Lembra alguém?

– Não, mas eu sei o que *você* diria, que ela se parece comigo: o rosto redondo e os óculos grandes.

– E os outros seis?

– Ah, aí tem coisa, evidentemente. Ontem, eu estava conversando com Phyllis a respeito de nossos amigos que morreram e também a respeito de um artigo de jornal sobre as pessoas que morrem imediatamente após a aposentadoria. Contei a ela que lera um boletim da escola e notara que seis pessoas da minha classe na faculdade haviam morrido. Isso deve ser os "seis outros que se sentiam da mesma maneira" no sonho. Fascinante!

– Existe aí muito medo da morte, Marvin; neste sonho e em todos os outros pesadelos. Todos nós temos medo da morte. Jamais conheci alguém que não tivesse. Mas a maioria das pessoas lida com essa questão muitas vezes ao longo dos anos. No seu caso, ela parece ter explodido de uma vez. Eu sinto com força que foi a idéia da aposentadoria que o desencadeou.

Marvin mencionou que o mais intenso de todos os sonhos fora o primeiro, havia seis meses, dos dois homens sombrios, da bengala branca e do bebê. Essas imagens continuavam vagando em sua mente – especialmente a imagem do sombrio agente funerário vitoriano ou do pregador da temperança. Talvez, disse ele, aquilo o simbolizasse: ele foi moderado, moderado demais. Ele já sabia, desde alguns anos, que amortecera a si próprio durante toda a sua vida.

Marvin estava começando a me surpreender. Ele estava se aventurando em profundezas tais que eu mal podia acreditar que falava com a mesma pessoa. Quando lhe perguntei o que acontecera havia alguns anos, ele descreveu um episódio que jamais dividiu com ninguém, nem com Phyllis. Enquanto folheava uma revista, *Psychology Today*, no consultório do dentista, ficou intrigado com um artigo que sugeria que deveríamos tentar criar uma conversa final, significativa, com cada uma das pessoas importantes desaparecidas de nossas vidas.

Um dia, quando estava sozinho, ele tentou fazer isso. Imaginou-se dizendo ao seu pai como sentia falta dele e como gostaria de tê-lo conhecido. Seu pai não respondeu. Ele se imaginou dando o adeus final à mãe, sentada diante dele em sua habitual cadeira de balanço. Ele falou as palavras, mas nenhum sentimento as acompanhou. Ele rangeu os dentes e tentou fazer com que os sentimentos emergissem. Mas não veio nada. Ele se concentrou no significado do *nunca* – que ele *nunca*, *nunca* mais a veria novamente. Ele se lembrava de ter batido com o punho fechado na escrivaninha, forçando-se a lembrar o frio da testa da mãe quando ele a beijara em seu caixão. Mas não veio nada. Ele gritou em voz alta: "Eu *nunca* mais a verei!" Nada, ainda. Foi *então* que ele percebeu que amortecera a si próprio.

Ele chorou em meu consultório, naquele dia. Chorou por tudo aquilo que perdera, pelos anos de amortecimento em sua vida. Como era triste, disse ele, ter esperado até agora para tentar voltar à vida. Pela primeira vez, eu me senti muito próximo de Marvin. Apertei seu ombro enquanto ele chorava.

No final da sessão, eu estava exausto e muito comovido. Pensei que havíamos finalmente atravessado a barreira intransponível: que finalmente Marvin e o sonhador tinham se fundido e falavam com uma só voz.

Marvin se sentiu melhor depois de nossa sessão e ficou muito otimista até alguns dias mais tarde, quando aconteceu algo curioso. Ele e Phyllis estavam começando uma relação sexual quando ele disse, subitamente: "Talvez meu médico esteja certo, talvez toda a minha angústia sexual *seja* realmente angústia em relação à morte!" Mal ele havia acabado a frase e – psssss – teve uma ejaculação súbita, precoce, sem prazer. Phyllis, compreensivelmente, ficou irritada com sua seleção de tópicos de conversa na hora do amor. Marvin, imediatamente, começou a se repreender por sua insensibilidade em relação a ela e por seu fracasso sexual, e caiu numa profunda depressão. Eu logo recebi uma mensagem urgente e alarmada do sonhador:

> Eu estava trazendo uma mobília nova para casa, mas então não consegui fechar a porta da frente. Alguém colocara alguma coisa lá para manter a porta aberta. Depois vi dez ou 12 pessoas com bagagens, do lado de fora da porta. Eram pessoas horríveis, malignas, especialmente uma velha desdentada, cujo rosto me lembrou Susan Jennings. Ela também me fez lembrar de Madame Defarge, no filme *A Tale of Two Cities* – aquela que tricotava junto à guilhotina enquanto as cabeças eram cortadas.

A mensagem:

> Marvin está muito assustado. Ele tomou consciência de muita coisa, muito rapidamente. Ele sabe agora que a morte está esperando por ele. Ele abriu a porta da percepção; mas agora teme que coisas demais tenham saído, que a porta esteja emperrada, que ele jamais consiga fechá-la novamente.

Seguiram-se rapidamente sonhos assustadores com mensagens semelhantes:

> Era noite, eu estava sentado na sacada de um edifício. Escutei um menininho chorando mais abaixo, na escuridão, pedindo ajuda. Eu lhe disse que estava indo, pois era o único que podia ajudar, mas, quando comecei

a descer na escuridão, o corredor das escadas foi ficando cada vez mais estreito e o frágil corrimão se soltou e ficou em minhas mãos. Eu tive medo de seguir em frente.

A mensagem:

> Existem partes vitais de mim que enterrei durante toda a minha vida – o menininho, a mulher, o artista, a parte que busca significado. Sei que me amorteci e que deixei grande parte de minha vida não vivida. Mas não consigo descer para esses domínios. Não consigo lidar com o medo e o arrependimento.

E ainda outro sonho:

> Estou fazendo um exame. Entrego a prova e lembro que não respondi à última pergunta. Entro em pânico. Tento pegar a prova de volta, mas acabou o prazo. Combino encontrar meu filho depois do prazo final.

A mensagem:

> Percebo agora que não fiz o que poderia ter feito com a minha vida. O curso e o exame terminaram. Eu gostaria de ter feito de modo diferente. A última pergunta do exame, qual era ela? Talvez, se eu tivesse tomado um caminho diferente, feito alguma outra coisa, tivesse me tornado alguma outra coisa – não um professor de colégio, não um contador rico. Mas é muito tarde, tarde demais para mudar qualquer uma de minhas respostas. O tempo acabou. Se ao menos eu tivesse um filho, poderia, por meio dele, projetar-me no futuro, além da linha da morte.[23]

[23] O jogo de palavras só é possível em inglês: no sonho, Marvin combina encontrar-se com o filho depois do "prazo final" (em inglês, *deadline*) e, na mensagem, ele diz que, se tivesse um filho, poderia passar além da "linha da morte" (em inglês, *death line*). (N. do T.)

Mais tarde, na mesma noite:

> Estou subindo por uma trilha na montanha. Vejo algumas pessoas tentando reconstruir uma casa, de noite. Sei que isso não pode ser feito e tento avisá-las, mas elas não conseguem me ouvir. Em seguida escuto alguém chamar meu nome, atrás de mim. É a minha mãe tentando me alcançar. Ela diz que tem uma mensagem para mim. É que alguém está morrendo. Eu sei que sou eu quem está morrendo. Acordo numa grande angústia.

A mensagem:

> É tarde demais. Não é possível reconstruir a casa à noite – mudar o curso estabelecido, exatamente quando você está se preparando para entrar no mar da morte. Eu tenho atualmente a idade que minha mãe tinha quando morreu. Estou alcançando-a e percebo que a morte é inevitável. Não posso alterar o futuro porque estou sendo alcançado pelo passado.

Essas mensagens do sonhador soavam cada vez mais alto. Eu tinha de estar atento a elas. Elas me forçavam a tomar uma posição e revisar o que vinha acontecendo na terapia.

Marvin andara rápido, talvez rápido demais. A princípio, ele era um homem sem *insight*: ele não podia, não queria olhar para dentro de si mesmo. No período relativamente curto de seis meses, ele fez imensas descobertas. Percebeu que seus olhos, assim como os olhos de um gatinho recém-nascido, haviam estado fechados. Percebeu que bem lá no fundo existe um mundo rico e fervilhante que, se enfrentado, desperta um medo terrível, mas também oferece a redenção por meio de conhecimento.

A aparência exterior das coisas não mais o atraía: ele estava menos interessado em suas coleções de selos e de *Reader's Digests*. Seus olhos se abriam agora para os fatos existenciais da vida, ele lutava contra a inevitabilidade da morte e sua impotência para salvar a si próprio.

Marvin acordou mais rapidamente do que eu esperava; talvez ele escutasse, afinal de contas, a voz de seu próprio sonhador. A princípio, ele estava ansioso para enxergar, mas seu entusiasmo logo deu lugar a um intenso sentimento de pesar. Ele se entristeceu pelo seu passado e pelas suas perdas iminentes. Sobretudo, ele se entristeceu pelos vastos espaços vazios de sua vida: seu potencial interno não utilizado, os filhos que jamais teve, o pai que nunca conheceu, a casa que jamais se encheu com família e amigos, uma vida de trabalho que poderia ter tido mais significado do que o acúmulo de tanto dinheiro. Finalmente, ele se entristeceu por si mesmo, pelo sonhador aprisionado, pelo menininho gritando por ajuda na escuridão.

Ele sabia que não vivera a vida que realmente queria. Talvez isso ainda pudesse ser feito. Talvez ainda houvesse tempo para pintar novamente sua vida numa grande tela branca. Ele começara a girar maçanetas de portas secretas, a sussurrar para uma filha desconhecida, a se perguntar para onde iam os pais desaparecidos.

Mas ele se excedeu. Ele se aventurou mais longe do que seus suprimentos alcançavam, e agora era atacado por todos os lados: o passado era obscuro e irrecuperável; o futuro, bloqueado. Era tarde demais: sua casa fora construída, seu exame final, entregue. Ele abriu violentamente as comportas da consciência, apenas para ser inundado pela angústia da morte.

Às vezes, a angústia da morte é descartada como trivial em sua universalidade. Quem, afinal de contas, não conhece e não teme a morte? No entanto, uma coisa é conhecer a morte de um modo geral, ranger os dentes e estremecer uma ou duas vezes; sentir apreensão em relação à própria morte e pressenti-la verdadeiramente é uma coisa muito diferente. Essa consciência da morte é um terror que surge raramente, talvez apenas algumas vezes na vida – um terror que Marvin agora experienciava noite após noite.

Contra esse terror, ele carecia inclusive das defesas mais comuns: sem filhos, não podia ser confortado pela ilusão de células embrionárias imortais; ele não possuía nenhuma crença religiosa que o amparasse – nem de uma vida posterior que preservasse a consciência, nem de uma divindade pessoal onipresente, protetora; nem ele sentia a satisfação de saber que se realizara na vida. (Como regra geral, quanto menor o sentimento de realização na vida, maior a angústia da morte.) Pior de tudo, Marvin não conseguia imaginar o fim da sua angústia. A imagem do sonho era gráfica: os demônios haviam escapado do alojamento de sua mente e estavam plenamente à vista, ameaçadores. Ele não podia fugir, nem voltar a encarcerá-los fechando a porta bloqueada.

Assim, Marvin e eu atingimos um ponto crucial, uma encruzilhada onde a plena consciência inevitavelmente leva. É o momento em que a pessoa está diante do abismo e decide como enfrentar os impiedosos fatos existenciais da vida: a morte, o isolamento, a falta de motivos e de significados. Evidentemente, não existem soluções. Temos apenas a escolha de certas posições: ser "resoluto", ou "comprometido", ou corajosamente desafiador, ou estoicamente condescendente, ou renunciar à racionalidade e, com reverência e mistério, confiar na providência divina.

Eu não sabia o que Marvin iria fazer, nem sabia como ajudá-lo de alguma outra maneira. Lembro-me de que esperava cada sessão com mais do que apenas um pouco de curiosidade em relação às escolhas que ele faria. Quais seriam elas? Ele fugiria de sua própria descoberta? Encontraria uma maneira, mais uma vez, de puxar a coberta do auto-engano sobre sua cabeça? Acabaria abraçando uma solução religiosa? Ou encontraria força e abrigo em uma das soluções filosóficas de vida? Eu jamais sentira antes tão agudamente o duplo papel do terapeuta como observador-participante. Embora eu agora estivesse emocionalmente envolvido e me preocupasse profundamente com o que acontecia a Marvin, ao mesmo tempo permanecia consciente de que estava em uma posição privilegiada para estudar a embriologia da crença.

Embora Marvin permanecesse ansioso e deprimido, ele continuou a trabalhar corajosamente na terapia. Meu respeito por ele aumentou. Eu pensava que ele abandonaria a terapia muito antes. O que fazia com que ele continuasse vindo?

Várias coisas, disse ele. Primeiro, ainda estava livre das enxaquecas. Segundo, ele se lembrava de que eu lhe dissera, na primeira vez que nos encontramos, que haveria momentos na terapia em que ele se sentiria pior do que antes; ele acreditava no que eu lhe dissera, que essa atual angústia era um estágio na terapia e acabaria passando. Além disso, ele estava convencido de que alguma coisa significativa deveria estar acontecendo na terapia: ele aprendera mais a respeito de si mesmo nos últimos cinco meses do que em seus 64 anos de vida!

E uma coisa totalmente inesperada havia acontecido. Seu relacionamento com Phyllis começava a sofrer uma mudança perceptível.

– Nós estamos conversando mais freqüente e honestamente do que já conversamos antes. Não sei bem quando isso começou. Quando você e eu começamos a nos encontrar, ela e eu tivemos uma breve onda de conversas. Mas era um alarme falso.

Acho que Phyllis estava apenas tentando me convencer de que podíamos conversar sem precisar da ajuda de um terapeuta.

"Mas, nas últimas semanas, tem sido diferente. Nós agora estamos *realmente* conversando. Eu tenho contado a Phyllis o que você e eu falamos em cada sessão. Na verdade, ela me espera na porta quando volto para casa depois das sessões e fica chateada se eu adio a conversa, por exemplo, se sugiro que esperemos até a hora do jantar, uma vez que isso nos proporciona um assunto interessante para conversarmos à mesa."

– Que tipo de coisa parece mais importante para ela?

– Quase tudo. Eu lhe contei que Phyllis não gosta de gastar dinheiro; ela adora liquidações. Nós temos brincado que fizemos uma barganha, conseguindo uma terapia do tipo "Leve dois e pague um".

– Esse é o tipo de barganha que fico feliz em proporcionar.

– Acho que a coisa mais significativa para Phyllis foi meu relato sobre as nossas discussões a respeito de meu trabalho, sobre como fiquei desapontado comigo mesmo por não ter aproveitado melhor minhas capacidades, por ter me devotado apenas ao dinheiro, por jamais ter pensado no que eu poderia ter dado ao mundo. Isso a atingiu muito fundo. Ela disse que, se isso valia para mim, também valia para ela, que ela levara uma vida totalmente autocentrada, que jamais dera nada de si.

– Ela deu muito a você.

– Eu a lembrei disso. A princípio ela me agradeceu por dizer isso, porém mais tarde, depois de pensar mais sobre o assunto, ela disse que não tinha tanta certeza, que talvez tivesse me ajudado, mas de certa maneira ficara em meu caminho.

– Como?

– Ela mencionou todas as coisas sobre as quais falei com você: como ela barrou as pessoas em nossa casa; como ela me desencorajou a fazer amigos que pudessem querer nos visitar; como ela se recusou a viajar e me desestimulara a viajar; alguma vez eu já lhe falei sobre isso? Acima de tudo, ela lamenta o fato de não ter tido filhos e sua recusa, há muitos anos, em procurar um especialista em fertilidade.

– Marvin, estou maravilhado. Que franqueza, que honestidade! Como vocês dois estão conseguindo isso? Essas são coisas difíceis de falar, realmente difíceis.

Ele continuou, dizendo que Phyllis pagara um preço por seus *insights* – ela ficara muito agitada. Uma noite, ele não conseguia dormir e ouviu um sussurro no quarto dela. (Eles dormiam em quartos separados porque ele roncava.) Ele entrou na ponta dos pés e viu Phyllis ajoelhada ao lado da cama, rezando, repetindo a mesma frase, como um cântico: "A Mãe de Deus me protegerá. A Mãe de Deus me protegerá. A Mãe de Deus me protegerá. A Mãe de Deus me protegerá." Marvin ficou muito comovido com a cena, embora fosse difícil para ele colocá-la em palavras. Penso que ficou tomado de pena – pena de Phyllis, dele mesmo, de todas as pessoas comuns, desamparadas. Acho que ele percebeu que o cântico era um encantamento mágico, uma frágil proteção contra as coisas terríveis que todos nós precisamos enfrentar.

Ele finalmente voltou a dormir e mais tarde, naquela noite, teve um sonho:

> Havia uma estátua de uma deusa em um pedestal, num grande aposento cheio de gente. Parecia Cristo, mas usava um flutuante vestido amarelo-claro. Do outro lado da sala havia uma atriz com um longo vestido branco. A atriz e a estátua trocaram de lugar. De alguma maneira, elas trocaram seus vestidos, e a estátua desceu e a atriz subiu no pedestal.

Marvin disse que finalmente compreendera um sonho: o sonho significava que ele transformava as mulheres em deusas e então acreditava que estaria seguro se fosse capaz de satisfazê-las. Fora por isso que ele sempre temera a raiva de Phyllis e era por isso que, quando ele estava ansioso, ela conseguia aliviá-lo tanto acalmando-o sexualmente.

– Especialmente o sexo oral. Acho que lhe contei que, quando estou em pânico, ela toma meu pênis em sua boca e meus sentimentos ruins simplesmente se dissolvem. Não é o sexo, você disse isso o tempo todo, e agora eu sei que você tem razão, meu pênis pode estar completamente mole. É simplesmente o fato de ela me aceitar completamente e me tomar dentro dela. É como se eu me tornasse parte dela.

– Você *atribui* a ela poderes mágicos, como a uma deusa. Ela pode curá-lo apenas com um sorriso, um abraço, ou tomando-o dentro dela. Não admira que você tome tanto cuidado para não desagradá-la. Mas o problema é que o sexo se transforma em algo medicinal. Não, isso não é suficientemente forte; o sexo se torna uma proposição de vida ou morte, e sua sobrevivência depende da fusão com esta mulher. Não admira que o sexo tenha sido difícil. Ele deveria ser um ato amoroso, alegre, não proteção contra o perigo. Com essa visão do sexo, qualquer pessoa, certamente eu também, teria problemas de potência.

Marvin pegou seu bloco e escreveu algumas linhas. Eu ficara irritado, havia algumas semanas, quando ele começara a tomar notas, mas ele fizera um uso tão bom da terapia que eu aprendera a respeitar qualquer uma de suas técnicas de ajuda mnemônica.

– Vejamos se eu entendi bem. A sua teoria é que aquilo que eu chamo de sexo muitas vezes não é sexo, pelo menos não um sexo bom, mas, ao contrário, uma maneira de me proteger contra o medo, especialmente o medo de envelhecer e morrer. E quando estou impotente, não é porque falho sexualmente como homem, mas porque estou querendo que o sexo faça coisas que ele não é capaz de fazer.

– Exatamente. E as evidências disso são muitas. Há o sonho dos dois agentes funerários sombrios e da bengala com a ponta branca. Há o sonho do chão que se liqüefaz sob a sua casa, e que você tenta resolver perfurando com sua escavadeira gigante. Existe o sentimento que você acabou de descrever sobre ser tranqüilizado pelo contato físico com Phyllis, mascarado como sexo, mas que absolutamente não é sexo, como você observou.

– Então, existem duas questões. Primeiro, estou querendo que o sexo faça algo além de seu poder. Segundo, estou dando um poder quase sobrenatural a Phyllis, de me curar ou me proteger.

– E, então, tudo se desintegrou quando você ouviu seu cântico melancólico, repetitivo.

– Foi quando percebi como ela é frágil; não Phyllis em particular, mas *todas* as mulheres. Não, não apenas as mulheres, mas todas as pessoas. O que eu vinha fazendo era exatamente o que Phyllis estava fazendo, dependendo de magia.

– Assim, você depende do poder dela para proteção e ela, por sua vez, suplica proteção com um cântico mágico; veja aonde isso os leva.

"Existe mais uma coisa importante. Considere agora as coisas do ponto de vista de Phyllis: se ela, em seu amor por você, aceita o papel de deusa que você lhe atribui, pense sobre o que esse papel fará com as próprias possibilidades de crescimento dela. De modo a permanecer em seu pedestal, ela jamais foi capaz de falar com você sobre a dor *dela* e os medos *dela;* ou não até muito recentemente."

– Devagar! Deixe-me escrever isso. Vou ter de explicar tudo isso a Phyllis. Marvin estava agora escrevendo furiosamente.

– Assim, em um certo sentido, ela satisfazia seus desejos não falados, ao não expressar abertamente suas incertezas, ao fingir ser mais forte do que se sentia. Tenho a impressão de que essa é uma das razões pelas quais ela não quis vir à terapia quando nós começamos. Em outras palavras, ela percebeu seu desejo de que ela *não* mudasse. Também tenho a impressão de que, se você lhe pedisse agora, ela talvez viesse.

– Meu Deus, nós estamos realmente em sintonia agora. Phyllis e eu já discutimos isso, e ela está pronta para falar com você.

E foi assim que Phyllis entrou em terapia. Ela chegou com Marvin na hora seguinte, uma mulher bonita, graciosa, que, por pura força de vontade, superou a timidez e em nossa sessão a três revelou-se corajosamente.

Nossas conjecturas sobre Phyllis estavam certas: ela muitas vezes precisava engolir seus próprios sentimentos de inadequação para não perturbar Marvin. E, evidentemente, tinha de ser particularmente solícita quando ele estava angustiado, o que significara, recentemente, que ela precisava ser solícita quase o tempo inteiro.

Mas seu comportamento não era inteiramente reativo aos problemas de Marvin. Ela também lutava com muitas questões pessoais, particularmente sua dolorosa sensibilidade em relação à sua falta de instrução e sua crença de que era inferior à maioria das pessoas, especialmente a Marvin. Uma das razões pelas quais ela temia, e evitava, eventos sociais era a possibilidade de alguém lhe perguntar: "O que você faz?" Ela evitava conversas longas porque poderia ficar evidente que jamais fizera faculdade. Sempre que ela se comparava aos outros, invariavelmente concluía que eles eram mais bem-informados e mais inteligentes, socialmente aptos, autoconfiantes e interessantes.

– Talvez – sugeri –, a única área em que você possa manter o poder seja o sexo. É o lugar em que Marvin precisa de você e não pode exercer nenhum controle sobre você.

Phyllis a princípio respondeu hesitante, e depois as palavras começaram a jorrar dela.

– Imagino que eu tinha de ter *alguma coisa* de que Marvin precisasse. Na maioria das outras coisas ele é muito auto-suficiente. Muitas vezes eu sinto que não tenho muito mais a oferecer. Não fui capaz de ter filhos, tenho medo das pessoas, nunca trabalhei fora, não tenho nenhum talento ou aptidão. – Ela fez uma pausa, secou os olhos e disse a Marvin – Veja, eu *consigo* chorar se me esforçar.

Ela se voltou para mim. – Marvin lhe contou que ele me fala sobre as coisas que vocês discutem. Eu tenho feito terapia a distância. Alguns dos tópicos me sacudiram, aplicam-se mais a mim do que a ele.

– Por exemplo?

– Por exemplo, o pesar. A idéia realmente tocou fundo. Sinto um imenso pesar pelo que fiz com a minha vida, ou melhor, por tudo aquilo que não fiz.

Meu coração lamenta por Phyllis naquele momento, e eu queria desesperadamente dizer alguma coisa útil. – Se olharmos demais para o passado, é fácil sermos invadidos pelo pesar. Mas agora o importante é nos voltarmos para o futuro. Temos de pensar sobre a mudança. O que *não* deve ocorrer é você olhar para trás daqui a cinco anos e se arrepender pela maneira como viveu durante esses cinco anos.

Phyllis respondeu, depois de uma pequena pausa:

– Eu ia começar a dizer que estou velha demais para fazer as coisas de modo diferente. Senti assim durante trinta anos. Trinta anos! Minha vida inteira senti que era tarde demais. Mas ver Marvin mudar durante as últimas semanas foi impressionante. Você talvez não faça idéia, mas o simples fato de eu estar aqui hoje, no consultório de um psiquiatra, falando sobre mim mesma, é, em si, um grande, grande passo.

Eu lembro de que pensei como fora bom a mudança de Marvin ter levado Phyllis a mudar. A terapia muitas vezes não funciona desta maneira. Na verdade, não é incomum a terapia trazer tensão a um casamento: se um paciente muda e o cônjuge permanece paralisado na mesma posição, a dinâmica de equilíbrio conjugal freqüentemente se desintegra. O paciente tem de desistir do crescimento ou crescer e pôr em risco a união. Eu estava muito grato por Phyllis ter demonstrado tanta flexibilidade.

A última coisa que discutimos foi o momento do aparecimento dos sintomas de Marvin. Eu pensava que o significado simbólico da aposentadoria – a angústia existencial subjacente a esse importante marco da vida – era uma explicação suficiente para o aparecimento de seus sintomas. Mas Phyllis proporcionou uma explicação adicional para o "por que agora?".

– Tenho certeza de que você sabe o que está dizendo, e que Marvin deve estar mais perturbado do que imagina com a idéia da aposentadoria. Mas, francamente, *eu também* estou preocupada com a idéia de sua aposentadoria e quando fico preocupada, seja com o que for, Marvin também se preocupa. É assim que o nosso relacionamento funciona. Se eu me preocupo, mesmo que fique em completo silêncio, ele sente e se preocupa. Às vezes ele fica tão preocupado que tira de mim a minha preocupação.

Phyllis disse isso com tal facilidade que esqueci, por um momento, a grande tensão que ela experimentava. Antes, ela olhava para Marvin a todo instante. Eu não tinha certeza se era para obter seu apoio ou se assegurar de que ele seria capaz de tolerar o que ela tinha a dizer. Mas agora ela estava totalmente absorvida em suas próprias palavras, mantendo o corpo e a cabeça absolutamente imóveis enquanto falava.

– O que perturba você na aposentadoria de Marvin?

– Bem, em primeiro lugar, ele sente que a aposentadoria significa viagens. Não sei o quanto ele falou a você sobre mim e sobre viajar. Sinto certa vergonha do que vou dizer, mas tenho muita dificuldade em sair de casa, quanto mais de viajar mundo afora. Também não espero muito ansiosamente o momento em que Marvin vai "assumir a casa". Nos últimos quarenta anos, ele tomou conta do escritório e eu tomei conta da casa. Bem, eu sei que é a casa dele também. É principalmente dele, você poderia dizer, já que o dinheiro dele a comprou. Mas é muito perturbador ouvi-lo falar sobre reformar os aposentos para que ele possa expor as suas várias coleções. Por exemplo, agora ele está justamente procurando alguém para fazer uma nova mesa de jantar com tampo de vidro para expor seus emblemas de campanhas políticas. Eu não quero comer em cima de emblemas políticos. Sinto que teremos problemas. E... – Ela se deteve.

– Você ia dizer alguma outra coisa, Phyllis?

– Bem, esta é a coisa mais difícil de falar. Fico envergonhada. Tenho medo de que quando Marvin comece a ficar em casa, ele veja quão pouco eu faço todos os dias e perca o respeito por mim.

Marvin simplesmente segurou a mão dela. Pareceu a coisa certa a fazer. Na verdade, durante toda a sessão ele foi profundamente empático. Nenhuma pergunta distrativa, nenhum clichê jocoso, nenhuma disputa para ficar por cima. Ele a assegurou de que viajar era importante para ele, mas não tão importante que ele não pudesse esperar até que ela estivesse pronta. Ele lhe disse, explicitamente, que a coisa mais importante do mundo para ele era o relacionamento deles, e que jamais se sentira tão próximo dela.

Eu atendi Phyllis e Marvin, como um casal, por várias sessões mais. Reforcei o modo novo e mais aberto de comunicação e os instruí em alguns fundamentos do funcionamento sexual: como Phyllis podia ajudar Marvin a manter a sua ereção; como ela podia ajudá-lo a evitar uma ejaculação precoce; como Marvin podia abordar o sexo menos mecanicamente; e como ele podia, se perdesse a ereção, levar Phyllis ao orgasmo, manual ou oralmente.

Ela ficara muitos anos amarrada à casa e raramente se aventurava a sair sozinha. Parecia-me que era hora de interromper esse padrão. Eu acreditava que o significado, ou pelo menos um dos significados, de sua agorafobia se tornara obsoleto e podia ser influenciado pelo paradoxo. Eu primeiro obtive a concordância de Marvin em ajudar Phyllis a superar sua fobia prometendo seguir todas as sugestões dadas por mim. Então, eu o instruí a dizer a ela, pontualmente a cada duas horas, pelo telefone, quando estivesse trabalhando, precisamente essas palavras: "Phyllis, por favor, não saia de casa. Preciso saber onde você está, em todos os momentos, para tomar conta de mim e não deixar que eu sinta medo."

Os olhos de Phyllis se arregalaram. Marvin me olhou incrédulo. Eu estaria falando sério?

Disse a ele que sabia que parecia loucura, mas o persuadi a seguir fielmente minhas instruções.

Ambos deram risadinhas nas primeiras vezes que Marvin disse a Phyllis para não sair de casa: parecia ridículo e artificial; ela não saía de casa havia meses. Mas logo o divertimento cedeu lugar à irritação. Marvin ficou irritado comigo por tê-lo feito prometer que continuaria repetindo a mesma frase ridícula. Phyllis, mesmo sabendo que Marvin seguia minhas instruções, foi ficando irritada com ele por lhe ordenar que ficasse em casa. Depois de alguns dias, ela foi à biblioteca sozinha, depois saiu para fazer compras, e nas semanas seguintes aventurou-se mais longe do que se aventurara em muitos anos.

Raramente emprego essas abordagens manipulativas na terapia; geralmente o preço é alto demais – precisamos sacrificar o caráter genuíno do encontro terapêutico. Mas o paradoxo pode ser efetivo nos casos em que a base terapêutica é sólida e o comportamento prescrito rompe o significado do sintoma. Neste caso, a agorafobia de Phyllis não era um sintoma *dela*, e sim um sintoma *deles*, e servia para manter o equilíbrio conjugal: Phyllis estava eternamente lá para Marvin; ele podia se aventurar no mundo, prover a segurança deles, e, no entanto, sentir-se seguro por saber que ela estaria sempre lá esperando por ele.

Havia certa ironia em meu uso dessa intervenção: uma abordagem existencial e um paradoxo manipulativo comumente são parceiros bizarros. Todavia, aqui a seqüência parecia natural. Marvin aplicou a seu relacionamento com Phyllis o entendimento obtido a partir de uma confrontação com as fontes profundas de seu desespero. Apesar de seu desencorajamento (retratado em seus sonhos por símbolos como a incapacidade de reconstruir uma casa à noite), ele, não obstante, passou a uma reconstrução radical de seu relacionamento com a esposa. Tanto Marvin quanto Phyllis agora se importavam tanto com o crescimento e a essência um do outro que podiam colaborar genuinamente no processo de arrancar um sintoma de sua órbita.

A mudança de Marvin iniciou uma espiral adaptativa: liberada de um papel restritivo, Phyllis sofreu uma mudança enorme no espaço de poucas semanas e continuou e solidificou a melhora em terapia individual com um outro terapeuta durante o ano seguinte.

Marvin e eu nos encontramos apenas mais algumas vezes. Satisfeito com seu progresso, ele teve, como ele mesmo colocou, um grande lucro com seu investimento. As enxaquecas, sua razão para procurar a terapia, nunca mais voltaram. Embora ainda tivesse oscilações de humor (que eram dependentes do sexo), sua intensidade diminuíra consideravelmente. Marvin calculava que as mudanças de humor eram agora aproximadamente as mesmas dos vinte anos anteriores.

Eu também me sentia satisfeito com o nosso trabalho. Sempre há algo mais a ser feito, mas, no todo, tínhamos realizado mais do que eu previra em nossa sessão inicial. O fato de que os sonhos angustiados de Marvin haviam cessado também era tranqüilizador. Embora eu não tivesse recebido mensagens do sonhador nas últimas semanas, não senti falta delas. Marvin e o sonhador haviam se fundido, e eu agora falava com eles como uma única pessoa.

Atendi Marvin de novo um ano mais tarde: sempre marco com os pacientes uma sessão de manutenção dentro de um ano – tanto para benefício deles quanto para minha própria edificação. Também costumo tocar para o paciente uma gravação de parte de nossa sessão inicial. Marvin ouviu dez minutos de nossa sessão inicial e disse: "Quem é esse babaca, que mal lhe pergunte?"

A zombaria de Marvin tinha um lado sério. Tendo visto a mesma reação em muitos pacientes, passei a considerá-la como um sinal válido de mudança. Marvin, com efeito, estava dizendo: "Sou uma pessoa diferente agora. Mal reconheço o Marvin de um ano atrás. Aquelas coisas que eu costumava fazer – recusar-me a olhar para a minha própria vida; tentar controlar ou intimidar os outros; tentar impressionar os outros com a minha inteligência, meus mapas, minha perfeição – sumiram. Não faço mais isso."

Esses não são ajustamentos menores: eles representam modificações básicas na pessoa. No entanto, são tão sutis em caráter que geralmente escapam à maioria dos questionários das pesquisas.

Com seu cuidado costumeiro, Marvin viera preparado com um ano de observações de manutenção que revisavam e avaliavam os esforços que tínhamos feito na terapia. O veredicto era misto: em algumas áreas ele mantivera as mudanças; em outras, dera uma escorregadela. Primeiro, ele me informou que Phyllis estava indo bem: sua fobia de sair de casa continuava regredindo. Ela participava de um grupo feminino de terapia e estava trabalhando seu medo de tomar parte de funções sociais. Talvez o mais impressionante fosse a decisão de tratar adaptativamente sua preocupação com a falta de instrução – matriculara-se em vários cursos de extensão na faculdade.

E quanto a Marvin? Ele não tivera mais enxaquecas. Suas oscilações de humor persistiam, mas não eram incapacitantes. Periodicamente, ele ainda ficava impotente, mas se preocupava menos com isso. Mudara de idéia em relação à aposentadoria e agora trabalhava apenas parte do tempo, mas havia mudado de campo e se dedicava mais a desenvolvimento e administração imobiliária – trabalho que considerava mais interessante. Ele e Phyllis ainda se relacionavam muito bem, mas às vezes ele se chateava com as atividades recém-descobertas por ela e se sentia ignorado.

E o meu velho amigo, o sonhador? O que acontecera com ele? Teria alguma mensagem para mim? Embora Marvin não tivesse mais pesadelos ou sonhos fortes, ele sabia que havia rumores noturnos. Na noite anterior ao nosso encontro, ele tivera um sonho curto e misterioso. Parecia que tentava lhe dizer alguma coisa. Talvez, sugeriu ele, eu pudesse compreendê-lo.

> Minha mulher está diante de mim. Ela está nua e com as pernas bem separadas. Estou olhando à distância, através do triângulo de suas pernas.

> Mas tudo o que eu posso ver, longe, bem longe no horizonte, é o rosto de minha mãe.

A mensagem final que o sonhador me enviou:

> A minha visão está limitada pelas mulheres da minha vida e da minha imaginação. Entretanto, eu ainda consigo ver longe. Talvez seja o suficiente.

OUTROS TÍTULOS DO AUTOR

Em *Quando Nietzsche chorou*, Josef Breuer, um dos pais da psicanálise, está prestes a se deparar com um grande desafio: tratar do filósofo Friedrich Nietzsche, atormentado por uma crise existencial e por uma depressão suicida. Mentor de Freud, Breuer vive um momento de angústia, obcecado pelas fantasias sexuais com sua paciente Anna O. Uma relação se estabelece entre eles, na qual as funções de médico e paciente se confundem, pois Breuer encontra na filosofia de Nietzsche algumas respostas para suas próprias dores existenciais. Tomando como pano de fundo a Viena do final do século XIX, Irvin D. Yalom constrói um romance apaixonante, em que realidade e ficção se misturam, assim como literatura, filosofia e psicanálise.

Entrelaçando realidade e ficção, *A cura de Schopenhauer* oferece um recorte fiel dos meandros da terapia em grupo e revela o doloroso processo de autoconhecimento, tendo como pano de fundo a vida e a obra de Arthur Schopenhauer. Ao reencontrar Philip Slate, um ex-paciente viciado em sexo que não conseguira curar, o terapeuta Julius Hertzfeld descobre que Philip curou a si próprio seguindo a filosofia pessimista de Schopenhauer. A partir daí, o leitor vai acompanhar um embate emocionante entre paciente e terapeuta, em que cada um expõe seus medos, suas defesas e suas fraquezas e aprende a ser mais humano e feliz.

Neste romance provocativo, Yalom disseca a complexidade das emoções humanas por meio do relacionamento de três terapeutas e seus pacientes: Seymour, acusado de má conduta sexual com uma de suas clientes; Marshal, orgulhoso e cego pela cobiça; e Ernest Lash – o delicado elo entre eles –, que, em sua preocupação com os problemas da existência, inventa uma radical abordagem para suas sessões de psicoterapia. Explorando os jogos de poder e os vínculos interpessoais, *Mentiras no divã* é um livro brilhante, inteligente e apaixonante. Um olhar hilário e complexo sobre o que realmente se passa na mente dos psicanalistas.

Em *Os desafios da terapia – reflexões para pacientes e terapeutas*, Irvin D. Yalom revela dicas preciosas para todos os que se aventuram pelo fascinante mundo da psicologia, sejam terapeutas ou pacientes. Os leitores poderão conhecer um pouco mais da vasta experiência do autor e de como ele entende o processo terapêutico – uma parceria entre dois seres humanos que se tornam companheiros da viagem árdua, porém gratificante, que é o mergulho no interior de cada um. Um guia prático para profissionais da área e para todos os interessados, principalmente aqueles que estão fazendo terapia ou pretendem fazê-la.

Este livro foi composto em Minion 10,5/15,1
e impresso pela Gráfica Ediouro sobre
papel Pólen Soft 70g para a Ediouro em 2007.